COBRA 40 jaar later 40 years after

COLLECTIE J. KAREL P. VAN STUIJVENBERG

De catalogus 'COBRA, 40 jaar later' verscheen ter gelegenheid van een tentoonstelling in De Nieuwe Kerk te Amsterdam, van 9 november tot en met 31
december 1988. Deze tentoonstelling
kwam tot stand in samenwerking van de
Stichting Cobra met de Stichting De
Nieuwe Kerk.

The catalogue 'COBRA, 40 years after' is
published on the occasion of an exhibition in the Nieuwe Kerk in Amsterdam,
November 9 through to and including
December 31, 1988. This exhibition was
organized by the Foundation Cobra and
the National Fund De Nieuwe Kerk.

Sdu uitgeverij   **1988**   **Sdu publishers**

INHOUDSOPGAVE

CONTENTS

Stichting Cobra in november 1988

Bestuur:
Eug. J.R.M. de By
Prof. Mr F.W.G.M. van Brunschot
C.A. Groenendijk
Jhr J. Six
E.W. Veen

Adviezen:
Jan Vrijman

Werkgroep tentoonstelling:
C.A. Groenendijk
Chris van der Heijden
John Vrieze

CIP-gegevens Koninklijke Bibliotheek, Den Haag

Cobra

Cobra, 40 jaar later - Cobra, 40 years after / [red. Chris van der Heijden; vert. door Kate Williams]. - 's-Gravenhage: SDU uitgeverij. - Ill. Tekst in het nederlands en Engels. - Uitg. bij een tentoonstelling in de Nieuwe Kerk te Amsterdam.
ISBN 90-12-05914-3
BISO 735.8 UDC [74/76+82] "1948/1951"
Trefw.: Cobra-beweging: geschiedenis.

ISBN 90 12 05914 3

Collectie:
J. Karel P. van Stuijvenberg

Eindredactie catalogus:
Chris van der Heijden

Vertaling:
Leo Jansen
Wendy Shaffer
Kate Williams

Met dank aan:
Andrik van Es
Tina Holt
Evelien van Oorschot
Jop Ubbens

Deze tentoonstelling kwam tot stand met financiële steun van:

Barclay
Prins Bernhard Fonds
de Bijenkorf
Brandtex
de Volkskrant

Omslag: 'Vragend kind' van Karel Appel, 1949-1950

Cover: 'Questioning child', by Karel Appel, 1949-1950

©1988 Sdu uitgeverij

Sdu publishers

Chris van der Heijden

INLEIDING

INTRODUCTION

In de film van Jan Vrijman over Cobra komt een ontroerende scène voor met de Deense beeldhouwer Henry Heerup. De man, ouder dan 80 jaar, zit omringd door katten in zijn tuin en wordt geacht iets verstandigs over Cobra te vertellen. Daarvoor is de cameraploeg tenslotte helemaal naar hem toegekomen. 'Nu moet ik natuurlijk iets aardigs zeggen,' oppert Heerup voorzichtig omdat hij een vriendelijke oude man is en de aanwezigen niet de indruk wil geven dat ze net zo goed thuis hadden kunnen blijven. 'Ja, Cobra was een uitstekende...' Zijn woorden stokken, de interviewer helpt hem op weg door te beweren dat hij met de Cobratentoonstellingen internationale bekendheid verworven had. 'Is dat zo? Ja misschien.' Je ziet hem denken. En dan ontglipt de opmerking die hij uit vriendelijkheid niet al eerder gemaakt had: 'Van wanneer is Cobra ook weer, van '48? Ja, toen had ik dit stuk grond hier, want dat heb ik al veertig jaar.' Daarmee is de beweging die nu al in vele boeken beschreven staat en dit jaar op zovele plekken herdacht wordt, met één klap tot bescheiden proporties teruggebracht. Cobra was belangrijk, niemand zal dat willen ontkennen. Maar Cobra was zelfs voor de betrokkenen niet zo cruciaal als men hier en daar wil doen geloven. Het is zoals Willemijn Stokvis in haar artikel zegt. Ondanks alle ophef die er in Cobrakringen van 'het collectieve avontuur' gemaakt werd, bleven de meeste kunstenaars individualisten voor wie het eigen werk belangrijker was dan de gezamenlijke presentatie. De enige voor wie dat zeker niet gold was Dotremont en die wordt dan ook met recht de spil van de beweging genoemd. Een tijdlang ging dit in mindere mate voor Jorn, Constant en Alechinsky op. Voor de eerste twee omdat ze vanwege hun theoretische gedrevenheid tijdelijk bereid waren hun eigen avontuur ondergeschikt te maken. Voor de laatste omdat hij in zijn jeugdigheid blij was ergens steun te kunnen vinden. Maar voor de overigen gold in meer of mindere mate wat Heerup verwoordde: Cobra was een episode, temidden van alle andere die in veertig jaar gepasseerd zijn voor de afzonderlijke kunstenaars en hun werk van relatief belang. Dat neemt niet weg dat Cobra als beweging grote betekenis heeft, in de eerste plaats als kunst- en cultuurhistorisch verschijnsel, in de tweede plaats als oriëntatiepunt voor de betrokken kunstenaars. Over dat laatste kan je kort zijn omdat het van persoon tot persoon verschilt. Bladeren door dit boek zegt in dit geval meer dan een boude generalisatie. Wat betreft het eerste kan je niet anders dan de onderverdeling aanbrengen die Cobra vanaf het begin gekenmerkt heeft en ook in de naam terug te vinden valt. Drie steden (Kopenhagen, Brussel, Amster-

In the film made by Jan Vrijman about the Cobra movement there is a moving scene with the Danish sculptor Henry Heerup. The octagenarian is sitting in his garden surrounded by cats and is expected to say something sensible about Cobra. This is why the film crew has come all the way out to see him. 'I suppose I've got to say something nice', Heerup suggests because he's a friendly old man and does not want those present to feel they have had a wasted journey. 'Yes, Cobra was an excellent ...'. He flags, so the interviewer helps him along by maintaining that he has achieved international fame with the Cobra-exhibition. 'Is that a fact? Yes perhaps'. You can see his brain ticking over. And then what he had wanted to say earlier just slips out: 'When was Cobra now exactly, '48? Yes, it was then that I got this bit of land here, because I've had it forty years.' This sobering remark reduces Cobra to more modest proportions, even though so many books have been written about it and in this year – like no other – it will be in the limelight with many retrospective commemoration activities. Cobra was really important, nobody would want to deny that fact. However, Cobra was not as crucial for those involved as some would like to believe. It is just as Willemijn Stokvis explains in her article in this catalogue. Despite all the fuss about 'the collective adventure' in Cobra circles, most of the artists were individualists whose own work was more important than the joint presentations. The only clear exception to this rule was Dotremont, and he is therefore quite rightly seen as the pivot of the movement. For a while this was less true of Jorn, Constant and Alechinsky. Jorn and Constant were, on account of their theoretical drive, content to put their own adventure in second place. Alechinsky, on the other hand, was glad to find support from some quarter in view of his youthfulness. But for the others what Heerup had to say on the matter was more or less true: Cobra was just an episode, amidst all the others which took place over a period of forty years. This does not mean that the Cobra-movement was not of great significance, in the first place as an artistic and cultural-historical phenomenon, in the second place as a point of orientation for the artists involved. As far as the artists are concerned, little can be said because it was different for everyone. Leafing through this book says more, in this case, than a bold generalization ever could. As far as the phenomenon is concerned you can do nothing more than make the division which characterized Cobra from the start and is to be traced back to the name too. Three cities (Copenhagen, Brussels, Amsterdam), three countries, three cultures, three art-historical traditions. One

LA CAUSE ETAIT ENTENDUE

Les **représentants** belges, danois et hollandais à la conférence du Centre
International de Documentation sur l'Art d'Avant-Garde à Paris jugent
que **celle-ci** n'a mené à rien.
La résolution qui a été votée a la séance de clôture ne fait qu'exprimer
le manque total d'un accord suffisant pour justifier le fait même de la
réunion.
Nous **voyons** comme le seul chemin pour continuer l'activité internationale
une collaboration organique expérimentale qui évite toute théorie stérile
et dogmatique.
Aussi décidons-nous de ne plus assister aux conférences dont le programme
et l'atmosphère ne sont pas favorables à un développement de notre tra-
vail.

Nous avons pu constater, nous, que nos façons de vivre, de travailler,
de sentir étaient communes ; nous nous entendons sur le plan pratique et
nous refusons de nous embrigader dans une unité théorique artificielle.
Nous travaillons ensemble, nous travaillerons ensemble.
C'est dans un esprit d'efficacité que nous ajoutons à nos expériences
nationales une expérience dialectique entre nos groupes. Si actuellement,
nous ne **voyons** pas ailleurs qu'entre nous d'activité internationale, nous
faisons appel cependant aux artistes de n'importe quel pays qui puissent
travailler – qui puissent travailler dans notre sens.

CENTRE SURREALISTE-REVOLUTIONNAIRE EN BELGIQUE :
Dotremont, Noiret.
GROUPE EXPERIMENTAL DANOIS :
Jorn.
GROUPE EXPERIMENTAL HOLLANDAIS :
Appel, Constant, Corneille.   Paris, le 8 novembre 48.

Nom et adresse provisoires : COBRA, 32, rue des Eperonniers Bruxelles.

dam), drie landen, drie culturen, drie kunsthistorische tradities. Het valt zeer goed te verdedigen (zoals Willemijn Stokvis nu al vele jaren doet) dat er zoiets als een 'Cobrataal' bestaat, als een gemeenschappelijke kenmerk maar dan moet je er met haar direct bij zeggen dat die 'gemeenschappelijke taal... beperkt bleef tot het werk van eigenlijk maar een kleine kern van kunstenaars uit de groep'. En misschien zou je nog wel verder moeten gaan en zeggen dat de 'Cobrataal' (niet hetzelfde als de beweging) waarvan Stokvis spreekt met name een Nederlands verschijnsel is waarvan je verder enkel nog kunt opmerken dat het (groten)deels onder Deense invloed ontstaan is. Maar onder de noemer Cobra gaat meer schuil en dat is de reden dat we voor deze catalogus drie kunsthistorici gevraagd hebben hun visie te geven. In de eerste plaats vanzelfsprekend Willemijn Stokvis die - hoe men ook over haar optiek denkt - nu eenmaal de eer toekomt de beweging voor het eerst in kaart gebracht te hebben. In de tweede plaats de in Nederland wonende Engelse kunsthistoricus Graham Birtwistle die door zijn dissertatie over Asger Jorn goed op de hoogte is van de Deense situatie. Liggen de standpunten van deze twee kunsthistorici nog vrij dicht bij elkaar (het gebruik van de termen 'primitivistisch expressionisme' en 'primitivisme' illustreert dat), in België wordt op een geheel andere wijze naar Cobra gekeken. De publicatie van Cobra van Jean-Clarence Lambert in 1983 maakte dat zeer duidelijk. Cobra wordt daar gezien als veel meer dan een schilderkunstige beweging met een (tijdelijk) sterk theoretische component: als een collectief, interdisciplinair en sterk 'literair' getint avontuur dat tot op de dag van vandaag zijn invloed doet gelden. De Mechelse kunsthistorica Tania Wijnants schetst daarvan in haar artikel enkele contouren. Uit deze verschillende invalshoeken zou al volstrekt duidelijk moeten zijn dat Cobra geen monolithische beweging was en dat het gewoon onzin is te veronderstellen dat je er een handboekklare omschrijving van zou kunnen geven. In zoverre onderscheidt zij zich niet van andere cultuurhistorische fenomenen: iedere (te) eenvoudige omschrijving is een 'reductio ad absurdum'. Vandaar ook de veelzijdige benadering van deze catalogus. Naast drie kunsthistorici hebben we nog een historicus en een neerlandicus gevraagd over Cobra te schrijven. De Groningse emeritus hoogleraar E.H. Kossmann beschrijft het (Nederlandse) historisch kader waarbinnen de beweging geplaatst kan worden. Afgezien van het feit dat geen enkel kunsthistorisch verschijnsel zo'n basis zou mogen missen, is er in dit geval wel een zeer voor de hand liggende reden om de politieke geschiedenis in het verhaal te betrekken: tal van 'Cobraleden' waren sterk politiek bewust en zagen hun werk

can make a very good case for there being a 'Cobra language' as a communal characteristic (as Willemijn Stokvis has been doing for many years). But at the same time you must qualify this by saying that the 'communal language was restricted to the work of only a small inner circle restricted to the group of artists'. And possibly one should go even further and say that the 'Cobra language' which Stokvis talks about – not the same as the Cobra movement – is mostly a Dutch phenomenon, though one which arose (primarily) due to Danish influence. Nevertheless more lay behind the title Cobra, which is the reason for our asking three art historians to give their views. In the first place - that goes without saying- Willemijn Stokvis who – no matter what one may think of her approach – has the honour of being the first to place them on the map. In the second place the English art historian resident in the Netherlands Graham Birtwistle, who through his dissertation on Asger Jorn, is well in touch with the Danish situation. These two art historian's views are quite compatable (the use of 'primitive expressionism' and 'primitivism' illustrates this). But in Belgium Cobra is seen in a quite different light. The publication of *Cobra* by Jean-Clarence Lambert in 1983 made this very clear. Cobra is seen there as much more than an artistic movement with a (temporarily) strong theoretical component: it is regarded as a collective, interdisciplinary and strongly 'literary' tinged adventure which is still influential to the present day. The art historian Tania Wijnants from Mechlin gives an outline of this in her article.

The above makes it quite clear that Cobra was not a monolithic movement and that is pure nonsense to assume that you can give a handbook-like description of it. In this respect Cobra does not stray from another art historical phenomenon, namely: every (too) simple description is a 'reductio ad absurdum'. This is the reason why this catalogue has approached the subject from so many angles.

In addition to the three art historians we also asked a historian and a Dutch lecturer to write about Cobra. Professor E.H. Kossmann (Groningen) describes the (Dutch) historical framework within which the movement must be placed. Despite the fact that no description of an art historical phenomenon can miss this basis, in this case there is a very obvious reason for introducing the political history of the time into this story: many of the 'Cobra-members' were politically engaged and did not see their work as an object but more as an instrument in those dark days. In the midst of the darkness of the Cold War the colours of Cobra take on a special significance: that of intensity, anger, desire and simplicity. But as well as politics one must look at the story from the literary point of view when conside-

niet als een object op zich maar als een instrument in donkere dagen. Temidden van het zwart van de Koude Oorlog krijgen de kleuren van Cobra dan ook bijzondere betekenis: van felheid, woede, verlangen, eenvoud. Maar niet alleen de politiek, ook de letterkunde hoort in het (Nederlandse) verhaal over Cobra. Er waren zovele contacten tussen de schilders en de schrijvers, er zijn in ieder geval zo vaak relaties gelegd tussen deze beweging en de Vijftigers dat het onjuist zou zijn dit aspect achterwege te laten. Dat we daarvoor C.W. van de Watering gevraagd hebben, kenner van het werk van het 'dubbeltalent' Lucebert, lag voor de hand. Tot slot dan de laatste inleiding van deze catalogus. Daarin gaat de kunstjournalist Ed Wingen in op de collectie waarom het natuurlijk allemaal draait, die van de in Venezuela wonende Nederlander J. Karel P. van Stuijvenberg. Met een aan het ongelooflijk grensende inzet heeft Van Stuijvenberg sinds 1974 een verzameling opgebouwd. Naast veel goeds zijn daarover ook enkele onaardige dingen gezegd, ondermeer bij de laatste vertoning in Odense, Denemarken. Het is waar dat tal van belangrijke werken, zoals beweerd werd, in deze collectie ontbreken maar hoe zou het anders kunnen? Van Stuijvenberg begon pas in 1974 te verzamelen en veel was er toen al niet meer te verkrijgen. Je zou deze collectie dan ook beter van de andere kant kunnen bekijken, door eenvoudig te nemen wat er is. En dan zal niemand kunnen ontkennen dat er veel belangrijk werk te zien is en vooral: dat de veelzijdigheid enorm is. En dat is op zich al genoeg reden tot vertoning. Want waarschijnlijk kan je op dit moment dan ook nergens zo snel zo goed zien hoe divers die beweging was die als Cobra de geschiedenis inging.

ring the Dutch contingent. There were so many contacts between painters and writers, and so many connections are made between the movement and the 'Vijftigers' that it would be incorrect to leave this aspect out. The choice of C.W. van de Watering was an obvious one, as he is extremely knowledgable about the work of the doubly talented Lucebert.
Finally then, as a last introduction to this catalogue, we find an article by Ed Wingen dealing with the collection owned by the Dutchman resident in Venezuela, J. Karel P. Van Stuijvenberg. This collection is the pivot on which everything turns. The effort which Van Stuijvenberg has put into his collection since 1974 borders on the unbelievable. Many complimentary things have been said about this and a few derogatory remarks have been made too, particularly at the last showing in Odense, Denmark. It is true that many important works are missing from the collection. But how could it be otherwise? Van Stuijvenberg only began collecting in 1974 and a lot was no longer available by then. One might do better to look at the collection from an opposite perspective, and to accept what there is. Nobody will deny that there is a lot to be seen which is of value: it is tremendously pluriform. This is a good reason in itself for showing it: at the present moment you probably could not go anywhere better to see how diverse the Cobra movement was.

Hieronder van boven naar beneden Appel, Corneille en Constant in het atelier van Appel aan de Oudezijds Voorburgwal in Amsterdam, 1948

Beneath, top to bottom: Appel, Corneille and Constant in Appel's studio on Oudezijds Voorburgwal in Amsterdam, 1948

Alle citaten zijn, tenzij anders vermeld, afkomstig uit gesprekken die Jan Vrijman voerde met de afzonderlijke kunstenaars bij de voorbereiding van zijn documentaire over Cobra.

All quotations, unless otherwise indicated, are taken from conversations held between Jan Vrijman and the various artists, in preparation for his documentary over Cobra

E.H. Kossmann

NEDERLAND IN DE EERSTE NAOOR-LOGSE JAREN.

HOLLAND RE-EMERGES

Het is een bekende retorische stijlfiguur om, wanneer men iets heel moeilijks of indrukwekkends wil zeggen, te verwijzen naar een literaire tekst waarin, zegt men, de dichter een in wetenschappelijk proza niet goed formuleerbare waarheid kern-achtig uitdrukt. Men denke dus aan de regels van A. Roland Holst op het in 1956 onthulde Nationale Monument op de Dam. Het is een in onmogelijk galmende en zeer eigenzinnige taal gestelde tekst waarvan men dit mag zeggen: de verhe-

There is a rhetorical figure of speech whereby, when a speaker wishes to say something extremely complicated or impressive, he refers to a literary text in which a poet expresses in powerful yet succinct terms a truth that is difficult to put into words. In this way we can take the text by A.Roland Holst engraved on the Dutch national monument in Dam Square, Amsterdam, that was unveiled in 1956. The language is bombastic and eccentric yet it could be said that the

Litho van Constant uit de serie 'Huit x la guerre', 1951 (Constant no. 11)

Litho by Constant, from the series 'Huit × la guerre', 1951 (Constant no. 11)

Voor- en achterkant van het Nederland Nummer van *Cobra* (no. 4), met daartussen de tongen Wolvecamp en Appel

Front and back of the Nederland edition of Cobra (no. 4), in between the tongues Wolvecamp and Appel

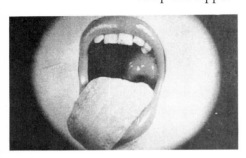

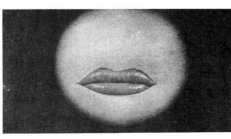

venheid van dit proza typeert de naoorlogse tijdstijl en de inhoud ervan typeert de naoorlogse tijdgeest. De boodschap was dat vrijheid slechts dan duurzaam is wanneer zij wordt beheerst door wet, orde en bovenwereldse inspiratie. Het is interessant om te zien hoe Roland Holst zijn hoogst eigenaardige woordkunst - de tekst op het monument geeft er overigens geen aantrekkelijk voorbeeld van - gebruikte om een in 1945 vrij algemeen als vanzelfsprekend voorgestelde gedachte te verspreiden, namelijk dat de vrijheid die in 1945 terugkeerde natuurlijk een overwinning was op onvrijheid, maar daarnaast vooral ook op willekeur, op chaos, op de verwildering die daardoor werd voortgebracht. Vrijheid werd door de geestelijke en politieke leiders van 1945 met grote nadruk geprezen als een essentiële waarde omdat zij 's mensen verantwoordelijkheid voor de eigen daden representeerde, dat wil zeggen, orde, discipline, de bereidheid van de rijpe persoonlijkheid om dienstbaar aan de gemeenschap te zijn. Tegenover de arbitraire despotie en terreur van de Duitse bezetting verscheen de vrijheid als een positief begrip, niet slechts als vrijheid van dwang, maar als vrijheid tot zelfstandige, goed beredeneerde onderschikking van naakt eigenbelang aan de hogere belangen van de samenleving. En deze samenleving moest opnieuw worden opgebouwd tot een inderdaad samenhangend geheel. De bezetting had, zo meende men, de cohesie verstoord. In de warboel van de Duitse willekeur waren veel mensen in volstrekt egoïsme geïsoleerd geraakt, op niet veel anders bedacht dan hun eigen zelfbehoud en dat van hun naaste familie. De vrijheid van 1945 moest hun de gelegenheid geven zich opnieuw in een door de wet geordend maatschappelijk verband te laten opnemen.

Natuurlijk was de bevrijding voor de meeste Nederlanders een feest. Natuurlijk werd er in de straten luid gejuicht, gedanst, gezongen. Natuurlijk gingen de mensen van hun herworven bewegingsvrijheid en hun door beter voedsel gestimuleerde energie gebruik maken op manieren die de ernstige bewakers van de publieke moraal verontrustten. Maar toch overheerste over het algemeen een nogal plechtige stemming. Toen kort na de bevrijding de eerste duidelijke berichten over de in de concentratiekampen bedreven gruwelen openbaar werden en ook de volle omvang van de jodenvervolging zich toonde, werd het gevoel van vreugde snel gedempter en nog altijd lukt het Nederlanders niet om op hun jaarlijkse viering van de bevrijdingsdag oprecht te jubelen. Het is bezinning die zij zeggen dan te zoeken, en inkeer. En wat degenen die 1945 zelf bewust beleefden aan de jongere generaties willen overbrengen, is bepaald niet de opwekking tot het kermisvermaak, de straatdans en de militaire parade waar de Fransen het op 14

exalted style of this prose is typical of the postwar years and that its content is representative of the Zeitgeist, or spirit of the times. The message behind this text was that freedom is only lasting when it is controlled by law, order, and inspiration from above. Interesting is how Roland Holst used his highly individual writing skill—the text on the Dam monument is not in a fact satisfactory specimen of this—to circulate ideas that in 1945 were general and considered to be obvious: the country's freedom, regained in 1945, was of course a triumph over oppression but also in particular a triumph over capriciousness, chaos, and the disorganized society that resulted from this. The religious and political leaders in 1945 emphatically praised freedom. They saw it as an essential, because it represented people's responsibility for their own actions and for standards of order and discipline and the readiness of the mature person to serve his community. In contrast with the arbitrary despotism and terror of the Nazi occupation, freedom arose as a positive value, not simply in the sense of freedom from subservience, but also the freedom in which to create a society where naked self-interest submitted of its own accord to the higher interests of society at large. This society had to be rebuilt to produce one unified whole. The Occupation, it was said, had produced unbalance. In the confusion of the Nazi arbitrariness many people had become submerged in total self-interest, concerned with little else than preservation of themselves and their close relatives. The Liberation in 1945 should be used to help them join once again in a legally ordered social structure.

Of course, for the majority of the Dutch, the Liberation was cause for celebration. Of course, in the streets there was dancing and singing. And of course, with their new-found freedom and new-found energy (partly due to improved diet) some people expressed themselves in ways that seriously disturbed the guardians of public morality. On the whole, however, the mood was fairly solemn. Shortly after the Liberation the first news filtered through about the horrors of the extermination camps and the full extent of the Nazi persecution of the Jews became clearer. This served to dampen the holiday spirit, and even now the Dutch people cannot simply rejoice during the annual Liberation Day celebrations. At such moments they pause to reconsider and contemplate the past. And those who lived through this period want to convey to younger generations not the razzmatazz of the fairground, street merrymaking and the pomp of military parades, as the French do when on 14 July they celebrate the beginning of their Revolution in 1789, but respect for the suffering during the years of Occupation. What they continue to repeat is the warning never again to submit to fascism.

'Onze kunst is de kunst van een omwentelingsperiode, tegelijkertijd de reactie op een ondergaande wereld en de aankondiging van een nieuwe...'(Constant, *Manifest*)

'Our art is the art of a revolutionary period, both a reaction to a world which is going under and the announcement of a new....' (Constant, *Manifesto*)

'De redenaar' van Constant, 1949 (no. 5)

'The orator' by Constant, 1949 (no. 5)

juli in zoeken maar waardige eerbied voor het bezettingsleed. En wat zij steeds weer herhalen is de vermaning om nooit meer voor het fascisme te wijken. Het is, misschien mag men het zo uitdrukken, niet als triomfators dat de Nederlanders de bevrijding herdenken, maar als slachtoffers.

De vraag is nu wat het effect van deze op zo'n merkwaardige manier gedefinieerde vrijheid is geweest. Misschien is het geoorloofd te stellen dat het Nederlandse geschiedbesef, voorzover dat bestaat, de neiging heeft nogal kritisch over de situatie van 1945 en de direct volgende jaren te zijn. Al in 1945 en 1946 sprak men - gedesillusioneerd - over de "kater van de bevrijding"; in de jaren zestig en zeventig werd de kritiek op de vorm waarin de Nederlandse gemeenschap na de oorlog haar bestaan voortzette in sommige kringen bepaald heel schril en ook nu nog is het niet ongebruikelijk te wijzen op allerlei dingen die in die jaren zouden zijn misgegaan. Waarschijnlijk zullen latere historici zich daarover verbazen, want hoe men het wendt of keert, zuiver zakelijk gezien is de naoorlogse geschiedenis al na enkele uiterst moeilijke jaren uitgelopen op een succes zonder enige weerga in het hele nationale verleden en heeft het land zonder grote schokken en in zeer korte tijd kans gezien een radicale wijziging tot stand te brengen: op het koloniale, op het buitenlands-politieke en op het economische vlak. Het feit dat deze fundamentele transformatie op een zo beheerste

It is not as victors that the Dutch celebrate their Liberation Day, but as victims.

The question now is, what is the effect of this freedom, regarded in such a curious way. We can perhaps state that the Dutch awareness of history, insofar as that exists, has a tendency to look fairly critically at the situation in 1945 and the following years. In 1945 and 1946 there was already unhappy talk of the 'Liberation hangover'; in the 1960s and 70s the criticism of the way in which Dutch society was developing became particularly vociferous in certain circles, and it is still not unusual to point to the many things that apparently went wrong during those years. Historians of a later date will probably be amazed at this, because, whichever way you look at it, seen in a purely functional light the postwar period developed after a few exceedingly difficult years into a veritable success story which has no comparison in Dutch history. In a fairly short period and without turbulent revolutions a radical change was brought about in Dutch society: in colonial policy, in foreign policy and economic policy. The fact that such a fundamental change took place in such a well-ordered way probably deserves a more positive evaluation than is usually given, although it doesn't mean that there is absolutely no cause for negative comment.

What should we understand by the expression 'Liberation hangover'? One thing is of course that the idealism that

9

Litho's uit 'Huit x la guerre'
van Constant, 1949 (no. 5)

Lithos from 'Huit × la guerre'
by Constant, 1949 (no. 5)

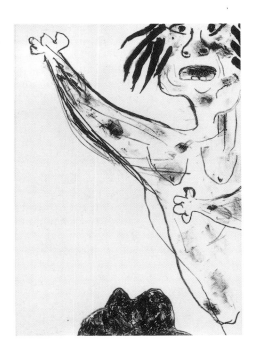

manier werd voltooid verdient wellicht een wat positievere interpretatie dan er soms van wordt gegeven, al betekent dit natuurlijk niet dat er geen enkele reden tot negatief commentaar zou zijn.

Wat moeten we nu onder de "kater van de bevrijding" verstaan? Men bedoelt er natuurlijk mee dat het idealisme dat de beste en krachtigste geesten tijdens de bezettingstijd had geïnspireerd tot moedige daden en nieuwe gedachten, na mei 1945 al zeer spoedig geen of slechts heel weinig greep op de politieke en sociale werkelijkheid bleek te krijgen. Wat kwam er, zeiden de teleurgestelden, terecht van de grote vernieuwing die nodig was; wat kwam er terecht van de zuivering; wat van de invloed die aan het georganiseerde verzet was beloofd en waarop het moreel recht meende te hebben? Zeer weinig, constateerde men, en dat was juist.

Het is, wanneer men er later op terugziet, overigens niet alleen de vraag of dat zo erg was maar ook of het verbazingwekkend is. De verwachtingen op het politiek-sociale terrein waren eigenlijk nauwelijks concreet, zoals nog zal worden aangetoond. Ook in de culturele sector bleek de behoefte aan vernieuwing, waarvan alom werd beweerd dat zij door de zogenaamde 'jongeren' levendig werd gevoeld, slechts vage proclamaties op te leveren. Er werden talloze literaire tijdschriften opgericht die iets nieuws wilden presenteren. Maar wat zou dat moeten zijn? Men beweerde wel met nadruk dat de vooroorlogse wereld had afgedaan en de jonge generaties de letterkunde van voor 1940 ter zijde moesten schuiven. Geschonden als ze waren door barre ervaringen, en geplaatst voor een hoogst problematische nieuwe wereld, maar toch vervuld van de wil tot fundamentele herziening van het sociale en geestelijke leven. Alleen hoe deed men dat wanneer die oude letterkunde, als men er goed naar keek, nog steeds zo uitzonderlijk briljant was en zich in de dichtkunst van A. Roland Holst, Bloem, Nijhoff en de romans van Vestdijk triomfantelijk voortzette? De invloed van Du Perron en van Ter Braak - als hij geleefd had, zou de laatste in 1945 pas drieenveertig jaar zijn geweest - bleef zeer sterk en waarom zou de poëzie van de indertijd zeer moderne Marsman (eenenveertig jaar, toen hij in 1940 verdronk) in de korte oorlogstijd verouderd zijn geraakt? Toen enkele jaren na 1945 inderdaad romans van twintigjarigen verschenen die als origineel en 'vernieuwend' werden beschouwd - Van het Reve's *De Avonden*, 1947, Hermans' *De Tranen der Acacia's*, 1948 - bleek deze illusieloze literatuur totaal tegengesteld aan de retoriek over de 'vernieuwing' en de 'nieuwe mens' waarmee de programma's van 1945 zich hadden volgeblazen.

Het prestige van het verzet was in 1945 natuurlijk zeer groot. Maar, hoewel het na de oorlog veel van zich liet horen en ook door de overheid werd gerespecteerd,

had inspired certain people to deeds of pure heroism during the Occupation, after May 1945 soon appeared irrelevant in the face of political and social realities. Deeply disappointed, people asked what had come of the fundamental reforms needed, of the *zuivering* (what the French call *épuration),* that is, the purge, the expulsion of collaborators, of the influence that had been promised to the organized Dutch Resistance, and which it claimed to be entitled to? Little of all this was apparent, people said, and that was true.

However, we can see with hindsight, the question is not only whether that was so terrible, but also whether that was so surprising. Expectations in the politico-social area were in fact far from concrete as we shall see. And in the cultural sector too, the need for renewal—which, it was said, young people were crying out for—only produced some vague statements. Countless literary magazines were founded with the aim of presenting something new. But what exactly? People asserted with conviction that the pre-war years were finished and the younger generations, scarred by terrible experiences, placed in a highly problematic new world, yet inspired with a desire for a total social and intellectual revision should, as it were, ignore the pre-1940 literature. Only how exactly did you do this when that earlier literature, when you looked at it carefully, was still so strong and striking, its tradition so triumphantly continued in the poetry of A. Roland Holst, Bloem and Nijhoff and in the novels of Vestdijk. The influence of Du Perron and Ter Braak—if he had lived the latter would have been only 43 in 1945—remained great, and why should Marsman's poetry (he was 41 when he drowned in the English Channel in 1940) have lost any of its modern impact? In fact, a few years after 1945 new novels by young writers in their twenties appeared and were described as original and 'revolutionary': Van het Reve's *De Avonden* (The Evenings), 1947; Hermans' *De Tranen der Acacia's* (Tears of the Acacias), 1948. This literature of disillusion proved the complete opposite from the rhetoric of 'change' and a 'new mankind' which had filled the programmes in 1945. The prestige enjoyed by the Resistance movement was of course very high in 1945. But although its voice was still heard after the war and was respected by the government, it in fact achieved very little. One reason for this was that those sections of the Resistance which had mainly provided help to people in hiding, and thus had the clearest and most direct connection with large groups of people, considered their work finished once there was an armistice. Their job had been humanitarian, started in the second half of the year 1943 by groups of Dutch Protestants and later supported by many other groups; but it always dealt simply with

'De culturele leegte heeft zich nog nooit zo sterk en in zo algemene mate doen gevoelen als na deze laatste wereldoorlog. De continuïteit in de culturele ontwikkeling der laatste eeuwen is met één ruk verbroken... De kunstenaars van na deze oorlog (...) zien zich geplaatst tegenover een wereld van décors en schijnfaçades, waarmede ieder contact is verbroken en waarin ieder geloof is verdwenen' (Constant in zijn *Manifest*, 1948)

'The cultural vacuum has never been so strong or so general as it was after the last world war. The continuity of cultural development formed over the last centuries was abruptly cut off... The artists of the post-war period... saw themselves confronted with a world of decors and mock-facades, in which contact had broken down and in which every form of belief had disappeared.' (Constant in his *Manifesto, 1948*)

heeft het in feite weinig tot stand kunnen brengen. Een van de redenen was dat die delen van het verzet die zich vooral hadden gericht op het verschaffen van hulp aan onderduikers en daarom de duidelijkste en meest directe relatie hadden met de massa van de bevolking, hun taak bij de wapenstilstand als beëindigd beschouwden. Het was een humanitaire taak geweest, in de tweede helft van 1943 opgenomen door gereformeerden en antirevolutionairen, later door veel andersdenkenden meegedragen, maar steeds slechts beperkt tot daadwerkelijke steun aan vervolgden. De grote organisatie wilde geen hervormingsbeweging zijn en toen haar werk in 1945 kon ophouden, trok zij zich geheel volgens haar principe uit het openbare leven terug. De linkse verzetsbewegingen waarvan de intenties militair (sabotage en dergelijke) of politiek-moreel (verzetskranten en dergelijke) waren geweest, ontwikkelden wel programma's voor de hervorming van de gemeenschap na de oorlog maar kregen geen zeggenschap. Zij fungeerden enige tijd als vrij nutteloze adviesorganen en werden al door het eerste naoorlogse kabinet, dat van Schermerhorn-Drees (24 juni 1945 - 3 juli 1946), weinig geconsulteerd. In hun kringen ontstond spoedig de gedachte dat vele offers ten slotte bijna voor niets waren gebracht. De ambtenaren en ondernemers die zich, werd gesuggereerd, tijdens de bezetting diep hadden gebogen, richtten zich in 1945 weer op en zetten hun oude regime voort. De bevrijding bracht de restauratie van de gevestigde machten. En dat was volgens deze voorstelling ook daarom zo bedroevend omdat die gevestigde machten niet alleen tijdens de oorlog tekort waren geschoten maar ook al voor de oorlog, in de periode van de diepe crisis van de jaren dertig, volkomen hadden gefaald. Zij waren immers niet in staat geweest die crisis te matigen of te overwinnen.
En de zuivering? Zij vormde een probleem van uitzonderlijke ingewikkeldheid, ethisch, juridisch en sociaal. Het is niet eenvoudig het te analyseren. Misschien mag men er dit van zeggen. Huidige onderzoekers die het beleid van de politieke voormannen van toen bestuderen zijn geneigd te concluderen dat deze het vraagstuk al bij al op een respectabele manier hebben behandeld en, voorzover zo iets mogelijk is, ook hebben opgelost. Vooral in linkse kringen bestond er echter in de eerste naoorlogse jaren nogal wat teleurstelling over de gang van zaken. Daar leefde de indruk dat de berechting te mild uitviel en niet grondig was. Op deze manier kon men wel een aantal personen dat het bijzonder bont had gemaakt, uit het openbare leven verwijderen maar zuiveren kon men de maatschappij zo niet. De grenzen tussen zuiver en onzuiver, goed en kwaad, die naar hun mening tijdens de oorlog scherp getrokken konden worden, vervaagden opnieuw en werden

positive help for those suffering persecution. The large organization had no desire to be a reforming movement and when it was able to stop its work in 1945, in accordance with its principles it retired completely from public life. Resistance groups with more left-wing ideals whose work had been military (for example sabotage) or politico-moral (for example production of Resistance newspapers) certainly developed programmes to reform society after the war, but were given no say in things. For some time they functioned as a virtually ineffectual advisory body and were consulted very little even by the first postwar cabinet, that of Schermerhorn-Drees (14 June 1945-3 July 1946). The members of such a Resistance group all too soon began to feel that many sacrifices had ultimately been in vain. The civil servants and entrepreneurs who, it was suggested, had stooped very low during the Occupation, established themselves once more in 1945 and continued along exactly the same paths as those they had trodden before the war. The Liberation restored the established order. Some people felt this was deeply regrettable since that established order had failed dismally not only during the war but also before it in the Depression years of the 1930's. In that time they had been unable to overcome or even to mitigate the crisis. What about the purges? This formed a highly complex problem, ethically, legally and socially complicated. It is no easy matter to analyze it, but perhaps the following should be said. Present-day researchers who study the policy of the political leaders of that time tend to reach the conclusion that these men dealt with the problems, all things considered, fairly respectably and as far as that was possible found some solutions. But especially more left-wing groups were disappointed after the war with the course of events. They felt that too few people had been called to account and the trials had not been thorough. In this way a number of people who had really overstepped the mark could be removed from public positions but society itself could not be purged. The distinctions between clean and dirty, between good and evil, which some people thought the war had made much clearer, grew once again hazy and were sometimes deliberately rubbed out. Purging and purifying were much discussed in those days: as well as political purges there had to be a new pure monetary system, and also pure academic research, for which a foundation was set up. Perhaps this use of words is characteristic of the puritan climate of those times, which included the Resistance movement.
The greatest disillusionment of the postwar years lay in what people disappointedly saw as the failure of the process of renewal. In 1945 there were three options available for renewal. There was that of

soms zelfs moedwillig uitgewist. Het woord "zuiver" en zijn afleidingen hadden in de discussies van toen trouwens een prominente plaats - naast de zuivering was er onder andere ook nog de geldzuivering en het zuiver wetenschappelijk onderzoek waarvoor een stichting werd opgericht. Karakteriseert dit feit het puriteinse karakter van het toenmalige geestelijke klimaat, ook dat van het verzet?

the communists, that of the Nederlandse Volksbeweging (Dutch People's Movement) and that — particularly supported by Catholics — of a corporatist organization. None of these three possibilities was really new. Communism, it scarcely needs saying, had a long history; much had been discussed and written about corporatism before 1940; the main elements in the programme of the People's

Gouache van Lucebert. Zonder titel, 1953 (no. 6)

Gouache by Lucebert. Untitled, 1953 (no. 6)

De grootste deceptie in de naoorlogse jaren betrof datgene wat door de teleurgestelden als de mislukking van de vernieuwingsbeweging werd beschouwd. Er waren in 1945 drie opties voor vernieuwing voorhanden. Er was de optie van de communisten, er was die van de Nederlandse Volksbeweging en er was die van de vooral door de katholieken voorgestane corporatistische ordening. Geen van deze drie was overigens werkelijk nieuw. Het communisme, het hoeft niet gezegd, had een lange geschiedenis; over corporatisme werd al voor 1940 veel nagedacht en mateloos veel geschreven; de hoofdelementen van het programma der Volksbeweging dateerden uit de periode van de vooroorlogse economische crisis. Over het communisme kan men kort zijn. Toen het bij de eerste naoorlogse verkiezingen in mei 1946 meer dan 10% van de stemmen verwierf, leek het - in 1937 met zijn 3,3% van de stemmen nog een perifere beweging - een stroming van belang in de Nederlandse gemeenschap te zijn geworden. Al in 1947 daalde het percentage echter tot 7,7% en daarna ging het nog sneller bergafwaarts. Ook in de vakbeweging verloren de communisten vrij vlug terrein nadat zij met hun Eenheidsvakcentrale van juli 1945 eerst flink succes hadden geboekt en bij de voor Nederlandse begrippen nogal frequente stakingen in 1945, 1946 en 1947 - er waren er toen heel wat meer dan in de late jaren dertig - met

Movement dated from the pre-war years of economic crisis. Communism in the Netherlands has a simple story. At the first post-war elections in May 1946 the communists gained more than 10% of the votes (in 1937 they had gained only 3.3%) and it looked as if this were a group to be reckoned with in Dutch society. But by 1947 the percentage had already dropped to 7.7, and thereafter went helter-skelter downhill. In the trade union movement too, the communists quickly lost ground after first having considerable success with the Eenheidsvakcentrale (United trade unions) in July 1945. They were prominent in the frequent strikes—considerably more than in the late 1930s—held in 1945, 1946 and 1947. However, it is noteworthy that it was made impossible for the Dutch communists to share in forming national decisions. They were not given a place in the cabinet of Schermerhorn-Drees, they did not participate in the Foundation of Labour (Stichting van de Arbeid), nor could they get a foot in the door of the socialist Dutch trade union, the NVV. This organization was extremely important in the negotiations between employers and employees that took place via the above-mentioned Foundation. The communists were pushed to the edge of the social conciliation politics, and found themselves outside the social pact. This is noteworthy for the very reason that in other European

'Het marxisme heeft wel degelijk een grote rol gespeeld. Ik geloof dat alle theoretische geschriften over Cobra, van zowel Jorn, Dotremont als van mij, van een marxistische visie op de wereld uitgingen.' (Constant)

'Marxism did play an important role. I believe that all the theoretical texts on Cobra, both by Jorn, Dotremont and myself, departed from a marxist vision of the world.' (Constant)

veel kracht waren opgetreden. Het is overigens opmerkelijk dat het de communisten in Nederland niet mogelijk werd gemaakt aan de nationale besluitvorming deel te nemen. Zij kregen geen plaats in het kabinet Schermerhorn-Drees, zij participeerden niet in het overlegstelsel van de Stichting van de Arbeid, zij kregen ook geen entrée in het socialistische Nederlands Verbond van Vakverenigingen dat in de onderhandelingen tussen werkgevers en werknemers via de genoemde Stichting een grote rol speelde. Zij kwamen als het ware buiten de sociale verzoeningspolitiek, buiten het sociale pact te staan. Dat is daarom merkwaardig omdat zij daar in andere Europese landen wel in werden toegelaten. Hoe dit ook zij, de communistische visie op de noodzakelijke hervormingen werd in Nederland geïsoleerd en zij kon, zoals uit de verdere gang van zaken bleek, straffeloos worden genegeerd.

Dat lot viel de vernieuwingsidealen van de Nederlandse Volksbeweging bepaald niet ten deel. De Volksbeweging werd geboren in het gijzelaarskamp te Sint-Michielsgestel in Noord-Brabant waar vanaf mei 1942 honderden vooraanstaande Nederlanders van verschillende pluimage waren geïnterneerd. Ondanks de gebondenheid van velen onder hen aan de levensbeschouwelijke 'zuilen' waarin een deel van de Nederlandse maatschappij toen was opgesplitst en de distantie van anderen ten opzichte van deze segmentatie, kwamen ze in vriendschappelijk gesprek met elkaar. Sommigen concludeerden uit deze contacten dat het voor het politieke en geestelijke leven in Nederland in het algemeen goed zou zijn wanneer na de oorlog meer samenwerking tussen de oude verbanden mogelijk zou worden gemaakt. Deze mensen lieten direct na de bevrijding een manifest en een programma verschijnen. Door de

countries they were allowed in. Be that as it may, the communist vision of how to improve society was rejected in the Netherlands.

Far different was the lot of the Dutch People's Movement. This movement was born in the hostage camp of St Michielsgestel in the province of North Brabant where from May 1942 onwards hundreds of prominent Dutch figures of various ilk were interned. Despite the fact that many of these people were attached to one of the religious 'pillars' which characterized Dutch society, and despite the antipathy of others to this segmentation, nevertheless a spirit of friendly communication grew. Out of these contacts the conviction developed among some that it would be good for the general political, intellectual and religious life in the Netherlands if, after the war, more cooperation were cultivated between the existing groups. Immediately following the Liberation these people produced a manifesto and a programme. Having developed ideas about communalism, they wanted to do away with the divisions that resulted from 'pillarization'. They were particularly conscious of their advanced outlook. But being progressive meant something different then from what it did in the 1960s. It was deadly earnest and looked for progress in different quarters from where later progressives did. At that time these "leaders of the people" were not concerned with individualism, with hedonism, with the Homo Ludens, with the permissive society—not with any of these matters which occupied the 1960s. They were concerned with unity, with authority, with discipline, with readiness to make sacrifices, a sense of national loyalty, high moral standards and the central position of the family. They were also concerned with bolstering the authority of the state. The state, they felt—and be it understood

Laatste pagina van 'Het uitzicht van de duif' van Constant en Elburg, 1952 (collectieve werken no. 6)

Last page from 'The dove's view', by Constant and Elburg, 1952 (collective works no. 6)

Het is bewezen dat hun rijk heeft uitgeluid:
wij zijn tot moed gedoemd, grauw van vertrouwen,
dat wij varen zullen, dit land bebouwen,
als vrijen in de fabrieken staan.
Daar helpt geen lievemoederen aan,
geen god in een heilig huis aan,
geen wichelroede, geen maan,
geen muizenval die op niets slaat,
geen huilen, geen politiestaat:
de toekomst ligt in de vuisten
van het proletariaat.

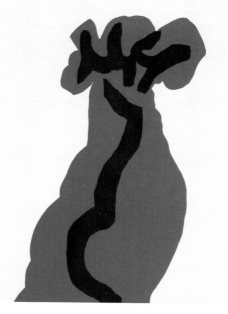

1945

Vrede komt
brave burgers haasten terug naar
vooroorlogse post
kijken achterwaarts in plaats van
vooruit
de jeugd ontwaakt in onbekende
wereld
voelt zich verloren
verraden
velen geven zich over
passen zich aan

niet de kunstenaars
als onmaatschappelijk uitges-
toten
aanvaarden zij de uitdaging
verenigen zich in groepen
nationaal en internationaal

1945

Peace arrives
good solid citizens scurry back to
their pre-war positions
looking backwards instead of
forwards
youths wake up in an unknown
world
feel lost
betrayed

many give up
conform

not the artists
expelled as unsocial
they accept the challenge
form groups
national and international

ontwikkeling van de gemeenschapsge-
dachte wilden zij de in het zuilensysteem
georganiseerde verdeeldheid opheffen.
Zij beschouwden zich met nadruk als
vooruitstrevend. Maar progressiviteit had
toen een andere betekenis dan in de jaren
zestig. Zij was zeer ernstig. Zij zocht de
vooruitgang elders dan waar de latere
progressieven hem vonden. Het ging de
volksbewegers niet om het individua-
lisme, het hedonisme, het spel, de 'per-
missiviteit' van de vooruitgang der jaren
zestig, het ging hun om eenheid, gezag,
tucht, offervaardigheid, nationalisme,
hoge zedelijke normen, de centrale plaats
van het gezin in de maatschappij. Het ging
hun ook om de versterking van de staats-
autoriteit. De staat immers - een democratische staat natuurlijk maar daarom
nog geen zwakke - zou naar hun inzicht
meer verantwoordelijkheden moeten
dragen dan voor 1940 geoorloofd werd
geacht; hij zou de geestelijke, zedelijke en
politieke hervormingsbeweging moeten
stimuleren, de cultuur en ethiek moeten
steunen en richten, economische plannen
moeten ontwerpen en uitvoeren en door
middel van de publiekrechtelijke bedrijfsorganisatie de structuur van de
maatschappij moeten wijzigen en de
arbeid veredelen. Daartoe was een herziening van het partijstelsel nodig. De confessionele partijen moesten verdwijnen
en het socialisme zou alle dogmatiek
moeten laten vallen. Dan zou een grote
progressieve volkspartij van socialisten,
katholieken, christen-historischen en
politiek daklozen kunnen ontstaan, met
tegenover zich een conservatieve richting
van liberalen en antirevolutionairen en
een communistische.
De Volksbeweging was een cultureel
gezien boeiend verschijnsel. Zij achtte
zich radicaal en in haar twijfel over de
waarde van de 'zuilen' was zij dat ook. Zij
probeerde zich aan een levensbeschou-
wing te binden en koos het zogenaamde
personalistische socialisme daarvoor uit,
een merkwaardige, in Frans-katholieke
kring al voor de oorlog opgezette poging
om tussen (of misschien boven) het individualistische kapitalisme en het collec-
tivistische socialisme een nieuw soort denken te ontwikkelen waarin de persoon en
de gemeenschap tot een hogere eenheid
werden geïntegreerd. Ondanks zijn vaag-
heid trok de denkwijze ook onder protestanten veel aandacht. Misschien was
het echter juist deze neiging van de beweging om zich in een brede levensfilosofie
te verankeren die maakte dat de nuchtere
toeschouwer moeite had het als radicaal
nieuw gepresenteerde ideaal als zodanig
te herkennen. De grote woorden waarmee de Volksbeweging werkte - eenheid,
eensgezindheid, tucht, gezag -, waren ook
in de oude partijen gemeengoed. Was het,
om zulke mooie doeleinden te verwerkelijken nodig de met veel ijver en dank zij
veel offers opgebouwde 'verzuilde' orga-
nisaties van katholieken, protestanten en

a democratic state, though not therefore a
weak one—should take on greater
responsibility than had been permitted
before 1940; it should stimulate religious,
moral and political reform movements,
should support and guide culture and
ethics, should develop and implement
economic plans; finally, through corporatist innovations, it should alter the
structure of society and enhance the status of labour. To achieve this, the party
system needed to be revised. The religious
parties should disappear and socialism
should relinquish all its dogmatism. Then
one large progressive people's party could
be created, consisting of socialists, Catholics, Protestants and those with no particular flag to wave, and in opposition a
party composed of the more conservative
elements and a communist party.

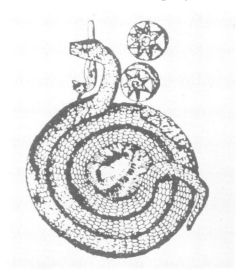

The People's Movement was, in cultural
terms, an interesting phenomenon. It felt
itself to be radical, and if we look at its
doubts concerning the value of the 'pillars' in Dutch society, it certainly was.
They wanted to represent a certain attitude towards life and chose that of 'perso-
nalistic socialism': this was an attempt
begun by French Catholics before the war
to develop a new way of thinking that lay
between (possibly above) the individualism of capitalism and the collectivism of
socialism. It wanted to integrate the individual and society in order to produce a
greater unity. Despite its nebulous nature,
it attracted considerable interest among
Protestants, too. Perhaps, however, it was
precisely this tendency of the movement
to root itself in a broad philosophy of life
that made it so difficult for an objective
viewer to recognize in it a radically new
ideal. The grand words used by the
People's Movement, such as unity, cooperation, discipline, authority, were common cant in the old parties. Was it really
necessary, in order to achieve such noble
aims, to demolish the 'pillarization' system established with such difficulty and
sacrifice, a system in which there were
Catholic, Protestant and socialist organi-

ook socialisten - partijen, vakbonden, scholen, radioverenigingen, ziekenhuizen en zoveel meer - af te breken? Bij de eerste naoorlogse verkiezingen (mei 1946) opteerde het electoraat voor de oude partijen die zich wel enigszins hadden hervormd maar het traditionele kader niet hadden verlaten; de katholieke partij had nog steeds de grootste aanhang en de socialistische partij deed het niet beter dan voor de oorlog. Tot 1967 heeft het confessionele blok zijn meerderheid in de Tweede Kamer, die het sinds 1918 bezat, weten te behouden. Van de door de Volksbeweging gepropageerde vernieuwing was niets terecht gekomen.

zations for political groups, trade unions, schools, broadcasting services, hospitals and sports clubs? The results of the first postwar elections (May 1946) showed the electorate opting for the old parties—which had reformed themselves somewhat but still bore much of their traditional character. The Catholic party still had the greatest number of supporters and the socialists did no better than before the war. The group of religious parties retained the majority it had held in the Dutch Second Chamber [cp. House of Commons] since 1918 and was to hold until 1967. The renewal preached by the People's Movement had failed to come.

1948

cobra(copenhagen,brussel,amsterdam)
wordt een vitale haard in europa
schrijvers, beeldhouwers, schilders, denkers
experimenteren
scheppen nieuwe uitdrukkingsvormen
demonstreren met tentoonstellingen en pam
fletten
amsterdam wordt middelpunt van een storm
Willem Sandberg in: Jan Vrijman, *De werkelijkheid van Karel Appel* (Amsterdam 1962)

1948

cobra (copenhagen, brussels, amsterdam)
becomes a vital hearth in Europe
writers, sculptors, painters, thinkers
experiment
create new forms of expression
demonstrate with exhibitions and
pamphlets
Amsterdam becomes the centre of a storm

Willem Sandberg in: Jan Vrijman, *The reality of Karel Appel* (Amsterdam 1962)

La Colombe de Picasso

Toch is één element van de Volksbeweging wel degelijk in de hoogste mate vruchtbaar gebleken. De Volksbeweging werd namelijk niet alleen gekenmerkt door een - voor de hedendaagse smaak - enigszins hoogdravend vocabulair en nogal plechtige, de huidige lezer wat ouderwets lijkende doeleinden, maar ook door het sterk wetenschappelijke karakter ervan. Tot op zekere hoogte vormde de ethiek waarop zozeer de nadruk viel, een legitimatie van de rationaliteit die deze cultuur doordrong. Het zou onjuist zijn te beweren dat de Volksbeweging werd gedragen door ingenieursidealisme. Het is niet onjuist te beklemtonen dat zeer representatieve persoonlijkheden uit de eerste naoorlogse jaren - de uit de natuurkunde afkomstige socialistische econoom J. Tinbergen, de socialistische minister van Handel en Nijverheid Ir. H. Vos in het beroemde kabinet onder leiding van Prof. Ir. W. Schermerhorn, de leider van de Volksbeweging - gewoon waren te denken in exact-wetenschappelijke termen

Nevertheless, one element in the People's Movement certainly did bear fruit. The movement was characterized not only by —to modern ears—a somewhat highfalutin use of language, and by earnest and for the contemporary reader old-fashioned-seeming aims, but also by its strongly intellectual nature. To a certain extent, the ethical values which were so strongly stressed formed the legitimation for the rationalism that permeated this culture. It would be misleading to say that the People's Movement was supported by the idealism of engineers; but it is quite in order to point out that many of the outstanding figures of the early postwar years—men like the socialist economist and Nobel prizewinner Tinbergen, or like Vos, minister for Trade and Industry in the famous cabinet led by Professor W. Schermerhorn, leader of the People's Movement—were people trained in the exact sciences who believed in accurately calculated plans. At this time mathematics became increasingly used in public

16

'Double portrait of a pregnant woman', by Eugène Brands, 1951 (no. 6)

'Dubbel portret van zwangere vrouw' van Eugène Brands, 1951 (no. 6)

'Figuur met vogel' van Karel Appel, 1948 (no. 6)

'Figure with bird' by Karel Appel, 1948 (no. 6)

en vertrouwen hadden in op nauwkeurige berekeningen gebaseerde plannen. Dit is de tijd dat de wiskunde meer dan ooit in dienst van de gemeenschap werd gesteld, wat zichtbaar wordt in de oprichting van het Centraal Plan Bureau, het Mathematisch Centrum, de Stichting voor Fundamenteel Onderzoek der Materie, het Bouwcentrum. Deze verschijnselen kwamen natuurlijk niet uit het niets vallen: ook voor 1940 was over de mogelijkheden daartoe al vaker nagedacht en vooral in de oude SDAP hadden ingenieurs een duidelijke invloed: men denke aan Mr. Troelstra's opvolger als fractievoorzitter vanaf 1925, Ir. J. W. Albarda. Na 1945 zijn deze mogelijkheden zich in deze vorm dank zij Volksbeweging en Partij van de Arbeid gaan verwerkelijken. Het was het idealisme van deze groepen dat de groei heeft bevorderd van wat men treffend de mathematisering van de maatschappij heeft genoemd. Er was naast de communistische optie voor vernieuwing en die van de Volksbeweging nog een derde keuze: het corporatisme. Ook die dateerde van voor de oorlog. Ook die werd al in de jaren twintig maar vooral tijdens de economische crisis van de jaren dertig in allerlei vormen en uitwerkingen doordacht en gedefinieerd. Het corporatisme werd uiteraard niet in Nederland en niet in de twintigste eeuw uitgevonden. In Nederland was Abraham Kuyper de eerste die, al in de jaren 1870, bepaalde corporatistische voorstellen deed om een tegenwicht tegen de effecten van een ongebreideld kapitalisme te vormen, maar hij putte de inspiratie daartoe uit zijn lectuur van sociaal bewogen, merendeels katholieke auteurs uit Duitsland, Frankrijk en België. Tijdens het interbellum waren het vooral Nederlandse katholieken die hoopten door middel van het corporatisme de solidariteit van de sociale klassen, de saamhorigheid van arbeid en kapitaal, de diepe rust en harmonie van de organische maatschappij te kunnen herstellen, maar tot een realisering van zulke plannen kwam het nog niet, al werd wel de juridische mogelijkheid tot verwerkelijking enigszins vergroot. Zoals bekend vormde het corporatisme, dat dus ook in Nederland als ideaal veel ouder is dan het fascisme, voor sommige fascisten eveneens een aantrekkelijk denkbeeld. Dit verminderde de gehechtheid van wel degelijk in essentie democratische katholieke hervormers aan deze ideeën blijkbaar niet. Tijdens de bezetting bleef het corporatisme ook voor de Nederlandse Unie een interessant thema. Na de oorlog was het dit nog steeds. En eindelijk, na twintig, dertig jaar discussie, kwam in 1950 de Wet op de Publiekrechtelijke Bedrijfsorganisatie tot stand. Heel veel heeft de wet echter niet bereikt, het minst bovendien in de juist toen zich snel en voorspoedig ontwikkelende industrie waarom het tenslotte ging. Een ordening, in eindeloze

services, vide the Centraal Plan Bureau, the Mathematisch Centrum, the Foundation for fundamental research into matter, and the architectural Building Centre. Such organizations did not appear out of the blue. They had been considered before 1940 and in the pre-war Dutch socialist party scientists had exercised concrete influence. After 1945, thanks to the People's Movement and the Dutch Labour Party, these plans could materialize. The idealism of these groups promoted the growth of what is appropriately known as the mathematization of society. Beside the choice for communist reform and that for the People's Movement, lay a third option: that of corporatism. This also stemmed from before the war. In the 1920s, but particularly during the years of the Depression in the 1930s, these ideas were considered, discussed and defined. Corporatism was neither born in the 20th century nor in Holland. The first Dutch politician to present the ideas was the great calvinist leader, Abraham Kuyper, in the 1870s. He made several corporatist proposals to provide a balance to the effects of unchecked capitalism, but he got these ideas from socially involved, mainly Catholic, writers from Germany, France and Belgium. In the period between the two world wars it was above all Dutch Catholics who hoped, with the help of corporatism, to be able to restore the solidarity of the social classes, the unity of labour and capital, and the profound stability of the organic society. But such dreams were not to be fulfilled, although the legal means to realize these aims was somewhat increased. As we know, the ideas of corporatism—in Holland, too, a far older ideal than fascism—also found favour with the fascists. This apparently did not decrease the attachment to these ideas of essentially democratic Catholic reformers. During the Occupation years, corporatism remained an appealing theme, and after the war this remained so. Finally, after twenty, thirty years' discussion, came the Industrial Organization Act (Wet op de Publiekrechtelijke Bedrijfsorganisatie) in 1950. In fact, this Act achieved very little, and indeed least of all in the world of industry that was then rapidly developing. A regulation thought up with infinite consideration, to overcome a crisis, is not appropriate in a society that sees its salvation in the greatest possible expansion. However, the Social and Economic Council, placed at the top of the organization, has in fact become an essential source of advice for the government.

Thus we see that in fact very little materialized from the many ideals of social reform and renewal that in 1945 were discussed, published and explained. Is this cause for regret? Did the Netherlands miss an opportunity in 1945 to make a break with a deplorable past? How you answer such questions depends very

'Politique Internationale' uit
'L'expérience sans expériences'
van Alichensky, 1950 (no. 4)

'International politics' from
'Experience without experiences' by Alechinsky, 1950 (no. 4)

beschouwingen bedacht om een crisis te overwinnen, paste niet in een maatschappij die haar heil in zo groot mogelijke expansie ging zoeken. Overigens is de aan de top van de organisatie geplaatste Sociaal-Economische Raad natuurlijk wel een buitengewoon belangrijk adviesorgaan van de regering geworden.

Er is van de idealen van vernieuwing en sociale hervorming die in 1945 in talloze vormen, talloze publikaties en talloze toespraken aan de bevolking werden uiteengezet ten slotte dus slechts heel weinig verwerkelijkt. Is het nodig daarover te treuren? Heeft Nederland in 1945 een kans gemist om met een deplorabel verleden te breken? Het antwoord op deze vragen hangt van allerlei min of meer persoonlijke meningen en ervaringen af. Toch is het langzamerhand mogelijk de

much on personal attitudes and experience. Now, however, it is becoming possible to consider the situation with a certain detachment. Despite the annual attempts to relive the moments of liberation, in fact those days are now a distant memory and for the majority of the Dutch population are no more than an episode from the lives of their parents or grandparents. Those who now, somewhat removed from these events, try to put them into context, feel a certain reserve towards the criticisms of pre-war Holland. They feel this same reserve regarding the idea that in 1945 the Netherlands of before the war should be utterly wiped clean. But it is more important that they do not begin by asking themselves, with that despair common to the frustrated reformers of 1945, how it was possible

DE TWIST-APPEL

Spotprent op de wandschildering die Karel Appel begin 1949 in de kantine van het Amsterdams stadhuis maakte. Na een conflict werd de schildering bedekt om pas tien jaar later weer onthuld te worden

Cartoon entitled 'Apple of discord' of the mural painted by Karel Appel in early 1949 in the canteen of the Amsterdam Town Hall. Following disagreements, the painting was covered over only to be uncovered ten years later

Spotprent op de sluiting van de tentoonstelling in het Stedelijk in Amsterdam. Directeur Sandberg veegt 'de rommel' bij elkaar

Cartoon on the closing of the exhibition in the Stedelijk Museum, Amsterdam. Director Sandberg sweeps away the mess

situatie met enige distantie te bezien. Ondanks de jaarlijkse pogingen de 'bevrijding' opnieuw te beleven is zij tot een feit uit een andere wereld vervaagd, voor het grootste deel van de bevolking niet meer dan een episode in het leven van ouders en grootouders. Degene nu, die op een zekere afstand van de gebeurtenissen zijn plaats zoekt, voelt enige reserve tegenover de kritiek op het vooroorlogse Nederland en dus ook op de gedachte dat dit vooroorlogse Nederland in 1945 niet in enigerlei vorm hersteld mocht worden. Maar belangrijker is dat hij niet begint met zich, met de bij gefrustreerde vernieuwers gebruikelijke wanhoop, af te vragen hoe het mogelijk was dat de mensen van toen hun leven binnen de vooroorlogse kaders probeerden voort te zetten. En hoe het kon dat ze te conservatief waren, te weinig gelouterd door het oorlogsleed om de noodzaak van totale regeneratie te zien.

De afstandelijke beschouwer zal constateren dat dit zogenaamde vernieuwingsdenken in veel sterkere mate uit de ervaringen van de economische crisis van de jaren '30 was afgeleid dan uit die van de oorlog zelf. Het paste, zo bleek spoedig, noch emotioneel noch zakelijk bij de situatie van de eerste naoorlogse jaren. De beschouwer zal dan ook een andere vraag stellen, namelijk hoe het feit verklaard moet worden dat de herstelde zuilenstructuur van voor de oorlog in staat is geweest een zo krachtige economische ontwikkeling op te vangen, te beheersen, te organiseren, welke woorden men ook kiezen wil. Het is namelijk niet ongebruikelijk om te suggereren dat er tussen het herstel van de verzuilde politiek in 1945 en de economische groei een zekere tegenstelling bestaat, politieke restauratie tegenover economische vernieuwing; conservatisme en confessionalisme tegenover krachtige expansie. Die verbazing is echter niet op haar plaats. Het is macrohistorisch beschouwd niet ongerijmd dat Nederland in 1945 en 1946 naar het zuilenstelsel terugkeerde. Het is niet ongerijmd dat Nederland zich in de periode tot de jaren 60 wel moderniseerde maar het zuilensysteem niet afwees, integendeel, zelfs verder ontwikkelde. Het is daarom niet ongerijmd omdat juist de verzuiling vanaf haar ontstaan de Nederlandse vorm is geweest om vernieuwing te verwerken. Het zuilensysteem begon in Nederland in de periode van de eerste industrialisatie op grote schaal samenhang te verkrijgen en dat was in de laatste decennia van de negentiende eeuw. De invoering van de parlementaire democratie in 1917, toen eindelijk het algemene kiesrecht (voor mannen; in 1919 ook voor vrouwen) werd aangenomen, stond in direct verband met de zuilenstructuur. Tot omstreeks 1930 ging het Nederland economisch betrekkelijk goed. Gedurende die hele periode van omstreeks 1890 tot 1930 heeft noch

that people attempted to continue their pre-war way of life afterwards, that they were too conservative, too little purged by the sufferings of the war to see the necessity for total regeneration. A more objective critic will realize that this way of thinking in terms of reform, arose to a greater extent from the economic crisis of the 1930s than it did from the war. It was soon evident that it fitted neither in an emotional nor a rational manner into the atmosphere of the early postwar years. Our critic then has a further question: how can it be explained that the restored 'pillar' structure from before the war was able to support such a strong economic development, to direct and stimulate it.

For it is not unusual to imply a certain contradiction between the restoration of the 'pillarization' system in 1945 and the subsequent economic growth, between political restoration and economic reform, between the conservatism of the religious parties and determined expansion. It is not, however, appropriate to be surprised. From a macro-historical point of view it is not incongruous that in 1945 and 1946 the Netherlands returned to the system of 'pillarization'. Nor is it incongruous that in the period until the 1960's the Netherlands went through a process of rapid modernization but did not abolish its 'pillar' system—on the contrary, even added to it. These things are not incongruous for the very reason that from its earliest days pillarization was the form used in the Netherlands to accomplish change. This system really became widespread in the Netherlands with the growth of industrialization, during the last ten years of the 19th century. In 1917, the long-awaited general franchise brought parliamentary democracy to the Netherlands and this was a direct result of pillarization. Until about 1930 the Netherlands was economically fairly buoyant. During the entire period from about 1890 until 1930 neither the pillarization system nor parliamentary democracy in the Netherlands came seriously

'De kunstenaars van Cobra zagen, eindelijk, in dat hun sociale positie hun geen recht gaf op de pretentie een sociale voorhoede te zijn. Zij begrepen dat zij niets anders hadden dan hun werk, dan het feit dat zij de creatieve mens vertegenwoordigden, dat zij de fakkel brandend hielden van een scheppingsdrift die bij de andere mensen nog slechts latent voorhanden was' (Constant, in: Opkomst en ondergang van de avant-garde, *Randstad 8*, 1964)

'Ultimately, the Cobra artists saw that their social standing did not give them the right to keep up the pretence of being a social vanguard. They realized that they had nothing but their work, that in actual fact they represented creative people, they kept the fires burning for others whose creative urge was still latent.' (Constant in: *Rise and fall of the avant-garde,* Randstad 8, 1964)

het zuilensysteem noch de parlementaire democratie in Nederland serieus ter discussie gestaan. De twijfel aan de doeltreffendheid van deze stelsels ontstond pas in een periode van economische neergang, de jaren dertig. Met andere woorden, blijkbaar werken in Nederland de verzuiling, de democratie en de sociaal-economische vernieuwing op een vrij bevredigende manier samen. De geschiedenis van na 1945 kan dat aantonen.

De oorlog kostte Nederland waarschijnlijk meer dan 215.000 mensenlevens en ongeveer eenderde van zijn nationale vermogen. In vergelijking met de verliezen geleden door landen in Midden- en Oost-Europa waren deze getallen niet groot, in vergelijking met andere landen in West-Europa waren ze dat wel. De naoorlogse regeringen konden niet veel anders dan sober zijn en soberheid eisen. Zij deden dat met overgave, robuust gezond verstand en zoveel overtuigingskracht dat de bevolking dit zonder veel protest aanvaardde. De bevolking groeide; van 1946 tot 1950 waren de geboorteoverschotten hoger dan ooit. (Een jaar of twintig later zou deze in betrekkelijke armoede uit rustige en werkzame ouders geboren generatie haar entrée in het volwassen leven met levenslustig en ordeloos rumoer gaan vieren.) De overheid verklaarde deze groei positief te waarderen maar maakte zich zorgen over de huisvesting en de toekomstige werkgelegenheid. Zij kwam bovendien door haar beleid ten aanzien van de nationalistische opstanden in het voormalige Oost-Indië in ernstige internationale verwikkelingen en financiële nood; de bekostiging van een flink leger in de Tropen en zijn uitrusting met moderne wapens deden de tekorten op de betalingsbalans toenemen en verkleinden de reserves aan goud en deviezen tot een onrustbarend laag niveau. Pas in 1948 brak de zon aarzelend door. Men legde zich neer bij het blijkbaar onomkeerbare feit van de Indonesische onafhankelijkheid en herstelde dank zij het aandeel dat men uit het Amerikaanse steunprogramma voor Europa (de Marshallhulp) trok, de overheidsfinanciën. In 1949 verdween de rantsoenering van levensmiddelen. Omstreeks 1950 had de Nederlandse economie in haar algemeenheid een niveau bereikt dat hoger lag dan dat van 1938. Vanaf dat moment werd het leven, dat in de eerste vijf jaren na de oorlog voor het gros van de bevolking economisch niet gemakkelijker was geweest dan in de arme jaren dertig, iets aangenamer. In 1954 werd voor het eerst na de oorlog een algemene verhoging van de reële lonen toegestaan.

Het naoorlogse bestaan was ernstig; er was weinig tijd en geld over voor de versiering van het leven (zoals de sobere woningbouw van de jaren 1950 laat zien). Nog lang bestond er bij lezers van boeken grote belangstelling voor werken waarin de

under discussion. Doubts concerning the effectiveness of these systems only arose in a period of economic decline, in the 1930s. Thus it would seem that the pillarization system, parliamentary democracy and socio-economic revival are able to combine fairly happily in the Netherlands. And post-1945 history is the illustration of this.

During the war about 215,000 people from the Netherlands lost their lives and the country lost about one third of its national capital. Compared with the losses suffered by countries in Central and Eastern Europe, these are not high figures; but compared with other lands in Western Europe, they are. The postwar governments could hardly do other than adopt a sober attitude and demand the same of the country. They did so with conviction, sound common sense and with such dedication that the people accepted this without grumbling.

The population increased; from 1946 to 1950 the birthrate was higher than ever. (About 20 years later, these children born into comparative poverty of steady, hardworking parents would explode into adulthood with jubilant and unrestrained chaos.) The government reacted positively to the population growth, but was concerned about housing shortage and future employment. And their policy in the Dutch East Indies, where there was a national uprising, led to a serious drain on finances as well as considerable foreign criticism: the cost of maintaining a sizeable army in the Tropics and of equipping it with modern weapons increased the deficiencies in the balance of payments and alarmingly reduced the reserves of gold and foreign currency. It was not until 1948 that a glimmer of light appeared. The apparently irreversible fact of Indonesian independence was accepted. Thanks to the Marshall Aid programme by which the USA provided help to rebuild Europe, the government finances were helped to their feet. By 1949 food rationing was over. By about 1950 the Netherlands had attained an economic standard that was higher than that of 1938. From then onwards, daily life, which in the first five years after the war had been no easier than during the wretched 1930s for most people, became more pleasant. In 1954, for the first time after the war, a general raise was permitted in the real wages.

Postwar life was a serious business; there was not much time or money to spare for the fripperies of life (witness the sober dwellings built during the 1950s). For a long time book readers were very interested in works which explored the perils and the despair resulting from disorganized modernity. The sociologist and historian, P.J.Bouman, reported that in his highly popular book, which went into many reprints and was translated into several languages, entitled *Revolutie der*

Omslag van het eerste en enige nummer van *Le surréalisme révolutionnaire* dat onder redactie van Dotrement in maart-april 1948 gepubliceerd werd

Cover design for the first and only number of *Le surréalisme révolutionnaire,* edited by Dotremont, that appeared in March-April 1948

noden van de moderniteit werden getoond. De socioloog en historicus P.J. Bouman had er in 1953 volgens eigen zeggen in zijn immens populaire, tientallen malen herdrukte en vele malen vertaalde *Revolutie der Eenzamen* zelfs een nieuw expressiemiddel voor nodig om 'het lijden der eeuw' adequaat uit te drukken. In 1955 publiceerde de socioloog F.L. Polak in twee enorme delen zijn bizarre boek *De toekomst is verleden tijd: cultuur-futuristische verkenningen,* waarin hij met een overweldigende eruditie een volstrekt desperate visie op de moderne beschaving gaf. Het werd door de Raad van Europa en de Europese Kolen en Staal Gemeenschap met een prijs onderscheiden en vaak bewonderend becommentarieerd. Gedurende deze zelfde jaren van ontluikende voorspoed achtte de Katholieke Kerk zich (1954) genoodzaakt in een bisschoppelijk mandement de gelovigen met veel nadruk te wijzen op hun verplichting trouw te blijven aan haar uitgangspunten en dringend te waarschuwen tegen het geestelijke verderf dat uit de wereld van socialisme kon voortkomen - de socialisten die met de liberalen, de protestantse partijen en de katholieken toen in het derde kabinet-Drees samenwerkten. Al werd dit mandement ook in eigen kring gekritiseerd, het bleef niet zonder effect. In elk geval behaalde de Katholieke Volkspartij bij de verkiezingen van 1956 tot 1967 mooiere resultaten dan voordien en kwam het minister-presidentschap in 1958, na het uiteenvallen van de rooms-rode coalitie, in handen van een katholiek. Gedurende de dertig jaren nadien hebben de socialisten in totaal niet veel meer dan een jaar of vijf aan de regering deelgenomen.

Wat doen avant-gardes, zoals die van Cobra en de Vijftigers, in een geestelijke en politiek-sociale wereld waarin soberheid, werkkracht, strikte beheersing van de economie en de cultuur met het doel een betere toekomst te verwerkelijken, de angst daarnaast voor de schadelijke, desequilibrerende effecten van de moeilijk stuitbare moderniteit, de behoefte aan een continuïteit die de mens beschermt en gerust stelt, wat doen zulke avant-gardes in een wereld waarin waarden als deze centraal staan? Zij kiezen andere uitersten. Zij kiezen tegen het intellectualistische en abstracte in de maatschappelijke en esthetische normen van wat zij de heersende klasse, de bourgeoisie, noemen, en kiezen voor de ongebreidelde expressie van uit het onderbewuste voortkomende verlangens. De vorm die zij daarvoor vinden is niet van enig academisch voorschrift afhankelijk, maar ontstaat spontaan wanneer de kunstenaar zich uitleeft op de materie - zijn verf, zijn doek - en de beschouwer het scheppingsproces kan meebeleven en het geschapen produkt op eigen, creatieve wijze interpreteert. Zo werd tegenover het idealisme van de heersende, burgerlijke visie, de

Eenzamen (Revolution of the lonely), 1953, he needed new means and historical methods adequately to express the suffering of this century. In 1955 the sociologist F.L. Polak published in two vast volumes a book in which, with amazing erudition, he presented an utterly hopeless vision of modern civilization *(De toekomst is verleden tijd).* It was awarded a prize by the Council of Europe and the European Coal and Steel Community and gained much admiring commentary. In these same years of budding prosperity the Catholic Church thought it necessary to issue an episcopal mandate to the faithful (1954). This emphasized their duty to remain true to the teachings of Mother Church and gave a serious warning against the spiritual corruption that threatened from the world of socialism. It should be added that the cabinet at that time was a coalition of socialists, Dutch Liberals, Protestant parties and Catholics. Although this bishops' mandate was strongly criticized, also in Catholic circles, nevertheless it had its repercussions. The Catholic People's Party gained more seats in elections during the years 1956 to 1967 than they had previously done, and when the Roman-Red coalition collapsed in 1958, the new prime minister of the Netherlands was a Catholic. For the following 30 years the socialists only managed to take part in the government coalition for a total of about five years.

What happens to an avant-garde group, such as the Cobra group of painters or the Vijftigers group of writers, when it finds itself in a mental and politico-social climate dominated by sobriety, capacity for work, strict control of economy and culture with the aim of achieving a better future; when it finds itself in a situation filled with the fear of harmful, unbalancing effects of the modernity that is so difficult to disclaim; what do such groups do in the midst of the need for continuity that protects and reassures people? What do they do in a world that sets such values at so high a premium? They choose other extremes. They say no to that which is intellectual and abstract in the social and aesthetic norms of the ruling classes. They say yes to the uninhibited expression of those desires lurking in the subconscious. The mould into which they pour these is in no way dependent on academic prescription; it arises spontaneously when the artist expresses himself with the material he uses—his canvas, his paint—and when the viewer can share the creative process and can interpret the end product in his own, creative manner. Thus, as opposed to the ideals of the ruling, bourgeois vision, the avant-garde was explained as the representative of a form of materialism related to Marxism. It was given the place that, people then believed, rightly belonged to the avant-garde: the revolutionary left. In that interesting 'Manifesto' published by Constant in 1948 in the

avant-garde tot een vertegenwoordiger van het aan het marxisme verwante materialisme verklaard en kreeg zij de plaats die, naar men toen meende, een avant-garde van nature heeft: links en revolutionair. In het interessante 'Manifest', dat Constant in 1948 in het Cobra-blad *Reflex* publiceerde, probeert hij de positie van zijn groep op deze manier te bepalen. Hij is dankbaar voor de impulsen van dadaïsme en surrealisme uit de jaren 1910 en 1920 (zij waren in het interbellum vrijwel aan Nederland voorbijgegaan), maar acht de Cobrakunst daar niet schatplichtig aan. Hij meent dat het hele Europese verleden in al zijn vormen dood of bijna dood is. Al in zijn eerste zin verklaart hij dat hij en zijn tijdgenoten worden geconfronteerd met 'een maatschappelijke ontwikkeling, die slechts zal kunnen eindigen met een totale ineenstorting van een duizenden jaren oud samenlevingsprincipe en het ontstaan van een stelsel dat zijn wetten zal vormen uit de directe eisen der menselijke vitaliteit'. De kunstenaars, schrijft hij tegen het einde van zijn betoog, maken zich los van 'het gehele cultuurrudiment' (inclusief het surrealisme: 'fluister niet,' schreef Lucebert, '...dat wij verouderd zijn, herkauwende de dada.') en gaan de staat van ongebonden vrijheid in.

Cobra magazine *Reflex,* he tried to define the position of his group in this way. He was grateful for the inspiration of Dada and surrealism in the 1910s and 1920s (in the years between the two world wars they were virtually unknown in the Netherlands) but he did not believe that the art of Cobra was dependent on them. He believed that the entire history of Europe in its many forms, was dead, or on its deathbed. In his opening sentence he states that he and his contemporaries are confronted with 'a social development that can only end in the total collapse of a social principle that is thousands of years old, and with the birth of a system that will build its laws out of the urgent demands of human vitality'. The artists, he declares in his peroration, will free themselves from this entire 'Cultuurrudiment' (this includes surrealism: 'Do not whisper,' wrote Lucebert, '...that we have grown obsolete, chewing and re-chewing on dada'); they will enter the state of untrammelled freedom.

This was in complete contrast with the mood of the majority, as it was with Bouman's 'new means of expression' or Polak's futurology. There is no reminder here of the "new man" whom we encountered so frequently in the reform programmes of 1945. Nothing in this Mani-

Foto van Constant en eerste twee pagina's (met litho) van zijn manifest zoals gepubliceerd in het eerste nummer van *Reflex*, orgaan van de Experimentele Groep in Holland

Photograph of Constant and the first two pages (with litho) of his manifesto as published in the first number of *Reflex,* voice of the Experimental Group in Holland

Dit staat inderdaad in totaal contrast met de heersende stemming, en ook met Boumans 'nieuwe expressiemiddel' of Polaks futurologie. Niets hier herinnert aan de nieuwe mens die door de beschouwingen van 1945 doolde; niets verwijst naar vernieuwing in het algemeen. Hier gaat het om volstrekte oppositie tegen de hele christelijke en humanistische normatiek. Het manifest levert echter geen levens- of maatschappijbeschouwing die de lezer enig houvast biedt en de kunstopvatting die erin verdedigd wordt is nauwelijks een programma te noemen. Bovendien heb-

festo refers to the ideal of regeneration. We are dealing with total opposition to the entire Christian and humanist system of values. But the Manifesto did not offer a consideration of life or society that could provide its reader with something to hold on to. The attitude towards art that it defended can scarcely be termed an agenda. And furthermore, a farewell to history and hello to the creative masses in unrestricted freedom, have still not happened. In our consideration of the postwar years the Manifesto cannot function as the expression of a vision of the future

ben het afscheid van de geschiedenis en de entrée van de creatieve massa's in de ongebonden vrijheid nog steeds niet plaats gevonden. Het kan in onze beschouwing over de naoorlogse geschiedenis niet fungeren als uitdrukking van een toekomstvisie die pertinent genoeg was om de maatschappelijke en intellectuele werkelijkheid te veranderen (al worden er verscheidene intuïties in verwoord die later van belang én voor de kunst zelf én voor de kunstfilosofie bleken). Dank zij het onbekommerde absolutisme ervan kon het echter duidelijk maken dat de jonge schilders - en de literatoren die zich met Cobra verbonden - zich buiten de zwaarwichtige academische cultuur plaatsten en weigerden zich door de plechtige en ascetische waarden die in 1945 overheersten, te laten deprimeren. Zij verklaarden de crisis waarmee zoveel van hun in cultuur geïnteresseerde landgenoten nog steeds taai aan het worstelen waren, voorbij te zijn. Zij verlustigden zich in een inderdaad nieuwe retoriek, een kleurrijk en vrolijk expressionisme. Voor het eerst eigenlijk kreeg de Nederlandse cultuur te maken met een echte avant-garde die - al putte zij uit de vele avant-gardes van voor de oorlog die in Nederland toen vrijwel geen medewerkers had gevonden - in elk geval in vergelijking daarmee deze originaliteit bezat: doordat zij zich keerde tegen de heersende conventie, de door haar als neerslachtig, behoedzaam en ingetogen ervaren mentaliteit van het naoorlogse Nederland, wat de functie van een avant-garde is, was het geen onheil dat zij verkondigde, zoals veel van de vooroorlogse avant-gardes wel deden, maar onvoorzichtige levensvreugde, in kunstwerken uitbundig tot uitdrukking gebracht.

that was sufficiently applicable to alter social and intellectual reality. (Though it should be said that it contained various intuitions that came to be important both for art in general and for the philosophy of art.) Thanks to its carefree absolutism it was however able to make clear that the young painters and writers who attached themselves to the Cobra group should place themselves outside the ponderous academic culture; they should not allow themselves to become depressed by the momentous ascetic values that reigned in 1945. They declared that the crisis with which so many of their countrymen who were interested in culture were still earnestly wrestling, was dead and gone. They revelled in a new rhetoric, a colourful and cheerful expressionism. For the first time Dutch culture really came face to face with an avant-garde; and although it derived its essence from the many avant-gardes from before the war, which had then found virtually no supporters in Holland, it was authentic. The function of an avant-garde group is to turn against the conventions of the times. Postwar Holland was characterized by a mentality the Cobra Group perceived as depressive, cautious and restrained. In contrast, the Cobra group prophesied not doom and destruction as had done many pre-war avant-garde groups, but instead: incautious delight, lavishly expressed in works of art.

Litho uit 'Huit x la guerre' van Constant, 1949 (no. 5)

Litho from 'Huit × la guerre' by Constant, 1949 (no. 5)

Willemijn Stokvis

COBRA IN CONTEXT

COBRA IN CONTEXT

Direct na de bevrijding, in 1944-1945, begaven kunstenaars uit talrijke landen zich naar Parijs, op zoek naar nieuwe dingen en vol verlangen hun eigen ideeën te toetsen aan die van andere kunstenaars. In die tijd waren alle ogen nog op Parijs gericht. Daar kon je je op de hoogte stellen van de allernieuwste stromingen. Zo gebeurde het dat Deense, Belgische en Nederlandse kunstenaars elkaar in die naoorlogse jaren daar ontmoetten om vervolgens talrijke overeenkomsten in hun aspiraties te ontdekken. In feite wilde de Cobragroep, die zij in de herfst van 1948 oprichtten, zich verzetten tegen de vorm van kunst die op dat moment in deze hoofdstad in de mode was: de koele geometrische abstractie. Bovendien wilden deze kunstenaars in het bijzonder breken met het Franse surrealisme dat zich naar hun smaak té zeer bezig hield met theoretiseren en anderzijds, in de beeldende kunst, een steriele esthetiek had ontwikkeld. Cobra werd een sterke emotionele band tussen kunstenaars, die niet gehinderd wilden worden door een opgelegde esthetiek of theorie, en die iedere regel of conventie wilden afschaffen om de weg te openen naar een spontane en directe menselijke expressie. De Cobrabeweging, die slechts van november 1948 tot november 1951 bestond, bracht kunstenaars van diverse pluimage bij elkaar - schilders, beeldhouwers, schrijvers, filmers -, en manifesteerde zich zodoende in vele vormen. Toch valt niet te ontkennen dat de belangrijkste bijdrage van deze beweging op het vlak van de schilderkunst ligt. Deze bijdrage kwam voornamelijk van de Deense schilders Asger Jorn, Carl-Henning Pedersen en Egill Jacobsen, en de Nederlandse schilders Karel Appel, Constant en Corneille. De Belgische schilder Pierre Alechinsky, heel wat jonger dan deze kunstenaars, werd pas enkele jaren na de ontbinding van de groep een van de voornaamste vertegenwoordigers van wat ik de beeldende "Cobrataal" wil noemen.

De schilderkunst van Cobra komt in de eerste plaats naar voren als een noordelijk, wild en barbaars expressionisme, dat zijn wortels heeft in het Duits-Skandinavische expressionisme van het begin van deze eeuw. Men wordt herinnerd aan het werk van de Noor Edward Munch en aan dat van de Duitser Emil Nolde. Tot ongeveer 1951 kenmerkte de schilderkunst die men als 'typisch Cobra' kan definiëren zich door een enigszins (bewust) onbeholpen manier van werken, geïnspireerd op het tekenen van kinderen, en op volks- en primitieve kunst. Na 1951 gaven de invloedrijkste schilders van de beweging zich op steeds hartstochtelijker wijze over aan de materie van de verf. De afzonderlijk gebruikte kleurvlakken en lijnen in de voorafgaande periode vermengden zich nadien tot een wilde verfmassa. De fabel-

Right after the liberation, in 1944-45, a great number of artists of varying nationality left for Paris, impatient to find out how their ideas matched up to those of other artists, and eager to discover anything new. At that time, all eyes were centred on this city. It was there that you could catch up on all the new trends. Hence the encounters in those post-war years between Danish, Belgian and Dutch artists and the rapid realization of just how numerous their shared aspirations were. In fact the Cobra group, which was founded in the autumn of 1948, was bent on resisting the art form which was then the current trend in this artistic capital: cool, geometric abstraction. Furthermore, these artists wanted to break away from French Surrealism, which in their view was too absorbed in theorizing, and which had, in the visual arts, championed a sterile form of aesthetics. Cobra was to become the symbol of a strong emotional bonding between artists, who did not wish to be held back by theory nor by aesthetic values imposed from the outside. What they wanted was to abolish all rules or conventions in order to open up a route to more spontaneous and more direct forms of human expression.

The Cobra movement which only existed from November 1948 to November 1951, brought together artists of quite different plumage − painters, sculptors, writers, and filmers, and this led to their using various mediums of expression. Nevertheless, one cannot deny, that the most important contribution made by this movement was in the field of painting. This originated chiefly from the Danes Asger Jorn, Carl-Henning Pedersen and Egill Jacobsen, and the Dutch painters Karel Appel, Constant and Corneille. The Belgian painter Pierre Alechinsky, who was a great deal younger than these painters, became one of the most important representatives of what I prefer to call the 'Cobra language' but that was a few years after the group had broken up.

The style of Cobra paintings comes across in the first instance as northern expressionism, wild and barbarous, which was rooted in German-Scandinavian expressionism at the beginning of the century. One is reminded of the work of the Norwegian Edward Munch and of the German Emil Nolde. Until about 1951 the painting which was labelled 'typical Cobra' was characterized by a (consciously) awkward style, inspired by children's drawings, folk and primitive art. After 1951, the most influential painters in the movement applied themselves in an increasingly passionate way to the matter of the actual paint. The colour surfaces and lines which had been used separately in the period beforehand were subsequently mixed to form a wild mass of

wezens en kinderlijke figuren die tevoren hun werken bevolkten veranderen in afschrikwekkende demonen. Het is nu vooral met de latere ontwikkeling van deze kunstenaars dat men sinds rond 1960 de naam 'Cobra' is gaan associëren.

De (ex-) Cobraleden waren in die periode echter niet de enigen die gebruik maakten van een uiterst vrije schilderstijl waarmee zij zich spontaan, als gedreven door onmiddellijke zintuigelijke impulsen trachtten uit te drukken. Al tijdens de oorlog en kort na 1945 ontstonden verwante ideeën over de menselijke expressie en een verwante schilderstijl in vele Europese landen en in de Verenigde Staten. In de loop van de jaren vijftig zou die nieuwe uitdrukkingswijze bekendheid krijgen en zich tenslotte als een epidemie over de hele wereld verspreiden. De term 'Infor-

paint. The fable characters and childish figures which had previously inhabited their work changed into forbidding demons. Since about 1960, it has been this later development which people have come to associate specifically with the 'Cobra' artists.

In that period it was not only (ex-) Cobra members who made use of this extremely free style of painting: a style in which they responded spontaneously as if driven by the challenge to express immediate sensual impulses. Already during the war and shortly after 1945 similar ideas arose in many European countries and in the United States with regard to human expression and the related style of painting. In the Fifties this new form of expression was to become well-known and spread across the whole world like an epidemic. The

'Masker' van Constant, 1949 (no. 7). Op p. 25 staan de exposanten vóór de inrichting bij de ingang van het Stedelijk Museum. Constant's zoontje (geheel rechts) draagt het doek 'Het Masker'

'Mask' by Constant, 1949 (no. 7). The illustration on p. 25 shows the exhibitors before the exhibition was assembled, standing at the entrance to the Stedelijk Museum. Constant's small son (extreme right) is holding the canvas of 'Mask'.

mele Kunst' die in die jaren gebruikt werd om de vloedgolf van schilderkunstig geweld aan te duiden die toen de biennales en internationale salons overstroomde, geeft de intensiteit van deze nieuwe schilderwijze nauwelijks weer. Het zou beter zijn daarvoor de term 'Abstract Expressionisme' te gebruiken, die naar mijn mening ten onrechte werd voorbehouden aan de kunst van de schilders rondom Jackson Pollock en Willem de Kooning. Men kan de Europese Cobrabeweging als tegenhanger beschouwen van deze 'New Yorkse School'. Tegelijkertijd ontwikkelde zich in Parijs met onder meer Georges Matthieu en Wols een eveneens verwante beweging, de 'Lyrische Abstractie'. Later

term 'Informal Art' which was used to express the flood of forceful paintings which overflowed into the biennials and international salons in those years, hardly reflects the intensity of this method of painting. It would be better to use the term 'Abstract Expressionism', which to my mind is, without justification, reserved for the painters grouped around Jackson Pollock and Willem de Kooning. One may regard the Cobra movement as a counterpart of this 'New York School'. At the same time an allied movement was developing in Paris with Georges Matthieu and Wols, known as the 'Lyrical Abstract' Later one used the term 'Material art' or 'Art Brut' about works by artists

pastte men de naam 'Materiekunst' of 'Art Brut' toe op werken van andere kunstenaars die tot dezelfde golf van expressie behoorden. Daarbij moet men in de eerste plaats denken aan de Fransman Jean Dubuffet. Deze kunstenaar die het min of meer figuratieve aspect van de 'Informele Kunst' vertegenwoordigt en in zijn uitdrukkingswijze dicht bij Cobra staat, vormt met zijn werk en zijn theorieën een beweging op zich.

Men kan de 'Informele Kunst', die in de jaren vijftig een mondiale dimensie heeft aangenomen, als de tweede golf van - primitivistisch - expressionisme in de twintigste eeuw beschouwen. Diverse aspecten van het rond 1910 in Duitsland op de voorgrond tredende - primitivistisch - expressionisme waren ongetwijfeld in de daarop volgende periode blijven bestaan, onder meer in het werk van Max Beckmann. Het expressionisme was in de periode van het interbellum evenwel meer gericht op de dagelijkse realiteit. Na 1945 werd echter opnieuw, als in het begin van de eeuw, het romantische verlangen geuit om voor een ondragelijke werkelijkheid te vluchten. Dit verlangen kan be-

who belonged to the same wave of expressionism. One first thinks of the Frenchman Jean Dubuffet. This artist, who represented the more or less figurative aspect of 'Informal Art', and who is close to Cobra in his mode of expression, forms a movement all of his own with his work and theories.

One may think of 'Informal Art', which took on world-wide dimensions in the Fifties, as the second wave of primitivist-expressionism in the twentieth century. Diverse aspects of primitivist-expression which arose in Germany around 1910, undoubtedly survived in the period which followed, among others in the work of Max Beckmann. In the inter-war period expressionism was more directed towards everyday reality. Once again, after 1945, just like at the beginning of the century, a romantic desire was expressed to flee from the awfulness of reality. This desire can be seen as an emotional reaction to the war, as a cry for a more humane type of existence and as the desire to escape from the depressing inexorable evolution taking place in the western world. In the desire to be intoxicated by a

schouwd worden als een emotionele reactie op de oorlog, als een schreeuw om een meer menselijk bestaan en de wens te ontsnappen aan de deprimerende, onverbiddelijke evolutie van de westerse wereld. In het verlangen op te gaan in de roes van een volkomen spontane en anonieme uiting, waarbij de kunstenaar zichzelf als het ware verliest en één kan voelen met de scheppingsdrift die allen bezielt en met de materie waarmee hij werkt, komt op de meest uitgesproken manier naar voren hoezeer de Cobrabeweging, evenals de andere vormen van - primitivistisch - expressionisme, wortelt in de Romantiek. In de midden achttiende eeuw opgeko-

completely spontaneous and anonymous form of expression — in which the artist, as it were, loses himself and can feel at one with the creative urge as the only source of inspiration — we can see most clearly how greatly the Cobra movement, as much as the other forms of primitivist-expressionism, is rooted in Romanticism. In the middle of the eighteenth century amidst the world of sensual feeling which is called 'Romanticism', man came to a realization of the fact that he was alone and separate from nature, this severance proved painful. The 'back to nature' philosophy of Jean-Jacques Rousseau from that very same period, has never been

men gevoelswereld die 'Romantiek' is genoemd, kwam de mens tot het besef eenzaam te staan tegenover de natuur, wat hij als een smartelijke scheiding ging ervaren. Het 'terug naar de natuur' van de filosoof Jean Jacques Rousseau uit die periode, is nadien niet meer verstomd. Dit betekende ook 'terug naar de oorsprong', terug naar de oertoestand van de primitieve mens die opgaat in het cyclische ritme van de natuur en die niet gedreven wordt door de dwingende idee van vooruitgang, het lineair tijdsbesef, waardoor de westerse mens wordt opgejaagd naar een zogenaamd steeds betere toekomst.

In de negentiende eeuw waren er vele kunstenaars die verlangden weer anoniem handwerker te zijn, zoals de kunstenaar dat was in de middeleeuwen. Men keerde zich tegen de moderne ontwikkelingen, tegen de industrie. Bezeten van een dergelijk verlangen vluchtte in 1891 de Franse schilder Gauguin zelfs naar Tahiti, in de mening dat hij daar opgenomen zou worden in een primitieve gemeenschap. Ook de leden van de Duitse expressionistische groep Die Brücke, die in 1905 werd opgericht, keerden zich af van de westerse wereld en haar conventies en zochten hun voorbeelden bij zogenaamd primitieve beschavingen. De primitieve kunst en de ethnografische voorwerpen vertegenwoordigden, vooral voor hun aanvoerder Ernst Ludwig Kirchner, niet uitsluitend inspiratiebronnen voor het vinden van nieuwe vormen, zoals wel het geval was bij de Fauves, Picasso en de Kubisten. In feite wilden de Duitse expressionisten zich identificeren met de makers van die objecten. De leden van de rond 1910 in München opgerichte Duitse expressionistische groep Der Blaue Reiter probeerden op een andere manier in contact te treden met de natuur. Tussen 1910 en 1914 trachtte de Russische schilder Wassily Kandinsky, de voornaamste inspirator van deze groep, met zijn abstracte kleurcomposities de ondefinieerbare krachten van de natuur uit te drukken. De Zwitserse schilder Paul Klee putte zijn inspiratie uit de irrationele wereld van het onderbewuste. Franz Marc, evenals Paul Klee lid van Der Blaue Reiter, nam het dier, dat in tegenstelling tot de mens in volmaakte harmonie met de natuur leeft, tot model. In Cobra schijnt dit zelfde ideaal sommigen voor ogen te hebben gestaan. De half-menselijke, half-dierlijke hybridische wezens, die zo dikwijls zijn uitgebeeld door de schilders van deze beweging, zouden een vertaling kunnen zijn van hun verlangen weer opgenomen te worden in de natuur.

Tussen de twee wereldoorlogen had het surrealisme, in de voetsporen van Freud, het onderbewustzijn geëxploreerd. Het had daarmee een kolossaal terrein opengegooid aan nieuwe mogelijkheden, nieuwe onderwerpen voor literatuur en beeldende kunst. In de jaren dertig verbreidde deze beweging zich vanuit

silenced since. This also meant 'back to your origins, back to the original state of primitive man who falls in with the cyclical rhythms of Nature and who is not driven by the coercive ideal of progress, nor by linear time-divisions, which are the forces driving western man towards a so-called better future.

In the nineteenth century there were many artists who longed to be anonymous craftsmen like the artist used to be in the middle ages. They turned against modern developments, and against industry. In 1891, obsessed by this type of longing, Gaugin even went as far as to flee to Tahiti, convinced that there at least he would be a part of a primitive community. The members of the German expressionist group 'Die Brucke', which was founded in 1905, rejected the western world and its conventions and looked for models among the so-called primitive civilizations. Primitive art and ethnographic objects did for them not just represent a source of inspiration for finding new forms as it was to the Fauves, Picasso and the Cubists. In fact the members of 'Die Brücke' wanted to identify with the makers of these objects. The members of the German Expressionist group 'Der Blaue Reiter' founded in München in 1910 tried to make contact with nature in a different way. Between 1910 and 1914 Wassily Kandinsky the Russian painter, the chief inspirational force behind this group, tried with his abstract colour compositions, to express the undefinable powers of nature. The Swiss painter Paul Klee drew his inspiration from the irrational world of the subconscious. Franz Marc, just as Klee a member of the Blaue Reiter, took the animal as a model, which, unlike man, lived in complete harmony with nature. It appears that the same ideal was shared by some Cobra members — the half-human, half-animal beings, which were so often used as models by this movement, might be a translation of their desire to become a part of nature.

Between the two world wars Surrealism, following in Freud's footsteps, had explored the subconscious. In so doing they had thrown open an enormous new field ripe for exploration, including new subjects for literature and the visual arts. In the Thirties this movement spread like wildfire all over the world. After the Second World War one finds, almost everywhere, the 'second wave of primitivist-impressionism' against a surrealist backcloth. This type of expressionism did not consider the subconscious to be an area for research. They added more flesh and blood to it. They let the chaos boil over, and their dream pictures were given a free hand. It was no longer so much the ideas of Freud which interested them, but more the Swiss psychologist Jung. The latter had described a collective subconscious, which was inherent to humanity and in which the original images or 'archetypes'

Tony Appel en Aldo van Eyck bij de inrichting van de expositie die in november 1949 in het Stedelijk Museum gehouden werd. De wijze van ophangen en inrichten was voor die tijd zonder meer revolutionair

Tony, Appel and Aldo van Eyck during the assembly of the exhibition that was held in the Stedelijk museum in November 1949. The method of hanging and displaying works was absolutely revolutionary.

Willem Sandberg, sinds 1938 conservator van het Stedelijk Museum te Amsterdam, was de stuwende kracht achter de eerste exposities van moderne kunst in Nederland. Zo organiseerde hij al in het jaar van zijn aantreden een grote expositie met de titel 'Abstracte kunst', in 1946 de tentoonstelling Jonge schilders en in 1949 de eerste grote Cobratentoonstelling. Op deze foto zit hij achter zijn bureau en onder een schilderij van Appel dat nu in de Van Stuijvenberg collectie opgenomen is (Appel no.8).

Willem Sandberg, curator of the Stedelijk Museum in Amsterdam from 1938 onwards was the instigator of the first exhibition of modern art in the Netherlands. He organized a big exhibition the year he took up his post entitled 'Abstract Art', then one called 'Young Painters' in 1946 and finally the first large Cobra exhibition in 1949. In this photo he is sitting at his desk under a painting by Appel which is now a part of the Van Stuivenberg collection (Appel no. 8).

Frankrijk als een olievlek over de gehele wereld. Na de Tweede Wereldoorlog ontstond nu vrijwel overal de 'tweede golf van – primitivistisch – expressionisme op een surrealistische ondergrond. Deze expressionisten beschouwden het onderbewuste echter niet meer zozeer als onderzoeksterrein. Zij gooiden zich er met huid en haar in. Zij lieten de chaos overkoken, en hun droombeelden gaven zij de vrije loop. Het waren nu niet meer zozeer de ideeën van Freud waarvoor zij zich interesseerden, maar eerder die van de Zwitserse psycholoog Jung. De laatste had een collectief onderbewustzijn beschreven, dat inherent aan de hele mensheid zou zijn en waarin de oerbeelden of 'archetypen' verborgen lagen die zich in iedere beschaving in mythen en verhalen en in de kunst van kinderen en geesteszieken manifesteerden. Voor de vroegere surrealisten, leerlingen van Freud, vormde het sexuele verlangen de oorsprong van iedere menselijke actie. Daarentegen lag voor de expressionisten van na 1945 de bron van het leven veeleer in de vitaliteit waar-

lay hidden but which in every civilization presented themselves in the form of myths and stories and were represented in drawings by children and the mentally ill. For the earlier surrealists, pupils of Freud's, sexual desire was the root of every human action. In contrast to this, expressionism after 1945 saw the essence of life far more in the vitality with which spontaneous pictures were drawn from the collective subconscious — which had been identified by Jung. The ideas of this psychologist enabled them to feel very close to their admired models, which were the primitives, children, and even the mentally deranged, far more so than their German predecessors in 1910. Automatism, which was not used in a systematic fashion by the earlier surrealists (with the exception of Miro and Masson), became the pre-eminent method for this new generation. The only difference was that the term 'automatism' was replaced by 'spontaneity'. Cobra illustrates this development excellently. Its origins are to be found in a process in which a clearly

'Het is zoals Dotremont zei: "Cobra est une école." Met ongehoorzame jongetjes misschien maar het is toch een soort school geweest, een vrije school met een zekere discipline. Met een bruisende activiteit en vitaliteit. Daar waren we ons goed bewust van, we hebben dat onszelf opgelegd. Je kunt niet zomaar actief zijn, je moet er hard voor werken. En we waren stuk voor stuk zeer harde werkers.' (Corneille)

'It is just like Dotremont says: "Cobra est une école". With disobedient boys perhaps, but it was still a sort of school. A free school with a certain modicum of discipline. Full of bubbling activity and vitality. We were well aware of this, we made ourselves do it. You can't be active just like that, you have to work hard at it. And we were, without exception, hard workers.' (Corneille)

mee spontaan beelden geput werden uit dat collectief onderbewuste dat Jung had gesignaleerd. De ideeën van deze psycholoog maakten dat zij, meer dan hun Duitse voorgangers van rond 1910, het gevoel konden hebben zeer dicht te staan bij hun bewonderde voorbeelden, primitieven, kinderen of zelfs geestesgestoorden.

Het automatisme, dat door de vroegere surrealisten nog weinig systematisch was gebruikt (met uitzondering van Miró en Masson), werd de methode bij uitstek van de nieuwe generatie. Alleen werd de term 'automatisme' dan vervangen door 'spontaneïteit'. Cobra illustreert deze ontwikkeling buitengewoon goed. Haar oorsprong ligt in een proces waarin een duidelijk expressionistische werkwijze zich losmaakt van een surrealistische achtergrond. Al in 1934 ontstond er bij de 'abstract-surrealistische' groep Linien in Denemarken een gelijksoortig conflict als dat wat aan de oprichting van Cobra ten grondslag lag. Enkele Denen namen afstand van het 'orthodoxe surrealisme' en spraken zich uit voor spontane expressie. Pas vanaf 1939 durfden zij zich daar werkelijk aan over te geven. Tijdens de oorlog zouden zij dan ook grotendeels al bepalen wat uiteindelijk de 'Cobrataal' zou worden.
Het materiaal waarmee deze kunstenaars werkten heeft in die overgang een voorname rol gespeeld. Of zij nu een taaie of vloeibare materie gebruikten, of zij die lieten vloeien of spatten, of er in krabden of kneedden, zij lieten zich allen min of meer leiden door de materie. Binnen de Cobrabeweging werd de wisselwerking tussen kunstenaar en materiaal beschouwd als een 'dialectisch gesprek met de materie'. Daarbij werd gebruik gemaakt van een marxistische terminologie. Vele van de Cobraleden waren immers

expressionist method of work breaks away from a surrealist background. As early as 1934, a similar conflict arose among the 'abstract-surrealist' group Linien in Denmark to that which lay at the roots of the foundation of Cobra. A number of Danes renounced 'orthodox Surrealism' and spoke out in favour of spontaneous expression. It was only after 1939 that they dared to actually indulge in it. During the war they were to determine to a great extent what the eventual 'Cobra language' would be.
The material with which these artists worked, played an important role in this change. Whether they used a tough or fluid material, whether they allowed it to flow or used a spraying technique, whether they scratched or kneaded it, they were all more or less led by the material. Within the Cobra movement the interplay between an artist and his material was seen as a 'dialectic dialogue with the material'. In doing so, use was made of the appropriate Marxist terminology. Many of the Cobra-members were, one might add, supporters of Marx's theories. By working spontaneously they hoped to clear the boards and make way for a new type of folk-art: not just art for the masses but art by the masses. This was to be the art of the new society which Marx had predicted would arise as a result of his theory of 'historical materialism'. For a number of them, the ideas of the French philosopher/psychologist Gaston Bachelard were also of the utmost importance. He was extremely influential with his publications and lectures at the Sorbonne and was a great influence on many of their generation during the war. In his ideas a different type of 'materialism' emerged. Gachelard was namely of the opinion that material in the form of the four elements earth, water, air and fire, is the direct

De Nederlandse experimentelen bijeen, v.l.n.r. Appel, Elburg, Kouwenaar, (onder) Wolvecamp, Corneille, Constant. Jan Nieuwenhuys, Brands, Rooskens, najaar 1948

The Dutch Experimentalists, l. to r.: Appel, Elburg, Kouwenaar, (below) Wolvecamp, Corneille, Constant, Jan Nieuwenhuys, Brands, Rooskens; autumn 1948.

Corneille aan het werk

Corneille working

Affiche van Constant, 1948

Poster by Constant, 1948

aanhangers van de theorieën van Marx. Met hun spontane werkwijze hoopten zij de weg vrij te maken voor een nieuwe volkskunst, een kunst die dus niet alleen vóór iedereen zou zijn maar ook dóór iedereen zou kunnen worden gemaakt. Dat zou de kunst worden van de nieuwe maatschappij die door Marx volgens de wet van zijn 'historisch materialisme' was voorspeld. Daarnaast waren voor een aantal onder hen ook de ideeën van de Franse filosoof/psycholoog Gaston Bachelard van grote betekenis. Deze oefende met zijn publicaties en zijn colleges gedurende de oorlog aan de Sorbonne grote invloed uit op velen van hun generatie. In zijn ideeën kwam een ander soort 'materialisme' naar voren. Bachelard meende namelijk dat de materie in de vorm van de vier elementen, aarde, water, lucht en vuur, de directe bron vormt voor de menselijke verbeelding. De expressionisten van Cobra lijken nu (waarschijnlijk onbewust) in hun werk en in hun ideeën de twee soorten van 'materialisme', die van Marx en die van Bachelard, samen te hebben gevoegd. Terwijl men zich overgaf aan de materie van de verf meenden sommigen tevens de ideeën van Marx in praktijk te brengen, vooral wanneer het om collectieve arbeid ging.

11 December 1949 schreef Corneille aan Pierre Alechinsky: 'Ik kom zo juist terug van een verblijf van ongeveer 20 dagen in Denemarken en van 50 uur in Zweden. Wij hebben goed gewerkt daarginds, we hebben de muren/ alle muren die er waren + voorwerpen-kasten-spiegels, flessen-glazen enz. beschilderd van een huis ergens op Jutland. In Malmö hebben we gemeenschappelijk gelithografeerd, [..] een waar Indianenfeest rond een steen.' Dit 'Indianenfeest', waaruit zo goed het verlangen naar een soort primitieve oorspronkelijke leefwijze spreekt, was binnen de Cobrabeweging in het jaar 1949 op zijn hoogtepunt. In de zomer van dat jaar woonden en werkten een hele groep Cobraleden uit verschillende landen een maand lang samen in een huis in het dorpje Bregneröd in de buurt van Kopenhagen. Iedereen werkte mee, ook alle gezinsleden van de kunstenaars die mee waren gekomen, om het hele huis en de voorwerpen die zich daarin bevonden te beschilderen en van dichterlijke teksten te voorzien. De Belgische dichter Christian Dotremont, de secretaris van Cobra en de grote organisatorische motor in deze beweging, die vooral dit soort samenwerking stimuleerde, schreef laaiend enthousiast over deze bijeenkomst, dat de niet-schilders er schilderden, de niet-beeldhouwers beeldhouwden, de specialisten in de schilderkunst hun beste beentje voor zetten en de niet-dichters dichtten. En iedereen deed zijn best elkaars taal te spreken: Deens, Engels, Duits. Dat speciale Bregnerödse taaltje zou verder ontwikkeld moeten worden, meende hij: 'Wij

source of human imagination. The Cobra expressionists now seem to have combined (probably unconsciously) in their work and their ideas two sorts of 'materialism', that of Marx and that of Bachelard. Some were convinced that, by giving oneself over to the material, in this case paint, they were putting Marx's idea into practice, particularly when they were involved in collective work.

On the 11th of December 1949, Corneille wrote to Pierre Alechinsky: 'I am just back from a 20 day stay in Denmark and a 50 hour interlude in Sweden. We did some good work out there, we painted a house in Jutland, we did the walls/every single wall there was + objects-cupboards-mirrors, bottles-glasses and so forth. We did a combined lithograph in Malmo, a true Indian party round a stone.'
This 'Indian party', which expresses so well the yearning for a sort of primitive down-to-earth way of life, reached its zenith in the Cobra movement in the year 1949. In the summer of that year, a whole group of Cobra members from different countries worked together for a month in a house in the village of Bregneröd near Copenhagen. Everyone made a contribution, the members of the artists' families who had come along with them joined in to. They painted the whole house and its contents and added poetic texts as well. The Belgian poet Christian Dotremont, the secretary of Cobra and the organizational motor in this movement, who particularly stimulated this type of joint effort, wrote with great enthusiasm about this venture; that non-painters painted, the non-sculptors sculpted, that specialist painters did their best and that non-poets wrote poetry. And everyone tried hard to speak one another's language: Danish, English and German. That special Bregneröd language should be further developed the thought: 'We should add Finnish to it tomorrow, and Italian the day after'.
It was possibly only Asger Jorn, the great

de galerie le canard
exposeert van 26 jan. tot 20 febr.

werk van **constant**

opening op zaterdag 26 jan.
om 16 uur door gerrit kouwenaar

galerie le canard exposeert

werk van **anton rooskens**

van 23 februari tot 15 maart 1952

opening door jan g. elburg, zaterdag 23 februari om 16 uur

zouden er morgen Fins en overmorgen Italiaans aan toe moeten voegen.'

In Cobra heeft misschien alleen Asger Jorn, de grote inspirator van deze beweging, beseft dat zij met hun ideeën sterk geworteld waren in het verleden, in de romantiek. De idee van de anonieme, collectieve samenwerking kwam bij hen in het algemeen veel meer direct voort uit hun marxistische opvattingen over de samenleving. Vanuit die opvatting meenden zij dat het dualisme, waarvan onze hele maatschappij doordrongen is, moest worden opgeheven, dat wil zeggen het dualisme van de verdeeldheid in klassen van onze maatschappij, maar voorts het dualisme van geest en lichaam, of geest en materie, van object en subject, van actief en passief, kortom de gespletenheid, de verdeeldheid in alles, ook tussen kunst en maatschappij. Hun ideaal was een nieuwe levensopvatting te doen ontstaan waarin al deze beperkende ideeën zouden zijn opgeheven, waardoor ook de kunst niet meer alleen zou zijn voor een bepaalde groep uitverkorenen en gemaakt door een bepaalde groep die aan gestelde regels voldeed. Ieder moest de vrijheid hebben om zich naar eigen behoefte creatief te uiten. Het is speciaal in deze gedachte, in deze marxistische toekomstvisie, dat de stuwende krachten, dat wil zeggen de theoretici, - Asger Jorn, Christian Dotremont en Constant, van de drie groepen die Cobra vormden - elkaar hebben gevonden. Cobra werd zodoende in de eerste plaats eigenlijk een rode 'Internationale van Experimentele Kunstenaars', een naam die deze beweging zichzelf eind 1949 dan ook tevens gaf.

Maar ook de leden van Cobra konden niet ontkomen aan onze westerse cultuur en haar uiterst individualistische instelling. Het collectieve bleef een droom van enkelen. Het beroemde manifest van Constant werd alleen door hem zelf ondertekend. De leden van Cobra waren en zijn nog steeds ras individualisten. Het is echter juist via het uiterst individualistisch werken vanuit het eigen onderbewuste dat zij tot een collectieve taal kwamen, die van de oerbeelden die alle mensen in zich dragen.

Via een geheel andere weg nu dan de theoretici van Cobra hadden voorzien werd er toch iets van hun idealen gerealiseerd. Via de poging tot bewuste regressie, waarvan, met Cobra, velen van de naoorlogse generatie bezeten waren, dat wil zeggen de drang terug te keren naar vroegere ontwikkelingsstadia op zoek naar de eigen originaliteit, had men een nieuwe vrije uitdrukkingswijze gevonden. Buitenstaanders die deze bewuste regressie niet onderkenden konden inderdaad met enig recht menen met het werk van gestoorden te maken te hebben.

In dezelfde periode ontstonden bij zowel verschillende galeriehouders en museummensen als onder psychologen vergelijkbare inzichten. Het is opmerkelijk

inspirational force behind this movement, who realized how strongly their ideas were rooted in the past, in romanticism. The idea of this anonymity, of working together collectively, usually came directly from their marxist beliefs about society. This doctrine persuaded them that the dualism, which pervades our whole society should be abolished, that is, the dualistic class divisions in our society, but also the dualism of spirit and body, or of the spiritual and the material, of object and subject, of active and passive, in short the cleavage, the division running through everything, not least between art and society. Their ideal was to bring about a new way of life in which all these restrictive ideas would be done away with, whereby art would no longer be made by a certain group which complied with the prescribed rules and aimed at the happy few. Everyone should be given the freedom to express themselves creatively to the extent they wished. It is especially in this idea, in this marxist vision of the future, that the three driving forces, namely the theoreticians Asger Jorn, Christian Dotremont and Constant, representatives of the three groups which made up Cobra, saw eye to eye. Cobra was therefore in the first place a sort of red 'International of Experimental Artists', a name which the movement actually gave itself at the end of 1949.

But even the members of Cobra could not escape from our western culture and its extremely individualistic approach. The collective ideal remained the dream of just a few. Constant's famous manifesto was never signed by anyone but him. The members of Cobra were, and still are, perfect individualists. It is actually through this extremely individualist manner of working from their own subconscious that they arrived at a collective language, which was that of the primitive images that everyone carries in them.

Some of their ideals were realized along quite different channels than those predicted by Cobra's theoreticians. Through an attempt at conscious regression, they had found a new uninhibited form of expression, which many of the post-war generation were obsessed with, that is: the urge to return to an earlier stage of development, and to try to find the roots of their own originality. Outsiders who did not recognize this conscious regression could quite rightly be forgiven for thinking that they were dealing with work of the mentally unstable.

In the same period both gallery and museum people, and psychologists had similar views. It is striking how many exhibitions of children's drawings travelled round just after the war and how psychiatric hospitals were increasingly likely to show the work of their patients to the outside world. All this led to a complete renewal of art education in the Fifties, whereby the creativity of the pupil was

'Het is het treurige lot van vele revolutionaire kunstbewegingen dat het schokkeffect afneemt naarmate het moment van revolutie verder weg komt te liggen... Zelfs bij Cobra is men niet meer geneigd aan schandaal te denken. Bewust schokkend en anti-ethetisch begonnen, hebben de meeste Cobrawerken nu een bijzonder opwekkende en esthetische werking; ze zijn geworden waarvoor ze niet geschapen zijn: tot objets d'art. Het is een evolutie die ongeveer parallel loopt met de ontwikkeling van de opinies van sommige critici, wier rupsen van venijn zich uiteindelijk ontpopt hebben als vlinders van bewondering' (E. de Jongh en J.A. Emmens, in: *Vrij Nederland* van 9 juli 1966)

'It is the sad lot of many revolutionary artistic movements to find that the shock effect wears off as soon as the period of revolution begins to fade into obscurity... Even in the case of Cobra, people are no longer inclined to think of the scandal. Consciously shocking and anti-aesthetic at the start, most Cobra works now have an unusually arousing and aesthetic effect; they have become what they were never created to be: "objets d'art". This evolution has run almost parallel with the development of some critics' opinions, those adders in the grass spitting venom have eventually turned into placid admirers.' (E. de Jongh and J.A. Emmens, in: *Vrij Nederland* 9 July 1966)

hoeveel exposities van kindertekeningen vlak na de oorlog rondreisden en hoe psychiatrische inrichtingen er steeds meer toe kwamen het werk van hun patiënten aan de buitenwereld te tonen. Dit alles had in de loop van de jaren vijftig een totale vernieuweing van het kunstonderwijs tot gevolg, waarbij men aan de spontane creativiteit van de leerling in relatie tot alle mogelijke materiaalexperimenten vrij baan gaf. De gelijktijdige golf van de spontane expressie in de schilderkunst had daarbij zonder twijfel een grote stimulerende invloed. Vanuit dit oogpunt bezien zou men kunnen zeggen, dat het toch wel naïef geachte ideaal van Cobra, de aanzet te geven tot het ontstaan van een nieuwe volkskunst, in zekere zin toch is geslaagd.

given a free rein in relation to all the material experiments possible. The wave of spontaneous expression in art had, without doubt, a greatly stimulating influence. Seen from this angle, one might say that the rather naive Cobra ideal, to give impetus towards a new type of Folk-art, had at least a modicum of success.

Wij nodigen U uit tot een bezoek aan de tentoonstelling van werken van

Karel Appel en *Corneille*

welke gehouden zal worden van 11 Januari tot 1 Februari 1947, in ,,'t Gildehuys''
aan de Voetboogstraat 13-15 te Amsterdam, tussen Spui en Heiligeweg.
Telefoon 30183.

IEDEREN WERKDAG: 10-17 UUR — ZONDAGS GESLOTEN

OPENING ZATERDAG 11 JANUARI OM 2 UUR

Expositie van Rooskens in Le Canard in Amsterdam, 1952. De exposant (links) met Constant (midden) en Wolvecamp

Exhibition by Rooskens in Le Canard in Amsterdam, 1952. Rooskens is seen l. with Constant, c., and Wolvecamp

COBRA CHRONOLOGIE

Voorspel Cobra:

a: Denemarken

1934: oprichting van het tijdschrift *Linien*, surrealistisch. Al spoedig breuk tussen twee groepen binnen dit blad: de orthodox surrealisten die in de kunst een weergave van het onderbewuste zien en de 'experimentelen' onder aanvoering van Bille die de spontaniteit beklemtonen: 'Kunst wil iets nieuws scheppen'

1936: Jorn trekt naar Parijs

1938: Het schilderij 'Ophobning' van Jacobsen. De verf wordt hier in dikke klodders gesmeerd en als kneedbaar materiaal gebruikt

1939-1950: tentoonstellingsvereniging Höst. De meeste Deense Cobraleden leren elkaar en elkaars werk hier kennen

1941: oprichting *Helhesten* door de meest vooruitstrevenden in de Höstgroep, met name Asger Jorn. 'De fantasie zal zijn gevangenissen opblazen. Fantasie en werkelijkheid zullen één worden zoals ze dat nu zijn in sprookjes, in poëzie' (Jacobsen, jrg. 1, no. 3, 1941)

1942: het gros van de latere Cobraleden exposeert gezamenlijk binnen Höst

1946: Jorn reist naar Parijs en ontmoet in hetzelfde jaar onder anderen Atlan en Constant. Via eerstgenoemde komt hij in contact met Franse en Belgische surrealisten

b: België

1934: oprichting van *Rupture* in Haine-Saint-Paul, surrealistisch en politiek links. Intensieve contacten met Breton ('als hij zijn goedkeuring geeft, ben je in het bezit van de historische zekerheid', aldus Dumont tot oprichter Chavée)

1935: eerste surrealistische tentoonstelling in België, georganiseerd door Rupture

1940: Dotremont publiceert, 18 jaar oud, het gedicht *Ancienne éternité* in het Franse tijdschrift *La main à plume*. Krijgt hierdoor erkenning binnen surrealistische kringen

1945–46: breuk tussen jongere, communistisch georiënteerde surrealisten onder wie Dotremont en de oude garde onder leiding van Breton

COBRA CHRONOLOGY

a: Denmark

1934: the founding of *Linien*, surrealist magazine. Soon leads to a split between the orthodox surrealists (art is a reproduction of the unconscious) and 'experimentals' led by Bille. 'Art is creating something new.'

1936: Jorn travels to Paris.

1938: 'Ophobning' by Jacobsen. Paint is daubed on in thick lumps and kneaded like clay.

1939-1950: exhibition society Höst. This is where most of the Danish members of Cobra met each other, and each other's work.

1941: the founding of *Helhesten* by the most progressive members of the Höst-group, in particular Asger Jorn. 'Fantasy will blow down the walls of its prison. Fantasy and reality will become one, just like they are at the moment in fairy-tales, and in poetry' (Jacobsen, volume 1, no. 3, 1941).

1942: the majority of the later Cobra-members exhibit jointly as a part of Höst.

1946: Jorn travels to Paris and meets Atlan, Constant and others. Through Atlan he meets French and Belgian surrealists

b: Belgium

1934: the founding of *Rupture* in Haine-Saint-Paul, surrealist and politically left-wing. Strong ties with Breton ('if he approves, then you are in possession of historical security', according to the founder, Chavée).

1935: the first surrealist exhibition in Belgium, organized by *Rupture*.

1940: at 18 years of age, Dotremont publishes the poem *Ancienne éternité* in the French magazine *La main à plume*. He hereby wins recognition in surrealist circles.

1945-46: breaking away of younger, communist surrealists, including Dotremont and Breton.

Affiche ontworpen door Sand–
berg

Poster designed by Sandberg

1947: Dotremont publiceert manifest onder de titel *Le Surréalisme Révolutionnaire*. Oprichting gelijknamige beweging. Eerste Internationale Conferentie van Revolutionair Surrealisten in Brussel. Onder anderen Jorn en Istler aanwezig

1948: eerste en tevens enige nummer van *Le Surréalisme Révolutionnaire* onder hoofdredactie van Dotremont. In prospectus komen ondermeer de namen van leden van de Höstgroep voor, evenals die van Atlan, Doucet en Noiret.
Alechinsky exposeert in Brussel

c: Nederland

1938: Sandberg wordt conservator van het Stedelijk Museum en organiseert tentoonstelling onder de titel 'Abstracte Kunst' waarop werk te zien is van o.a. Arp, Brancusi, Kandinsky, Klee, Mondriaan, Moore en Schwitters

1945: tentoonstelling 'Kunst in vrijheid' in Rijksmuseum

1946: Sandberg organiseert in Stedelijk tentoonstelling 'Jonge schilders'. Werk van o.a. Appel, Brands, Corneille en Rooskens.
Constant ontmoet Jorn in Parijs

1947: Appel en Corneille exposeren in Gildehuys in Amsterdam (het jaar daarvoor al in Groningen)
Corneille verblijft in Boedapest. Ontmoeting met Doucet

1948: Appel, Constant en Corneille exposeren gezamenlijk in kunstzaal Santee Landweer in Amsterdam
Oprichting Nederlandse Experimentele Groep (Appel, Constant, Corneille, Jan Nieuwenhuys, Rooskens, Wolvecamp, spoedig ook Brands)
Tentoonstelling 'schilders onder de dertig' in Arti, Amsterdam (Appel, Constant, Corneille, Nieuwenhuys, Wolvecamp)
Eerste nummer van Reflex waarin Manifest van Constant
Appel maakt 'Vragende kinderen' voor Stadhuis Amsterdam. Rel. Contacten tussen experimentele schilders en jonge Nederlandse dichters: Elburg, Kouwenaar en Lucebert

d: Overige landen

1945-48: Ra in Tsjecho-Slowakije

1945: Gilbert vestigt zich in Parijs

1946-56: Imaginisterna in Zweden

1948-53: Götz publiceert tijdschrift *Meta*

1947: Dotremont publishes a manifesto under the title *Le Surréalisme Révolutionnaire*. The founding of a movement with the same name. The first International Conference of Revolutionary Surrealists in Brussels. Among others, Jorn and Istler are present.

1948: first and at the same time sole number of *Le Surréalisme Révolutionnaire* with Dotremont as editor-in-chief. In the prospectus the names of members of the Höst group are represented, as well as Atlan, Doucet and Noiret.
Alechinsky exhibits in Brussels.

c: The Netherlands

1938: Sandberg is appointed curator of the Stedelijk Museum and organizes an exhibition entitled 'Abstract Art' in which work by Arp, Brancusi, Kandinsky, Klee, Mondrian, Moore and Schwitters can be seen.

1945: exhibition 'Art in Freedom' at the Rijksmuseum.

1946: Sandberg organizes an exhibition of young painters in the Stedelijk. Work by Appel, Brands, Corneille and Rooskens can be seen; Constant meets Jorn in Paris.

1947: Appel and Corneille exhibit in the Gildehuys in Amsterdam (the year before they had done so in Groningen).
Corneille stays in Budapest. Meeting with Doucet.

1948: Appel, Constant and Corneille exhibit jointly in art gallery Santee Landweer in Amsterdam.
The setting up of the Dutch Experimental Group (Appel, Constant, Corneille, Jan Nieuwenhuys, Rooskens, Wolvecamp, soon followed by Brands).
Exhibition 'painters under thirty' in Arti, Amsterdam (Appel, Constant, Corneille, Nieuwenhuys, Wolvecamp)
First number of *Reflex* in which Constant's *Manifesto* is printed.
Appel makes 'Questioning Children' for the Amsterdam Town Hall. Riots.
Contacts between experimental painters and young Dutch poets: Elburg, Kouwenaar and Lucebert.

d: Other Countries

1945-48: Ra in Czechoslovakia

1945: Gilbert settles in Paris

1946-56: Imaginisterna in Sweden

1948-53: Götz publishes magazine *Meta*

Cobraperiode

1948: 5, 6 en 7 november congres van het (surrealistische) *Centre international de Documentation sur l'Art d'Avant-Garde* te Parijs. 8 november: Jorn, Dotremont, Noiret, Appel, Constant en Corneille schrijven manifest en richten groep op die spoedig Cobra genoemd wordt naar de beginletters van de drie hoofdsteden van de aanwezigen
O.a. Appel, Constant, Corneille, Jorn en Istler exposeren in Parijs
Nederlandse Experimentele Groep neemt deel aan Hösttentoonstelling in Kopenhagen (19 nov.-6 dec.)

1949: Eerste nummer van *Le petit Cobra* verschijnt in Brussel
Eerste nummer van *Cobra* verschijnt in Kopenhagen
Expositie van o.a. Alfelt, Pedersen, Jorn, Gear en Ortvad in Kunstzaal van Lier, Amsterdam
Eerste Cobratentoonstelling in Brussel (19 tot 27 maart)
Goede morgen haan (Constant, Kouwenaar)
Constant werkt in Denemarken
Groot aantal Cobraleden ontmoeten elkaar in Bregneröd, bij Kopenhagen (zomer)
Opening van de zgn. 'Ateliers du Marais' in Brussel door Alechinsky e.a.. Ontmoetingsplaats van Cobraleden
Tweede Cobratentoonstelling in Amsterdam (3 tot 28 november)
Appel, Constant, Corneille, Gilbert en Gear nemen deel aan Höst

1950: In de loop van het jaar verschijnen 15 deeltjes in *Bibliothèque de Cobra* in

Cobra Period

1948: 5, 6, and 7 November, Congress of the (surrealist) *Centre International de Documentation sur l'Art d'Avant-Garde* in Paris. 8 November: Jorn, Dotremont, Noiret, Appel, Constant and Corneille write a manifesto and set up a group which soon comes to be known as Cobra based on the letters CAB which stood for the capital cities of the members present.
Appel, Constant, Corneille, Jorn and Istler and others exhibit in Paris.
The Dutch Experimental Group takes part in Höst.
Exhibition in Copenhagen (19 Nov.-6 Dec.).

1949: The first number of *Le Petit Cobra* comes off the press in Brussels.
First number of *Cobra* comes off the press in Copenhagen.
Exhibition of Alfelt, Pedersen, Jorn, Gear and Ortvad and others in Art gallery Lier, Amsterdam.
The first Cobra exhibition in Brussels (19 to 27 March).
Good Morning Cockerel, (Constant, Kouwenaar).
Constant working in Denmark.
A great number of Cobra members meet one another in Bregneröd near Copenhagen (summer).
Opening of the so-called 'Ateliers du Marais' in Brussels by Alechinsky becomes meeting place for Cobra-members.
Second Cobra exhibition in Amsterdam (3 to 28 November).
Appel, Constant, Corneille, Gilbert and Gear take part in Höst.

1950: In the course of this year 15 volumes appear in *Bibliothèque de Cobra* in Den-

N° 1   BULLETIN POUR LA COORDINATION DES INVESTIGATIONS ARTISTIQUES
LIEN SOUPLE DES GROUPES EXPERIMENTAUX DANOIS (HÖST), BELGE (SURREALISTE-REVOLUTIONNAIRE), HOLLANDAIS (REFLEX)

Denemarken
Aldo van Eyck verspreidt *Een appèl aan de verbeelding*, over rel i.v.m. schildering van Appel in stadhuis
Tentoonstellingen van meerdere Cobra-leden in Brussel, Luik, Parijs
Appel, Constant en Corneille vestigen zich in Parijs
Vele internationale contacten

1951: Onder redactie van Götz verschijnt in Frankfurt no. 6 van *Meta. Junge Maler und Poeten in Holland*
Jorn en Dotremont opgenomen in sanatorium in Silkeborg, Denemarken
Derde Cobratentoonstelling in Luik (6 okt. tot 6 november)
Tiende en laatste nummer van *Cobra*

mark.
Aldo van Eyck distributes *'een appel aan de verbeelding',* about the row over Appel's painting in the Town Hall.
Exhibition of a number of Cobra members in Brussels, Luik, Paris.
Appel, Constant and Corneille settle in Paris.
Many international contacts.

1951: The sixth edition of *Meta* appears in Frankfurt under Götz's editorship: 'Junge Maler und Poeten in Holland.'
Jorn and Dotremont admitted to a sanatorium in Silkenborg, Denmark.
Third Cobra exhibition in Luik (6 Oct. to 6 November).
Tenth and last number of *Cobra*.

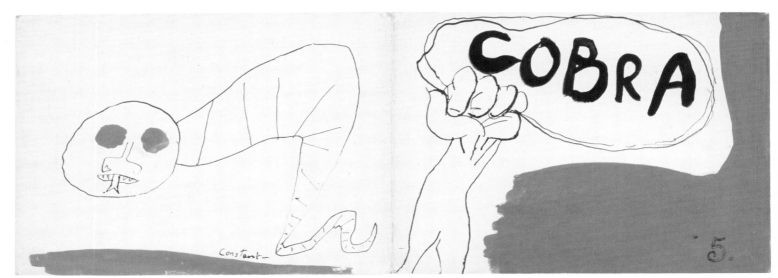

Omslag voor luxe-editie van *Cobra* no. 5, ontworpen door Constant maar nooit gedrukt. Uniek exemplaar

Cover for special edition of *Cobra* no. 5, designed by Constant, never printed. Only one copy.

Graham Birtwistle

PRIMITIVISME VAN LINKS: HELLHESTEN, COBRA EN DAARNA

PRIMITIVISM OF THE LEFT: HELLHESTEN, COBRA AND BEYOND

Na de Tweede Wereldoorlog maakte de Deense kunstenaar Asger Jorn vele reizen en hij legde daarbij de contacten met Constant en de Belgische schrijver Christian Dotremont die uiteindelijk zouden leiden tot de oprichting van Cobra in november 1948. In diezelfde maand bracht de Høst-tentoonstelling in Kopenhagen Deense, Nederlandse en Belgische Cobraleden bij elkaar, en in het eerste nummer van *Cobra* schreef Dotremont in lyrische bewoordingen over de uitwerking die de Deense schilderkunst op hem had: 'Ik moest mijn bril afzetten. De Deense schilderkunst draagt geen bril. Uit handen voortgekomen, draagt ze ook

After the Second World War ended the Danish artist Asger Jorn travelled widely, making the kind of contacts with Constant and the Belgian writer Christian Dotremont which ultimately led to the founding of Cobra in November 1948. That same month the Høst exhibition in Copenhagen brought Danish, Dutch and Belgian Cobra-participants together, and Dotremont wrote in the first number of *Cobra* in lyrical terms of the impact Danish painting had on him: 'I had to take off my spectacles. Danish painting wears no spectacles. Hand-made, it doesn't wear gloves either. It is naked painting, and *because it is naked* it isn't vulgar. Clothes,

Litho van Henry Heerup in *Helhesten*, jrg. 1, no. 5 en 6 (1941)

Litho by Henry Heerup in *Helhesten*, I, nrs. 5 & 6 (1941)

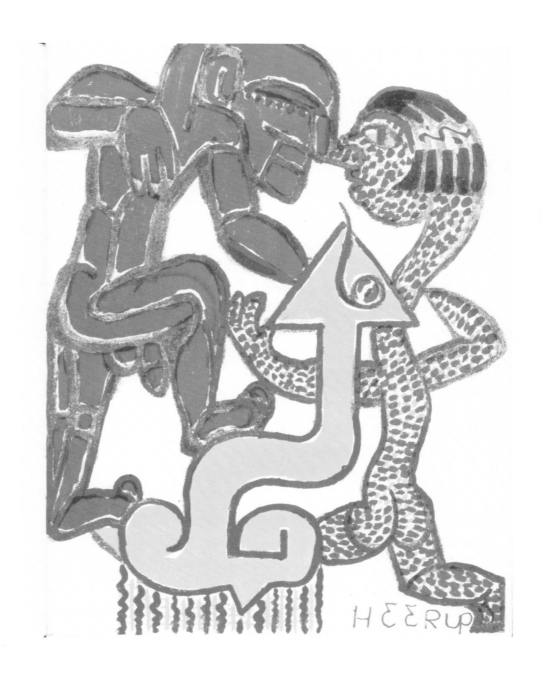

Page from *Drømmegedigte* by
Carl Henning Pedersen
(Copenhagen, 1945)

Pagina uit *Drømmegedigte* van
Carl Henning Pedersen (Kopenhagen 1945)

'Ons uitgangspunt met name was dat we in kindertekeningen scheppende kunst zagen. Een kind twijfelt er niet aan dat een lijn een lijn is en een kleur een kleur. Ze geven oprecht uitdrukking aan hun gedachten- en belevingswereld. Dat maakte op ons een onuitwisbare indruk.' (Jacobsen)

'Our theory was that creative art was particularly visible in children's paintings. A child has no doubts about a line being a line and a colour a colour. They give a sincere expression of their thoughts and the world as they see it. That made an unforgettable impression on us.' (Jacobsen)

geen handschoenen. Het is een naakte schilderkunst, en *omdat ze naakt is*, is ze niet vulgair. Het zijn de kleren, de kamerschermen die vulgair zijn.'[1] Dotremont wil de omkering van 'normale' waarden in de beschaving: de eis van het primitieve is eerlijk en de opschik van de cultuur, van het kunstmatige vulgariseert.

De Deense kunst en kunsttheorie hadden zich sinds het eind van de jaren dertig gestaag ontwikkeld. Jorns nieuwe Nederlandse en Belgische vrienden werden door hem deelgenoot gemaakt van een geheel doordachte manier van schilderen en van een hoop ideeën die hij druk doende was om te vormen tot een samenhangende theorie voor kunst en maatschappij. De zogeheten 'spontane abstractie' in de Deense schilderkunst putte hij uit een verscheidenheid aan internationale invloeden zoals Kandinsky, Klee, Miró en Picasso, en kreeg een eigen gezicht tijdens en vlak na de oorlog. Men was geïnteresseerd in kindertekeningen, in het onbewuste aspect van de artistieke schepping en in het experimenteren met aan het surrealisme ontleende technieken van automatisch schilderen. Maar de gemeenschappelijke kenmerken die in de jaren veertig zichtbaar werden in het werk van kunstenaars als Egill Jacobsen, Carl Henning Pedersen, Ejler Hille, Else Alfelt, Jorn en anderen, hadden te maken met bewust gecontroleerde beelden die meer onbewuste reacties moesten oproepen. Hun kunst streefde naar communicatie door middel van een elementaire beeldentaal die elke mens leek te kennen: maskerachtige gezichten, fabeldieren, 'kosmische' landschappen en zeegezichten, en ze voelden zich in dit opzicht verwant met de primitieve kunst van allerlei culturen en perioden. Hun werk was, zoals Jorn het omschreef, eerder het scheppen van mythe' dan een verwijzing naar een bepaalde mythologie. Het was ook bedoeld als een volkskunst, kunst van de massa, opgevat in de socialistische zin van het woord als een kunst die de bourgeoisie zou schokken.

De Deense opvatting van volkskunst bond de strijd aan met de gevestigde kunst in het museum, wat duidelijk naar voren komt in *Helhesten*, hun kunsttijdschrift uit de vroege jaren veertig dat een voorafspiegeling was van de *Cobra*publicaties. Daarin had Jorn de academische kunstopvattingen beledigd door het afdrukken van de rauwe en seksuele iconografie van de hand van een tatoeëerder uit de Kopenhagense havens. Daar mag iets van een opzettelijke en jeugdige provocatie inzitten, maar de achterliggende gedachten in *Helhesten* is die van een ideologische uitdaging. Alle soorten kunstvormen zolang ze buiten het gangbare 'cultuur'-idee van de bourgeoise vielen voldeden om de nadruk te leggen op een alterna-

screens, they are vulgar.' Dotremont's point reversed 'normal' civilized values: it is the primitive condition of painting which is honest and the acouttrements of culture, of artifice, which vulgarize.

Danish art and ideas had developed steadily since the late thirties. What Jorn introduced his new Dutch and Belgian friends to after the war was a matured way of painting and a stock of ideas which he himself was busy turning into a comprehensive theory of art and society. A 'spontaneous abstraction', as they called it, in Danish painting, which drew on a variety of international influences like Kandinsky, Klee, Miró, and Picasso, had found its own feet during and just after the war. There was interest in child-art, in the unconscious side of artistic creation, and in experimentation with Surrealist-derived techniques of automatic painting. But the common features which emerged in the forties in the work of artists like Egill Jacobsen, Carl Henning Pedersen, Ejler Bille, Else Alsfelt, Jorn and others, had to do with consciously controlled images which acted as triggers for less conscious reactions. Their art aimed at communicating via a basic language of images which seemed to be the common property of mankind: mask-like faces, fabulous animals, 'cosmic' land- and seascapes, and in this they felt linked to the primitive arts of all kinds of cultures and periods. Their work was, as Jorn put it, a 'creation of myth' rather than the illustration of any one particular mythology. It was also intended as a folk-art, an art of the people, understood in distinctly socialist terms as art which would upset the bourgeoisie.

This Danish conception of folk-art took up the cudgels against an established art of the museum, a factor which was evident in the pages of *Helhesten,* their art journal of the early forties which prefigured *Cobra* publications. There Jorn had insulted academic notions of art by printing the crude and sexy images emanating from the practice of a Copenhagen dockside tatooist. His point may have had a wilful, youthful edge of provocation to it, but the pattern laid down in *Helhesten* was that of an ideological challenge. Arts of all kinds - as long as they fell outside the accepted, bourgeois concept of 'culture' - served to emphasize the reality of an alternative, vital tradition. In 1940, writing for a socialist paper, Jorn (then still called Jørgensen) and Egill Jacobsen pilloried bourgeois preferences for classical art which had led to a failure to see that 'a good Negro sculpture is just as worthy as a good Greek statue'. Their point was that bourgeois culture and racial prejudice were linked; the classical tradition was both artistically and politically the province of reactionaries.

'Terwijl het kleinste kind nog in het bezit is van het levensritme waar de kunst uit voorkomt, is dat met de volwassene niet het geval. Slechts enkelen brengen het voor elkaar om in strijd met maatschappelijke conventies hun oorspronkelijkheid en contact met de kinderjaren te bewaren en zo hun ontwikkeling voort te zetten.' (Ejler Bille in *Helhesten,* no. 1, jrg. 2, okt. 1942)

'Whilst the tiniest child still possesses the life rhythms which produce art, this is no longer the case with adults. Only a handful manage to keep in contact with their childhood years and keep their development going, running against the tide of social convention.' (Ejler Bille in *Helhesten*, no. 1, year 2, Oct. 1942)

Gemeenschappelijke litho van Appel, Constant, Corneille, Hultén, Østerlin en Svanberg, 1949 (collectieve werken no. 4)

Jointly-produced litho by Appel, Constant, Corneille, Hultén, Østerlin and Svanberg, 1949 (Collective works, no. 4)

tieve, levende traditie. In een stuk voor een socialistische krant nagelden Jorn (die toen nog Jørgensen heette) en Egill Jacobsen in 1940 de burgerlijke voorkeur voor klassieke kunst aan de schandpaal omdat die leidde tot 'idiote aanvallen op de hedendaagse kunst' en ook tot het onvermogen om te zien dat 'een goede negersculptuur gelijkwaardig was met een goed Grieks beeld'.[2] Waar ze op doelden was dat er een verband bestond tussen bourgeoisiecultuur en rassenvooroordeel; de klassieke traditie was zowel in artistiek als in politiek opzicht het domein van reactionairen.

Dergelijke thema's werden tijdens de oorlog des te meer beladen. Voor deze linksgeoriënteerde kunstenaars was de bourgeois een vijand, maar een nazi was nog erger. Toen *Helhesten* in 1949 werd opgericht was het motief van het hellepaard een welbewuste maar enigszins mysterieuze toepassing van een Deens 'fabeldier' de voorbode van de dood om de nazi-bezetter op de hak te nemen. En het tijdschrift bracht verscheidene artikelen van experts op het gebied van niet-Westerse kunst, die zonder ophef maar beslist afrekenden met ideeën over Arische culturele superioriteit. Kunstenaars als Jorn waren betrokken bij ondergrondse activiteiten zoals het drukken en verspreiden van verboden communistische kranten, maar ook in hun kunst en hun opvattingen gingen ze 'ondergronds' te werk. Liever dan te kiezen voor een openlijke politieke of propagandistische kunst namen ze stelling tegen de nazi-bezetter door eenvoudigweg hun eigen conceptie van de natuurlijke grondslag van alle vrije kunst en cultuur te definiëren en te verbreiden. In feite ging *Helhesten* door met het drukken van 'entartete Kunst' en van marxistische theorieën, iets wat bijvoorbeeld in Nederland ondenkbaar was tijdens de militaire bezetting door de nazi's. Ejler Bille's verhandeling 'Over een hedendaagse grondslag voor een creatieve kunst', gepubliceerd in *Helhesten* in 1942, steunde op de marxistische filosofie door te verklaren dat de creatieve fantasie van de kunstenaar zijn oorsprong vond in de materiële werkelijkheid, en als zodanig 'de uitdrukking van de vrijmaking van de menselijke natuur' was.[3] Voor Bille en anderen die in *Helhesten* schreven was het natuurlijke de sleutel tot de vrijheid, en ze zagen in primitieve culturen de vertolking van 'oprechte en oorspronkelijke gevoelens' omdat ze overeenstemden met het leven en met de levensritmen van een houding die bij de meeste kinderen in de westerse samenleving voorkomt maar die op volwassen leeftijd meestal onderdrukt wordt. De maskerschilderijen en de fabeldieren en de mythische landschappen van deze Deense kunstenaars waren daarom tijdens de oorlog geladen met een speciale betekenis: hun primitivisme had betrekking op vrijheid.

Such themes gained an added intensity during the war. For these left-wing artists the bourgeois was an enemy, but the Nazi was a much worse one. When *Helhesten* was founded in 1941, the Hell-Horse motif was a deliberate but somewhat arcane use of a Danish 'fabulous beast' - a harbinger of death - as a rallying-point against the occupying Nazis. And the magazine brought various articles by experts on non-Western art which quietly but firmly put an end to notions of Aryan cultural superiority. Artists like Jorn were involved in underground activities such as printing and distributing illicit Communist newspapers, but in their art and their theory they worked in an 'underground' way, too. Rather than opting for an overtly political and propagandistic art they made their statement against the Nazi occupiers simply by defining and promoting their own conception of the natural foundation of all free art and culture. In fact, *Helhesten* continued to print 'entartete Kunst' and Marxist theory - something unthinkable for example in Holland during the military occupation by the Nazis. Ejler Bille's treatise 'On a contemporary basis for a creative art', published in *Helhesten* in 1942, drew from Marxist philosophy in proclaiming that the creative fantasy of the artist has its roots in material reality and as such is 'an expression of the liberation of human nature'. For Bille and others who wrote in *Helhesten* the natural was the key to freedom, and they saw primitive cultures as exhibiting 'genuine and original feelings' because they were attuned to life and its rhythms - an attitude adopted by most children in Western society but usually suppressed in adult life. The mask-paintings and the fabulous beasts and mythical landscapes of these Danish artists were therefore loaded with a special meaning during the war: their primitivism was about freedom.

There was a problem, however. As one of the artists, Egon Mathiesen, pointed out in an essay written in 1937 and republished in 1946, the Nazis were primitivists too. This faced Mathiesen with a dilemma. In ways ranging from more natural foods to the influences on modern art and music, a primitivizing attitude had seemed to bring something positive. But was there perhaps some common ground which ultimately linked these kinds of primitivism with the notions and practices of Nazism? Mathiesen's answer was to distinguish 'two kinds of primitivizing in modern times': a progressive one, in which 'man is searching for his nature', and a reactionary one, the province of Nazi cultural philosophers, which sought only to appeal to regressive instincts. Jorn took note of Mathiesen's dilemma, and in his fervent bouts of theorizing in the years just after the war he, too, defined two opposed approaches to

Er was evenwel een moeilijkheid. In een essay, geschreven in 1937 en opnieuw gepubliceerd in 1946, wees Egon Mathiesen, een van de kunstenaars, erop dat de nazi's ook primitieven waren.[4] Dit plaatste Mathiesen voor een dilemma. In meerdere opzichten, uiteenlopend van meer natuurlijke voeding tot de invloed op moderne kunst en muziek, leek het streven naar een primitieve houding iets positiefs op te leveren. Maar was er misschien een of andere gemeenschappelijke basis die uiteindelijk deze vormen van primitivisme verbond met de ideeën en praktijken van het nazisme? Mathiesen loste dit op door 'twee soorten primitieve houdingen' te onderscheiden: een vooruitstrevende, waarbij 'de mens zoekt naar zijn ware natuur' en een reactionaire, het terrein waarop de cultuurfilosofen van de nazi's zich bewogen, en waar alleen geappelleerd werd aan regressieve instincten.[5] Jorn onderkende het dilemma van Mathiesen, en in zijn vurige staaltjes van theoretiseren in de jaren vlak na de oorlog omschreef ook hij twee tegengestelde benaderingen van het primitieve.[6] In Jorns theorie stond de oer-communistische boer in contrast met de jager uit de begintijd van de geschiedenis. De boer was de voorvader van de kunstenaar: hij cultiveerde de natuur met het oog op vooruitgang en zijn vruchtbaarheidsriten, symbolen en feesten waren de eerste vormen van cultuur. Daarbij vergeleken was de jager een regressieve figuur, die niets cultiveerde maar slechts van de natuur nam wat hij krijgen kon en ook van de boer. Jorn zag de nazi's als jagers en als vijanden van ontwikkeling, en veel van zijn ideeën bestreden in het bijzonder hun invloed. Maar na de oorlog zette Jorn zijn strijd voort tegen de gehele westerse klassenmaatschappij, die volgens hem als afschrikwekkend kind het nazisme had voortgebracht. De bourgeoisie was daarom eveneens een klasse van jagers: ze namen meer dan dat ze iets voortbrachten. En ze waren ook 'kinderen' in de verkeerde zin van het woord omdat ze kinderlijk afhankelijk bleven van degenen die werkelijk in staat waren tot iets productiefs en creatiefs. De waarlijk creatieve kunstenaar daarentegen had die spontaneïteit die het positieve uitmaakt van de kindertijd, juist ontwikkeld in plaats van onderdrukt. Jorns primitivisme was uitgesproken progressief, politiek links georiënteerd en in maatschappelijk opzicht gericht tegen de bourgeoisie.

Onder de kunstenaars van Cobra was waarschijnlijk alleen Constant diepgaand beïnvloed door de uitgewerkte en soms excentrieke theorieën van Jorn.[7] En de sterke mystieke trek in de Scandinavische kunst en literatuur van de negentiende en twintigste eeuw, die occulte Strindbergachtige accenten aan Jorns theorieën gaf en die de primitieve figuren en de 'kosmi-

the primitive. In Jorn's theory the Ur-communist farmer stood in contrast to the hunter at the dawn of history. The farmer was the progenitor of the artist: he cultivated nature in a progressive way and his fertilily-rites, symbols and feasts were the first forms of culture. The hunter was in comparison a regressive figure, who cultivated nothing but only took what he could from nature - and also from the farmer. To Jorn, Nazis were hunters and the enemies of culture, and many of his ideas specifically combatted their influence. But Jorn carried the same battle after the war to the whole of Western class-society, which he saw as having spawned the hideous child of Nazism. The bourgeois were therefore hunters too: takers rather than makers. And they were also 'children' in the wrong way, since they remained in infantile dependence on those who really did produce and create. The truly creative artist, on the other hand, had developed rather than suppressed that spontaneity which is the positive side of childhood. Jorn's primitivism was explicilty progressive, politically leftist, and socially anti-bourgeois.

Of the Cobra artists it was probably only Constant who was deeply influenced by the elaborate and sometimes eccentric theories of Jorn. And the strong mystical strain in Scandinavian art and literature of the nineteenth and twentieth centuries, which brought Strindbergian occult accents to Jorn's theories and which animated the primitive beings and 'cosmic' landscapes of a painter like Carl Henning Pedersen, found few further echoes in Cobra. The paintings of Appel, Constant and Corneille, though influenced by the work of the Danes, were charged more by a physicality than a spirituality, and only Dotremont seems to have fallen under the spell of a Scandinavian mystique. Cobra did not repeat the whole Danish experience, and with the notable exception of Jorn, Danish artists were not so deeply committed to Cobra. Nevertheless something fundamental was passed on from the wartime *Helhesten* to the peacetime Cobra: the example of a group, a magazine, a 'cause', in which art and life were indissolubly linked and in which freedom for the one meant freedom for the other. From *Helhesten* to Cobra passed a distinctly left-wing cultural primitivism which saw the potential in 'spontaneous' creativity for changes right across society. And when the Dutch and Belgian artists visited Copenhagen for a joint exhibition with the Danes at the end of 1948, Corneille wrote in his report for *Reflex* 2 that in Denmark changes were already evident. He could hardly conceal his excitement that the press and public there were so enthusiastic and that the old prejudices had been discarded 'like old outworn hats': 'The Danes know, and that is their strength, that art is not a luxury but a logi-

sche' landschappen van een schilder als Carl Henning Pederson bezielde, klonk verder nauwelijks door in Cobra. Hoewel de schilderijen van Appel, Constant en Corneille beïnvloed waren door het werk van de Denen, werden ze eerder gekenmerkt door lichamelijkheid dan door spiritualiteit, en alleen Dotremont lijkt in de ban geraakt te zijn van een Scandinavische mystiek. Cobra was geen herhaling van de Deense geschiedenis en Deense kunstenaars waren, met Jorn als opvallende uit-

cal and natural expression of the mind, and that every individual is only a part of society and serves it by giving sincerely what is in him and in all people and making this visible for everyone.'

In Corneille's native Holland some, like Wim Kersten in the Communist newspaper *De Waarheid,* made hesitant steps towards recognizing that a new art could have something to do with a new society: 'For if it is true that the cultural equival-

'Omkring et midtpunkt' van Ejler Bille, 1977 (no. 4)

'Omkring et midpunkt' by Eijler Bille, 1977 (no. 4)

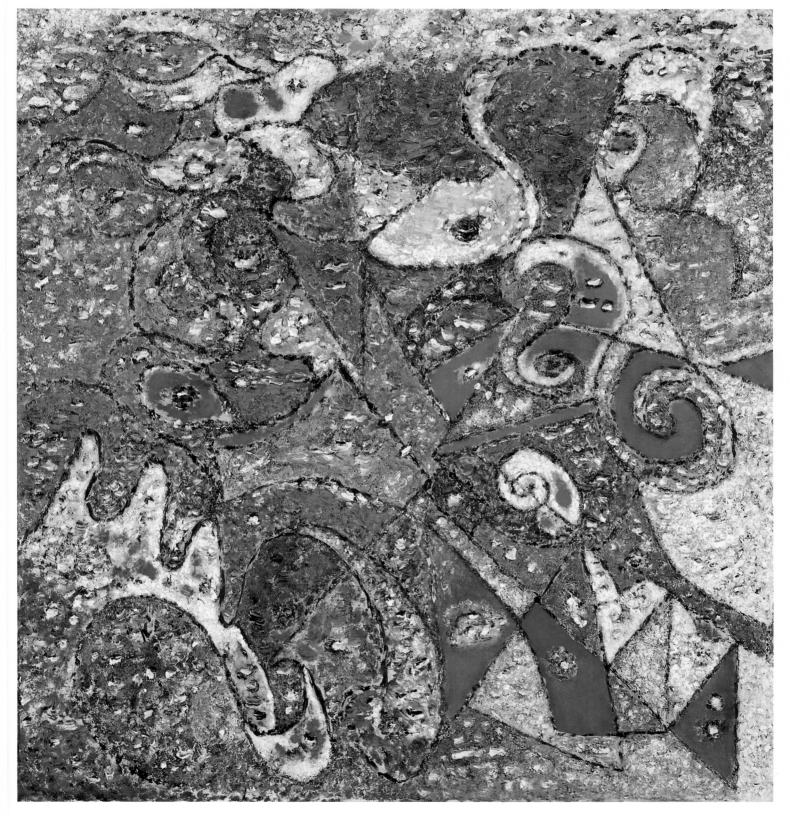

zondering, Cobra niet bijzonder toegedaan.[8] Niettemin was er iets fundamenteels overgedragen van *Helhesten* in oorlogstijd op Cobra in vredestijd: het voorbeeld van een groep, een tijdschrift, een 'zaak', waarin kunst en leven onlosmakelijk verbonden waren en waarin vrijheid voor de een ook vrijheid voor de ander betekende. Van *Helhesten* ging op Cobra een herkenbaar links georiënteerd cultuurprimitivisme over dat in 'spontane' creaviteit de kracht zag voor veranderingen in de maatschappij. En toen de Nederlandse en Belgische kunstenaars Kopenhagen bezochten voor de Høsttentoonstelling van eind 1948, schreef Corneille in zijn verslag voor *Reflex* 2 dat de veranderingen in Denemarken al duidelijk zichtbaar waren. Hij kon nauwelijks zijn opwinding verbergen over het enthousiasme van pers en publiek en over het feit dat oude vooroordelen werden afgedankt 'als oude afgedragen hoeden': 'De Denen weten, en dat is hun kracht, dat de kunst niet een luxe, maar een logische en natuurlijke uiting van de geest is en dat zij ieder afzonderlijk slechts een onderdeel uitmaken van de maatschappij, die zij dienen door oprecht te geven wat in hen leeft en in alle mensen leeft, en dit voor een ieder zichtbaar te maken.'[9]

In Nederland, Corneille's eigen land, deden sommigen, zoals Wim Kersten in de communistische krant *De Waarheid*, aarzelende stappen in de richting van de erkenning dat een nieuwe kunst iets te maken kon hebben met een nieuwe maatschappij: 'Want als het waar is dat een toekomstige samenleving reeds nu in vage omtrekken haar culturele equivalenten vertoont, wie zal dan de oprechte en ernstige overtuiging durven tegenspreken van hen, die ons deze vage omtrekken schetsmatig voortekenen?'[10] Welnu, velen durfden dat te bestrijden. Na de opening van de eerste grote Experimentelen/Cobratentoonstelling in november 1949 in het Amsterdams Stedelijk Museum, gebruikten de critici verschillende argumenten met het doel publieke verontwaardiging te wekken. Edward Messer nodigde in *Het Vrije Volk* zijn lezers uit om te bepalen: 'Wie is de slechtste? Wie kladt het hardst?'[11] en hij zette zijn mening vervolgens kracht bij door een tekening van zijn dochtertje af te drukken naast schilderijen van Appel en Constant. Gabriël Smit schreef in de katholieke *De Volkskrant*: 'Grillen van directie openen deuren voor barbaren'[12], en van de zijde der protestanten (politiek gezien: de anti-revolutionairen) waarschuwde Hans Rookmaker er in *Trouw* tegen de spot te willen drijven met deze kunst, omdat hij 'deze tekenen des tijds' opvatte als het resultaat van de omwentelingen die begonnen waren met de Franse Revolutie.[13] Bovendien, vele kranten vonden er plezier in verslagen af te drukken van een opstootje tijdens de opening van

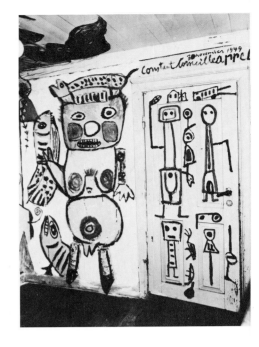

ents of a future society are already showing their vague contours, who shall dare to contradict the sincere and earnest conviction of those who are sketching these vague contours for us?'
Many, however, did dare to contradict. After the first major Experimental/Cobra exhibition had opened in November 1949 in the Stedelijk Museum, Amsterdam, critics used various arguments designed to arouse popular indignation. Edward Messer in the newspaper *Het Vrije Volk* invited his readers to decide 'which artist is the worst? Who daubs the most?' and went on to make his point by reproducing a drawing by his daughter aged three, alongside paintings by Appel and Constant. Gabriël Smit in the Catholic paper *De Volkskrant* wrote of the 'museum authorities opening the door for barbarians', and from the Protestant (and politically Anti-Revolutionary) side Hans Rookmaaker in *Trouw* warned against mocking this art, seeing it instead as a 'sign of the times', an extreme result of the upheavals initiated by the French Revolution. What is more, many papers took delight in printing reports of a scuffle at the opening of the exhibition (sparked off by mention of Soviet Russia in a speech by Christain Dotremont) which convinced one journalist that 'we had got embroiled in an international communist dispute'.

The fears of such critics were, of course, grounded. The new could only be presented as a rejection of the old, and Cobra's combination of a primitive art, an overthrow of established culture, and an espousal of political leftism, not only seemed but *was* a threat to the upholders of traditional values. Seen negatively, Cobra art did undermine most of the important traditional values in life and art.

Schildering in het huis van Erik Nyholm, Silkeborg. Gemaakt in november 1949

Painting in Erik Nyholm's house in Silkeborg, made in November 1949

de tentoonstelling (ontstaan toen Christian Dotremont in een toespraak de Sovjetunie noemde), waardoor sommige journalisten ervan overtuigd waren dat ze verstrikt waren geraakt in een internationaal communistisch debat.

De angst van dergelijke critici was natuurlijk niet zonder grond. Het nieuwe kon alleen gepresenteerd worden als een afwijzing van het oude, en het combineren door Cobra van een primitieve kunst, de omverwerping van de gevestigde cultuur en de verbondenheid met politiek links, leek niet alleen maar wás ook een bedreiging voor de voorstanders van traditionele waarden. Negatief gesteld: Cobra ondermijnde inderdaad de meeste belangrijke traditionele waarden in het leven en in de kunst. In de termen van de constructieve oogmerken werd de utopische belofte van Cobra slechts gedeeltelijk vervuld. 1949 was een goed jaar voor de beweging, waarbinnen de wil en de behoefte om samen te werken veel obstakels overwon. Later gingen de verschillen tussen de theoretici van Cobra met name Constant en Dotremont zich duidelijker aftekenen, en toen de beweging in 1951 uiteenviel werd het in toenemende mate duidelijk dat de samensmelting van kunst, ideeën en maatschappelijke verandering die Cobra nastreefde, als die al ooit bestaan had, in elk geval niet duurzaam was geweest. In de jaren vijftig was er een duidelijke verdeeldheid tussen enerzijds schilders als Appel en Corneille, en aan de andere kant de op bewegingen gerichte kunstenaars als Jorn en Constant, van wie het materiaal zich niet beperkte tot verf en doek maar zich uitstrekte tot cultureel gedrag en maatschappelijke verschijnselen. Terwijl Appel zijn spontane schildertechniek radicaliseerde tot een bewogen vorm van 'action painting', hielpen Jorn en Constant in de jaren vijftig en zestig bij het opzetten van nieuwe bewegingen en projecten die de politieke implicaties van kunst radicaliseerden. De weg die Constant ging, leidde van de Situationistische Internationale naar zijn huldiging door de nieuwe contra-culturele generatie van Provo voor de 'homo ludens' van zijn project voor *New Babylon*. De spiraal die Constant doorlopen had, boog weer terug naar het begin: op een andere manier, op een breder front, nodigt zijn contraculturele project uit de jaren zestig uit tot een vergelijking met zijn bedoelingen met Cobra bijna twintig jaar eerder.

Provo 'provoceerde' op een manier die doet denken aan het linkse primitivisme van Cobra en wat daaraan voorafging. In de jaren zestig reageerde het beledigende establishment vrijwel hetzelfde als de critici van Cobra hadden gedaan, maar nu naar aanleiding van wat het zag in de straten en via de media. In de jaren veertig sprak de belediging uit de primitivistische schilderijen; twee decennia later werd die

In terms of its positive intentions, Cobra's Utopian promise was fulfilled only fragmentarily. 1949 was a good year for the movement, in which the will and desire to work together overcame many obstacles. After that the differences between the theorists of Cobra - notably Constant and Dotremont - became more marked, and after the movement crumbled in 1951 it became increasingly evident that the typically Cobra fusion of art, ideas and social change, if it had ever really existed, had certainly not lasted. There was an obvious division in the fifties between painters such as Appel and Corneille and the movement-oriented artists like Jorn and Constant, whose 'material' extended beyond paint and canvas to include cultural attitudes and social realities. While Appel radicalized his spontaneous painting technique into a dramatic species of action-painting, Jorn and Constant helped to form new movements and projects through the fifties and into the sixties which radicalized the political implications of art. For Constant the path led from the Situationist International to begin fêted by the new counter-cultural generation of Provo for the 'homo ludens' of his New Babylon concept. For Constant the gyre had turned full circle: in a different way, on a broader front, his counter-cultural project of the sixties invited comparison with his Cobra concerns of nearly twenty years earlier.

Provo 'provoked' in ways which recalled the left-wing primitivism of Cobra and its Danish antecedents. In the sixties the offended establishment reacted much as the critics of Cobra had done, only now with regard to what it saw expressed on the streets and through the media. In the forties the offence was noted in the primitivistic painting: in the sixties it was provoked by the 'happenings'. What was ear-

Asger Jorn in Italië, jaren '50

Asger Jorn in Italy, in the fifties

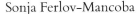

Sonja Ferlov-Mancoba

Else Alfelt en Carl-Henning Pedersen

geprovoceerd door de 'happenings'. Wat eerder de 'naakte schilderkunst' was, om Dotremonts uitdrukking te gebruiken was nu het naakte en beschilderde lichaam. Wat toen slechts een vaag begin van anarchisme was in het onorthodoxe marxisme van Cobra, was nu een reden om te spreken over een complete anarchistische opleving. Vanuit Provo was het verband met Cobra gelegd, en de bewoordingen waarmee rekenschap werd gegeven van de 'happening' lijken sterk op die van de Denen en de Cobrakunstenaars bij het verdedigen van de kunst: 'De happening maakt oerkrachten in de mens los; hij raakt hem rechtstreeks in zijn creatief centrum.'[14] En wat meer is, Bart van Heerikhuizen, die deze woorden in 1966 in *Provo* schreef, maakte vervolgens eenzelfde soort onderscheid als Mathiesen en Jorn hadden gemaakt in de jaren veertig; er waren 'happenings' van politiek rechts zowel als links: nazi's en volksmenners hadden met 'happenings' gewerkt, en nu gebruikte links ze in een traditie die via Cobra, surrealisme en Dada terugging tot volksfeesten en middeleeuwse mysteriespelen.

In 1951 hield Cobra op te bestaan. De 'zaak': proberen een band te smeden tussen kunst en leven, en de spontane creativiteit gebruiken als een wapen voor links, zou in de jaren erna nog steeds nieuwe aanhangers op de been brengen en nieuwe vormen doen ontstaan. Maar de erfenis van de Cobrakunst in onze musea plaatst ons nu voor een paradox. Als we de critici uit 1949 konden terughalen, zouden we kunnen zeggen: kijk, de toekomst was op de hand van Cobra. Maar als een van hen alert was, zou hij kunnen vragen: maar wie heeft uiteindelijk gewonnen? Immers, zien we tegenwoordig nog ergens 'naakte schilderkunst'?

lier 'naked painting' - to use Dotremont's term - was now the naked and painted body. What was then only a hint of anarchism in the unorthodox Marxism of Cobra was now a reason to discuss a fully-fledged anarchist revival. From within Provo the link was established with Cobra, and the terms used to account for the happening resemble strongly those used by the Danes and the Cobra artists to account for art: 'The happening releases primal forces in mankind; it hits right at the creative centre'. Moreover, Bart van Heerikhuizen, who wrote those words in *Provo* in 1966, went on to make the same kind of distinction that Mathiesen and Jorn had made in the forties; there were happenings from the political right and from the left: Nazis and warmongers had used happenings, and now the left was employing them in a tradition which went back through Cobra, Surrealism, Dada, to folk-carnivals and medieval mystery-plays.

Cobra ended in 1951. The 'cause' of forging the bonds between art and life and treating spontaneous creativity as a weapon of the left, could still mobilize new adepts and new forms in the years afterwards. But the Cobra art in the museum now faces us with the paradox of its legacy. If we could bring back its critics of 1949 we might well say to them: see, Cobra had the future on its side. If one of them was alert, however, he might just ask us: and who has won? Indeed, do we still see 'naked painting'?

NOTES

1 C. Dotremont, 'Impressions et expressions du Danemark', *Cobra* 1, 1949, p. 2.

2 Egill Jacobsen en Asger Jørgensen, 'Kunsten contra Reaktionen', *Arbejderbladet,* 15 Dec. 1940, p. 8.

3 Ejler Bille, 'Om Nutidens Grundlag for en Skabende Kunst', *Helhesten,* 2, 1, 1942, p. 6-13.

4 Egon Mathiesen, *Maleriets Vej,* Copenhagen, 1946.

5 Ibid., p. 123-128.

6 Zie: G.M. Birtwistle, *Living Art. Asger Jorn's Comprehensive Theory of Art between Helhesten and Cobra (1946-1949),* Utrecht, 1986.

7 Ibid., p. 178-179.

8 Zie: Peter Shield, 'The Danish Ostriches', *Jong Holland,* 4, 5, 1988.

9 Corneille, 'Rondom de Höstudstillingen Denemarken', in *Reflex* 2, 1949, p. 13-14.

10 Geciteerd in: *Reflex* 2, 1949, p. 15.

11 E. Messer, recensie in *Het Vrije Volk,* 12-11-1949.

12 G. Smit, recensie in *De Volkskrant,* 8-11-1949.

13 H.R. Rookmaaker, recensie in *Trouw,* ?-11-1949.

14 Bart van Heerikhuizen, 'De Linkse Happening', *Provo* p. 129-132.

Gul fugl i dyk 1955 van Carl Henning Pedersen no. 11.

Tania Wijnants

DE B VAN COBRA

THE B IN COBRA

Na de dood van twee van zijn voornaamste stichters en promotoren (Jorn in 1973 en Dotremont in 1979) leek de Cobrageschiedenis voorgoed afgesloten. Dit werd onder meer bevestigd door de inhoud van grote overzichtstentoonstellingen als 'Westkust' te Keulen in 1981 en retrospectieven als over 'Cobra 1948-1951' te Parijs begin 1983. De titels van deze manifestaties duidden reeds op de gelimiteerde aanpak.

After the death of the main founders and promoters of Cobra (Jorn in 1973 and Dotremont in 1979) it looked as if that particular chapter of history had been closed for good. This was further underlined by the major review exhibitions like 'Westkust' in Keulen in 1981, and retrospectives like 'Cobra 1948-1951' in Paris at the beginning of 1983. The exhibition titles in themselves point to the limited nature of the selection methods. It meant

'Le bombardement' van Alechinsky, 1950 (no. 5)

'Le bombardement' by Alechinsky, 1950 (no. 5)

Verschillende belangrijke en kenmerkende aspecten van de Cobrabeweging werden hier niet aangehaald. Eén daarvan is de Belgische inbreng. Zo werd onder andere bij de presentatie van het Cobraboek van Jean-Clarence Lambert in Nederland, — begeleid door de tentoonstelling: de 'A van Cobra', en een colloquium rond het thema 'Cobra gisteren/ vandaag', in het Maison Descartes te Amsterdam —, niet eenmaal de rol van België in het algemeen, of van Christian Dotremont in het bijzonder in herinnering gebracht. Deze minimalisering van de Belgische inbreng gaat verder; zoals ondermeer bleek uit het Cobraretrospectief te Turnhout (lente 1984) of commentaren in recente tijdschriften (Ons erfdeel 1984; Knack 4 april 1984; enz...) Ook hier werd Cobra voorgesteld als een haast uitsluitend picturale beweging en daarmee worden Belgische kunstenaars zo goed als uitgesloten. Vandaar dat in dit artikel de nadruk gelegd zal worden op de centrale rol van Brussel. Door een dergelijke benadering van de Cobrabeweging zullen hia-

that a number of differing and important characteristic aspects of the Cobra-movement were not touched upon. One element which was neglected was the Belgian contribution. At the presentation ceremony in the Netherlands on the publication of the Cobra-book by Jean-Clarence Lambert — accompanied by the exhibition entitled 'The A in COBRA', and also in a seminar round the theme: 'COBRA Yesterday/Today', in Maison Descartes in Amsterdam, — the role of Belgium in general, or Christian Dotremont in particular, was completely glossed over. This minimalization of the Belgian contribution goes even further; as demonstrated at the Cobra-retrospective in Turnhout (Spring 1984) or by recent commentary in journals (Ons Erfdeel 1984; Knack 4 April 1984; and so forth...) Here too Cobra is represented as an almost exclusively pictorial movement, thereby virtually excluding Belgian artists. Hence this article on the B in COBRA, in which the emphasis will lie on the central role played by Brussels. If

'Juist door die vermenging van schilderen en schrijven is Dotremont degene geweest die Cobra het meest tot ontwikkeling heeft gebracht. Hij heeft met het handschrift ontdekkingen gedaan die ons nog altijd bezighouden.' (Alechinsky)

'It was this mixture of painting and writing which made Dotremont the person to influence Cobra the most. He made certain discoveries about handwriting which still arouse a great deal of interest.' (Alechinsky)

Christian Dotremont, gesolariseerde foto van Raoul Ubac, 1949

Christian Dotremont, solarized photograph by Raoul Ubac, 1949

---

ten ontstaan en zal misschien de indruk gewekt worden dat alleen België een belangrijke rol heeft gespeeld in deze internationale beweging. Dit is niet de bedoeling; het gaat hier om een perspectief, meer niet.

In het begin van de oorlog deed een nieuwe generatie haar intrede bij de surrealisten. Tot hen behoorde Christian Dotremont, later de spilfiguur van Cobra. Reeds op achttienjarige leeftijd publiceerde hij zijn eerste gedicht: *Ancienne Éternité*. Door dit gedicht werd hij als het ware ontdekt en geestdriftig ontvangen door de Belgische surrealisten. Zo ontmoette hij voor de eerste maal René Magritte, Louis Scutenaire en Raoul Ubac.

Wat Dotremont in het werk van Magritte trof, zijn de één of meerdere woorden die soms met de uitbeelding vermengd worden. De bedoeling van Magritte is dat het geschreven woord in de structuur van het plastisch beeld intervenieert en dit om het verband tussen beeld, ding en woord te verstoren. De woord-schilderijen van de Cobragroep zullen van andere aard zijn. Vooral zullen zij spontaner ontstaan dan bij Magritte.

De eerste contacten tussen Franse en Belgische surrealisten waren nog maar net gelegd toen Dotremont in april 1941 als verbindingsman tussen de Belgische en Franse surrealisten naar Frankrijk vertrok. Hij slaagde er onder andere in Magritte te laten meewerken aan het Franse culturele tijdschrift *La Main à plume*. Ook Le Groupe Surréaliste en Hainaut verleende haar medewerking aan het tijdschrift. En het is eveneens via Dotremont dat België nieuws vernam van Breton.

In feite werd het tijdschrift *La main à plume* opgezet om de surrealistische activiteiten bij afwezigheid van André Breton te kunnen voortzetten. Na enkele verwikkelingen met de Vichy-censuur had deze immers de wijk naar New York genomen. In Parijs ontmoette Dotremont Eluard, die hem meenam naar Pablo Picasso. In het atelier van Picasso werd hij vooral getroffen door de tekeningen waarmee de schilder de manuscripten van de dichter Eluard verluchtte.

Terug in België (hij bracht de oorlog door met clandestiene tochten tussen België en Frankrijk), heeft Dotremont in januari 1943 een gedurfde en provocerende voordracht gehouden aan de Katholieke Universiteit Leuven: *L'avenir est membre du surréalisme*. De hoofdpunten daaruit zijn:
- Nadruk op de collectieve activiteit.
- Op het automatisme maar met voorbehoud:
  'Er bestaan gradaties in het succes van automatisme'.
- Het onafgewerkte van een werk is de beste waarborg voor zijn leefbaarheid en overleving.
- Het beeld is niet het met elkaar in

---

you approach the Cobra-movement in this manner there are bound to be gaps and possibly the impression will remain that only Belgium had an important part to play in this international movement. This is not intentional; what is involved here is a certain perspective, nothing more.

At the beginning of the war a new generation of surrealists made their debut. Christian Dotremont was one of their number, who was later to become the pivot on which Cobra turned. He published his first poem at the age of eighteen: *Ancienne Éternité*. This poem led to him being 'discovered' and welcomed with open arms by the Belgian surrealists. And this is how he got to meet René Magritte, Louis Scutenaire and Raoul Ubac for the first time.

What struck Dotremont about Magritte's work, was the occasional words sometimes mixed into the pictures. Magritte's intention was to intervene within the structure of the picture — in all its plasticity — with the written word. He did it to disturb the connection between picture, object and word. The word-paintings by the Cobra-group were to be of a different nature. Above all, they were to be created in a more spontaneous fashion than was the case with Magritte.

The first contacts between French and Belgian surrealists had only just been made when Dotremont, the Belgian and French surrealists go-between, left for France. He succeeded in getting Magritte to work for the French cultural paper *La main à Plume*, which had, in fact, been set up to further the ends of surrealist activities in the absence of André Breton. After a number of entanglements with the Vichy censor he had decided to beat a retreat to New York.

In Paris Dotremont met Eluard who took him to see Pablo Picasso. In Picasso's studio he was particularly taken with the paintings which illustrated the manuscripts of the poet Eluard. Back in Belgium (he spent the war making secret expeditions between Belgium and France), Dotremont gave a daring and rather provoking speech at the Catholic University of Leuven in January 1943 entitled: *L'avenir est membre du surréalisme*. The main points mentioned there were the following:
— emphasis on collective activity.
— emphasis on automatism but with this proviso:
'There are gradations in the success of automatism'.
— The unfinished part of a work is the best security for its viability and survival.
— A picture is not a matter of connecting up two objects, two ideas, but the concrete realization of this connection, just like a word is the symbolic realization of an object.
When Breton returned from the United

'Ik kan me het eerste bezoek van Alechinsky aan Amsterdam nog goed herinneren. Hij keek met zulke bolle ogen naar wat wij al gemaakt hadden. Hij had wat werk meegebracht, mager werk, een paar etsjes en wat aquarelletjes. Als een gek holde hij naar Brussel terug en haalde materiaal. Hij schaamde zich min of meer voor het magere dat hij ons kon tonen.' (Corneille)

'I can still remember Alechinsky's first visit to Amsterdam. His eyes were on stalks as he looked at what we had made. He had brought some work with him, not his best, a few etchings and some aquarelles. He rushed back to Brussels to get some more material. He was rather ashamed that he had shown us such meager material.' (Corneille)

Alechinsky in zijn atelier in Parijs, 1954

Alechinsky in his Paris studio, 1954

verband brengen van twee voorwerpen, van twee ideeën maar de materialisering van dat verband, zoals het woord de symbolische materialisering is van het voorwerp.

Toen Breton begin 1946 uit de Verenigde Staten terugkeerde, was de houding van de surrealisten tegenover het communisme onaanvaardbaar voor hem. Reeds in 1933, het jaar waarin hij brak met de partij, kon hij zich niet meer met de praktijken van de communistische partij vereenzelvigen.

Hij verzette zich vooral tegen het politieke engagement en de zogenaamde verzetspoëzie die daaruit voortvloeide. Het surrealisme van Breton werd nu door eenieder, met uitzondering van enkelen, genegeerd. Daardoor kwam aan zijn jarenlange en gerespecteerde leiding een einde. De distantiëring werd nog groter door het feit dat Breton zich sterk aangetrokken voelde tot het occultisme.

Onmiddellijk na de oorlog werden er in België verschillende pogingen ondernomen om de surrealisten te herenigen. Zo kwam in december 1945, Le Groupe Surréaliste en Hainaut weer bijeen, met als leden: Achille Chavee, Marcelle Havrenne en Pol Bury.

Eveneens werd onder de leiding van Colinet (dichter), Marcel Marien en Christian Dotremont het weekblad *Le Ciel Bleu* gepubliceerd; er verschenen slechts negen nummers.

Overtuigd van de noodzakelijke samenwerking tussen het surrealisme en het communisme, begon Christian Dotremont de basis te leggen voor een beweging, waarvoor hij de beginselen schetste in het manifest: *Le Surréalisme Revolutionnaire*. Met dit manifest als uitgangspunt, besloot Christian Dotremont samen met Paul Bourgoignie en Jean Seeger, tot het oprichten van een surrealistische, revolutionaire groep in België. De oprichting werd bevestigd in het manifest: *Pas de quartiers dans la révolution*, gepubliceerd in *Le Drapeau Rouge* van 9 juli 1947.

Dit *Surréalisme Révolutionnaire* kan dus gezien worden als een internationaal verzet tegen het doctrinaire, esoterische, na-oorlogse surrealisme van Breton. Voor-oorlogse slogans zoals *notre désir fait la révolution* werden hernomen.

Op 29 tot 31 oktober 1947 werd een internationale conferentie bijeengeroepen te Brussel. Achille Chavee modereerde gedurende drie dagen de discussies tussen de verschillende groepen en richtingen, uiteraard vooral de Belgische en Franse bewegingen, respectievelijk voorgezeten door Dotremont en door Arnaud. Verder was er nog de experimentele groep Höst van Denemarken, voorgezeten door Asger Jorn en de Tsjechische groep Ra, vertegenwoordigd door de dichter Zdenek Lorenc en de schilder Jozef Istler. Deze internationale conferentie was niet zozeer belangrijk op politiek of artistiek

States at the beginning of 1946, he found surrealists views on communism quite unacceptable. Back in 1933, the year he broke with the party, he was no longer able to identify with communism in practice. On his return he resisted political engagement of any sort and the so-called resistance poetry which resulted from it. Breton's surrealism was ignored by virtually everyone. This meant that an end had come to his years as their respected leader. The distance between them was further increased by the fact that Breton was drawn strongly to occultism.

Straight after the war there were a number of attempts in Belgium to reunite the Surréalistes. This resulted in December 1945 in the re-assembly of Le groupe surréaliste en Hainaut whose members included: Achille Chavee, Marcelle Havrenne and Pol Bury.

This also led to the publication of the weekly magazine *Le ciel bleu* run by Colinet (poet), Marcel Marien and Christian Dotremont; only nine numbers ever appeared.

Convinced of the necessity of communists and surrealists working together, Christian Dotremont began on what was to be the basis for a movement, whose principles were sketched in a manifesto entitled: *Le Surréalisme Révolutionnaire*. With this manifesto as a starting point, Christian Dotremont decided to set up a surréalist-revolutionary group in Belgium with Paul Bourgoignie and Jean Seeger. The foundation of the movement was confirmed in the manifesto: *Pas de quartiers dans la révolution* published in *Le Drapeau Rouge* of the 9th of July 1947.

This surrealism can be seen as a form of international resistance to the doctrinaire, esoteric, post-war type surrealism led by Breton. Pre-war slogans like *notre désir fait la révolution* were reassumed.

An international conference was held from the 29th to the 31st of October 1947 in Brussels. Achille Chavee presided over the conference's three days of discussions which brought together different groups and movements, and it goes without saying that this mostly concerned Belgian and French groups, chaired by Dotremont and Arnaud respectively. In addition there was the experimental group Höst from Denmark, chaired by Asger Jorn and the Czech group Ra, represented by the poet Zdenek Lorenc and the painter Jozef Istler. This conference was not particularly important in terms of politics or art. What was essential for the founding of Cobra was the friendship and sincere co-operation between the different groups which resulted from the meeting. The reports of the different groups represented at the conference was published in January 1948 in the *Bulletin International de Surréalisme Révolutionnaire*.

The final part of Asger Jorn's report was

vlak. Maar essentieel voor het ontstaan van Cobra, was de vriendschap en innige samenwerking die er op deze wijze tussen de verschillende groepen ontstond.

De verslagen van de aanwezige groepen werden gepubliceerd in januari 1948 in het *Bulletin International de Surréalisme Révolutionnaire.*

Opmerkelijk daarbij is het slot van het verslag opgesteld door Asger Jorn. Daarin werd opgeroepen tot gemeenschappelijke actie en werden de politieke bekommernissen achterwege gelaten. En zoals J.C. Lambert opmerkte is dat het hele verschil tussen het revolutionaire surrealisme enerzijds en Cobra anderzijds.

Dat de Cobraleden een echt zwerversbe-

very striking. In it a plea was made for ignoring their political differences in order to engage in joint projects. And as J.C. Lambert remarked, that is the main difference between revolutionary surrealism on the one hand and Cobra on the other.

One cannot deny that Cobra-members led the life of true wanderers. On a number of occasions Belgian and Dutch members ventured up North, particularly to Denmark. These exchanges were mutual, because the Danes stayed in our area on a number of occasions too. The city of Brussels played a central part in this international network. The fact that Brussels was where Dotremont was staying was

staan hebben geleid, valt niet te ontkennen. Verschillende malen trokken zowel Belgen als Nederlanders naar het noorden, vooral naar Denemarken. Deze uitwisselingen waren wederzijds, want ook de Denen vertoefden vele malen in onze gebieden. De stad Brussel heeft in dit internationaal netwerk een centrale rol gespeeld. Dat Brussel de verblijfplaats was van Dotremont was daarvan vermoedelijk de belangrijkste reden. Hij bestempelde deze stad ooit als 'capitale propriétaire de Cobra-sur-univers'.

Over tentoonstellingen, projecten en publikaties werd alles beslist in de Strostraat no. 10, het huis van Dotremont, of in de 'Ateliers du Marais'. De nieuwe verblijfplaats van Dotremont bood onderdak aan zijn rondreizende vrienden. Op de binnenkoer stond een klein paviljoen dat als atelier kon dienen voor Cobrapassanten.

Tijdens die periode kwamen er veel gemeenschappelijke werken tot stand. Zo werkte Dotremont onder andere samen met Corneille, Appel, Atlan, Alechinsky en Constant.

Net voor de ontmoeting tussen Alechinsky en Dotremont, hadden Alechinsky en zijn echtgenote samen met de keramist Olivier Strebelle in het hartje van Brussel, namelijk in de Broekstraat, een soort krotwoning, de 'Ateliers du Marais' ingericht.

Na het verlaten van de academie La Cambre wilden Alechinsky en zijn vrienden de sfeer van deze academie voortzetten. Zij creëerden daar een leven in commune. Men kon er in gemeenschap werken, eten en slapen. Er werd eveneens een plan opgevat de gemeenschap te verdelen in groepen van *métiers,* d.w.z. in groepen van architekten, schilders, graveurs, keramisten, beeldhouwers, fotografen, enz.

Na de ontmoeting met Cobra werden de 'Ateliers du Marais' het internationaal onderzoekscentrum van Cobra, of korter gezegd het Cobrahuis. Dotremont beschreef het huis als een herberg, een werkplaats en een kunstzaal (er was immer de mogelijkheid de werken van de bezoekers te bezichtigen).

De 'Ateliers du Marais' werden verschillende malen bezocht door Jorn, Appel, Constant, Corneille, Atlan, Österlin, Götz, Noiret, Raine, De Heusch, Burry, Ubac, Van Lint en Vandercam. Ook officiële vertegenwoordigers van musea en verzamelaars brachten een bezoek aan deze 'Ateliers', onder andere Peggy Guggenheim, Paul Fierens en Sandberg.

Tijdens deze periode ontstonden zowel in de Strostraat als in de 'Ateliers du Marais' verschillende gemeenschappelijke experimenten. Zo vertelde Corneille in een brief aan Constant, hoe schitterend hij samenwerkte met Dotremont, hoe vlekken op een vel papier Dotremont tot een tekst inspireerden, hoe ze vier en daarna zeven reeksen gouaches maakten en hoe één serie al was ingelijst.

probably the explanation for this. He once named the city 'capitale propriétaire de Cobra-sur-univers'. All the decisions on exhibitions, projects and publications were taken at Strostraat no. 10, Dotremont's house, or in the 'Ateliers du Marais'. This new residence of Dotremont's provided shelter for his travelling friends. In the inner courtyard there was a small pavilion which could be used as a studio by visiting Cobra members.

It was during this time that a great deal of collective work was produced. Dotremont worked with Corneille, Appel, Atlan, Alechinsky and Constant.

Just before the meeting between Alechinsky and Dotremont, Alechinsky and his wife — together with the ceramic artist Olivier Strebelle — had just furnished a house in the Broekstraat in a Brussels' slum area, it was called the 'Ateliers du Marais'.

After leaving the Academy 'La Cambré' Alechinsky and his friends wanted to continue their lives in the same sort of way as before, so they created a commune at the house. One could eat, sleep and work communally. There was also a plan to divide up the community into groups of 'métiers'; that is groups of architects, painters, engravers, ceramic artists, sculptors, photographers and so forth. After the meeting with Cobra, the 'Ateliers du Marais' became Cobra's international research centre, known as the 'Cobrahouse'. Dotremont described the house as an inn, a workshop and an art gallery (it was possible to view the works of the artists in residence).

The 'Ateliers du Marais' were visited on a number of occasions by Jorn, Appel, Constant, Corneille, Atlan, Österlin, Götz, Noiret, Raine, De Heusch, Burry, Ubac, Van Lint and Vandercam. Official representatives of museums and collectors visited these 'Ateliers' too — people like Peggy Guggenheim, Paul Fierens and Sandberg. During this period a number of joint projects were undertaken both in the Strostraat and in the 'Ateliers du Marais'. Corneille, in a letter to Constant, told him how wonderfully he had worked with Dotremont, how stains on a piece of paper inspired Dotremont to write a text, how they first made four, then seven series of gouaches and how one series had been framed.

Alechinsky mostly practiced lithography in that period. This technique allowed him to explore his own talents better and made him a 'true Cobra'. The prints which were made in the Ateliers were later collected under the title: *Expériences sans l'Expérience.*

The sculptor Reinhoud had his own little nook in the courtyard of the 'Ateliers du Marais', where, he as a 'Dinanderist', gave his anvil free rein. He had a pronounced preference, which he has always retained, for the hammer technique which origi-

Nummer van Réalité, een surrealistische groepering uit Luik die zich met de 'ware' Cobra uit Brussel verbonden voelde en zich daarom Cobra Réalité noemde

A number of *Réalité,* a surrealist group from Liège in Belgium, who felt one with the 'real' Cobra group in Brussels and therefore called themselves Cobra Réalité

Alechinsky en zijn vrouw in de 'Ateliers du Marais' bij de vervaardiging van affiche voor *Cobra* no. 7

Alechinsky and his wife in the 'Ateliers du Marais', preparing *Cobra* no. 7

Omslag van Cobra no. 7 van de hand van Raoul Ubac

cover of *Cobra* no. 7, designed by Raoul Ubac

Alechinsky beoefende in die tijd vooral de lithografie. Deze techniek liet hem zichzelf beter ontdekken en maakte van hem een echte 'Cobra'. De afdrukken, in de 'Ateliers' gemaakt, werden later verzameld onder de titel: *Expériences sans l'Expérience*.

De beeldhouwer Reinhoud had een eigen hoekje op de binnenkoer van de 'Ateliers du Marais', waar hij als 'dinanderist' zijn aambeeld liet weerklinken. Hij had een uitgesproken voorkeur, die hij nog altijd heeft behouden, voor de hamertechniek uit Dinant.

Lambert citeerde hieromtrent een amusante getuigenis van Dotremont: 'Hij sloeg er op los,.... Al dat lawaai schudde ons allemaal wakker. Alechinsky gaf tikken met een penseel op een doek en ik tikte op een schrijfmachine: zwakke replieken.'

Op de zolder van deze 'Ateliers' stond ook een lithopers, waarop de litho's gedrukt werden voor de Belgische Cobranummers.

Nadat de Cobra's in 1951 besloten ermee te stoppen, verhuisde Alechinsky naar Parijs en kort daarop ebden de activiteiten in de 'Ateliers du Marais' eveneens weg. Het huis is intussen gesloopt...

Op het gebied van tentoonstellingen is Cobra zeer actief geweest. Deze manifestaties ontketenden dikwijls felle reacties, en dat feit alleen beschouwden de kunstenaars als een succes. Door hun revolterende, agressieve, niet academische kunst poogden zij het publiek wakker te schudden en deze de noodzakelijkheid van hun experimentele kunst te doen inzien.

Van 19 tot 28 maart 1945 had te Brussel de eerste belangrijke internationale tentoonstelling van Cobra plaats. Luc Haesaerts stelde voor deze gelegenheid *La petite galerie de séminaire des arts,* afhankelijk van het Paleis voor Schone Kunsten, ter beschikking.

De titel van de tentoonstelling 'La fin et les moyens' verwees waarschijnlijk naar het boek van de Franse filosoof en socioloog, Henri Lefebvre: *La Critique de la vie quotidienne.*

Het is niet moeilijk de interesse van de Cobrabeweging voor de theorieën van Lefebvre te begrijpen. Zo lezen wij in dat boek ondermeer over de stelselmatige confrontatie van het moderne leven met het verleden en met alles wat nog mogelijk is, over onderzoek naar de juiste verbanden tussen ernst en spel, werkelijkheid en droom, en tegelijk over kritiek op de ene term door middel van de andere.

In het tweede nummer van het Cobratijdschrift verscheen de catalogus van deze tentoonstelling. Als wij de titels ervan lezen, zouden wij kunnen zeggen dat het geen zuivere Cobramanifestatie was, daar er geschreven stond: *Le groupe surréaliste-révolutionnaire, adhérent à Cobra, présente du 19 au 28 mai 1944, 'La fin et les moyens': exposition expérimentale de tableaux, dessins,*

nated in Dinant. Lambert cites an amusing anecdote of Dotremont's on this theme: 'He really used to hit it for all he was worth, he gave it all he had. All that noise got us all going. Alechinsky would tick on his canvas with a pencil and I bashed away on a type-writer: feeble responses really.'

In the attic of the Ateliers there was a litho press, on which the lithographs for the Belgian *Cobra* numbers were printed.

After the Cobra members had decided to stop in 1951, Alechinsky moved to Paris and shortly afterwards the activities in the 'Ateliers du Marais' came to a grinding halt. The house has since been pulled down...

From the 19th to the 28th of March 1945 the first major international Cobra exhibition was held in Brussels. Luc Haesaerts allowed them to use *La petite galerie de seminaire des arts* for the occasion, which was an annexe to the Palace of Fine Arts. The title of the exhibition 'La fin et les moyens' probably referred to the book by the French philosopher and sociologist, Henri Lefebvre: *La critique de la vie quotidienne.*

It is not difficult to understand the interest shown by the Cobra movement in Lefebvre's theories. The book reflects on the systematic confrontation between modern life and the past and on the realms of the attainable, about research into the right connections between seriousness and light-heartedness, and between reality and dream, and at the same time discussing criticism of one term by the use of another.

This exhibition catalogue was reproduced in the second number of *Cobra*. If we read the titles, we might think that it was not a pure Cobra-exhibition, in that they had written: Le groupe surréaliste-révolutionnaire, adhérent à Cobra, présente du 19 au 28 mai 1944, 'La fin et les moyens': exposition expérimentale de tableaux, dessins, objets... Even Dotre-

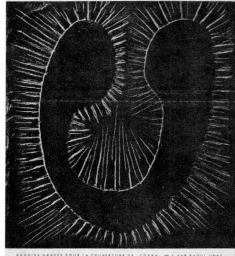

COBRA N° 7

ARDOISE GRAVÉE POUR LA COUVERTURE DE 'COBRA', N° 7, PAR RAOUL UBAC, QUI EXPOSE DU 8 DÉCEMBRE 1950 AU 6 JANVIER 1951, À LA 'GALERIE MAEGHT', 13, RUE DE TÉHÉRAN, PARIS

VIENT DE PARAITRE

AYGUESPARSE, EJLER BILLE, BOURGOIGNIE, POL BURY, HUGO CLAUS, CLEINGE, PAUL COLINET, CORDIER, DOTREMONT, HAVRENNE, FRANZ HELLENS, JAGUER, NOIRET, RAGON, JEAN RAINE, LOUIS SCUTENAIRE, LUC ZANGRIE, ETC.

les vacances • le rêve, équilibre de réalité et d'abstraction • la mère terrible • les problèmes de la spirale • psychanalyse des « comics strips » • la fête populaire et le mythe universel du frey (frö) • la fraternité des évolutions • les problèmes de l'écriture • perséphone • la première planche de l'atlas psychologique universel, etc.

ALECHINSKY, APPEL, CONSTANT, CORNEILLE, MENDELSON, CESTERLIN, CARL-HENNING PEDERSEN, OLIVIER STREBELLE, VANDERCAM, LOUIS VAN LINT, ETC.

HORS-TEXTE DE JAN COX ET ASGER JORN.

EN VENTE ICI

*objets...*Ook Dotremont zal nog niet van een echte, zuivere Cobratentoonstelling durven spreken.

De tentoonstelling was kwantitatief uiterst bescheiden van opzet: Dotremont had tweeënveertig schilderijen, tekeningen en objekten van kleine afmetingen verzameld, van twintig kunstenaars van zeven verschillende nationaliteiten. Dit laatste was toch wel een primeur, zeker als wij rekening houden met de de financiële problemen waar de initiatiefnemer Christiaan Dotremont mee te kampen had. Hij herinnerde zich dit kleine avontuur, als volgt: *Je suis allé à Copenhague chercher moi-même les oeuvres que j'ai transportées à Bruxelles aux Palais des Beaux Arts.'* Een opvallend onderdeel van deze tentoonstelling waren de schilderijen waaraan Asger Jorn en Christiaan Dotremont samen hebben gewerkt. Ze werden in de catalogus onder de nummers 27-29 vermeld met als titel *Expérience sur le language comme formes.* Van de drie werken die Jorn exposeerde was er één dat eveneens een vrucht was van recente samenwerking tussen Jorn en Dotremont: *Il y a plus de choses dans la terre d'un tableau que dans le ciel de la théorie esthétique.*

Het is een soort manifest in woord en beeld dat het motto van deze tentoonstelling, 'La fin et les moyens', verduidelijkte. In dit werk stond Dotremont in voor de tekst en Jorn voor het beeldende gedeelte. *'Ces peintures-mots un caractère spécifique: le texte n'est pas préétabli, la spontanéité est totale et collective,'* aldus Joseph Noiret.

mont would not yet dare to call it a pure Cobra-exhibition.

The exhibition was quantatively extremely modest in its arrangement: Dotremont had collected 42 paintings, drawings and small objects, by twenty artists of seven different nationalities. This was a 'primeur', particularly if we remember the financial problems which faced the project's leader Dotremont. He remembers the little episode as follows: *Je suis allé à Copenhague chercher moi-même les oeuvres que j'ai transportées à Bruxelles aux Palais des Beaux-Arts.'* A striking part of this competition was the paintings which Asger Jorn and Christian Dotremont worked on together. They were mentioned in the catalogue under the numbers 27-29 under the title *Expérience sur le language comme formes'.* Of the three works shown by Jorn, one was also the result of his work with Dotremont: *'Il y a plus de choses dans la terre d'un tableau que dans le ciel de la theorie esthétique'.*

It is a sort of manifesto in word and image, which clarifies the motto of this exhibition 'La fin et les moyens'. In this work Dotremont provided the text and Jorn the pictorial element.

'Ces peintures-mots ont un caractère spécifique: le texte n'est pas préétabli, la spontanéité est totale et collective,' in the words of Joseph Noiret. The endlessly twisting lines and the great variations in colour are characteristic of the Cobra-movement, However, one cannot really talk of an inspired sustained spontaneity. Thick black meandering lines and curves

Overzicht van een zaal in het Palais des Beaux Arts te Luik tijdens de Cobra-expositie in oktober-november 1951

Looking at part of the Cobra exhibition in the Palais des Beaux-Arts, Liège, October-November 1951

Het oneindig slingerende lijnenspel en de zeer grote variatie van kleuren ervan zijn kenmerkend voor de Cobrabeweging. Toch kan men hier niet echt van een

partially outline the coloured surfaces. This style was later to evolve into a more aggressively spontaneous form of expression, in which colour and forcefully

52

Cobra hield zich zijdelings ook bezig met film. In Cobrakringen werd slechts één eigen film geproduceerd en wel door Luc de Heush (Luc Zangrie) op basis van *Les poupées de Dixmude*, een tekst van Alechinsky. De titel van de film was Perséphone.
Hier het affiche van het door de Belgische Cobra georganiseerde filmfestival

As a sideline Cobra was also interested in films. Only one film was actually made in Cobra circles, that by Luc de Heusch (Luc Zangrie) based on a text by Alechinsky, *Les Poupées de Dixmude*. The film was called Perséphone. This shows the poster for the film festival organized by the Belgian Cobra group

doorgedreven of volgehouden spontaniteit spreken. Dikke, zwarte meanders en kronkels begrenzen nog in zekere mate de kleurvlakken. Deze stijl zal in latere stadia evolueren naar meer agressieve en spontanere uitingen, waarin kleur en zeer dik aangebrachte verfmassa's zich als een dominerende faktor zullen opdringen. Onder de bezoekers van deze eerste tentoonstelling bevond zich ook de eenentwintigjarige Alechinsky. Deze nieuwe ent op Cobra zou een beslissende invloed hebben op de verdere ontwikkeling van deze beweging. Ondanks het feit dat deze tentoonstelling weinig of geen weerklank vond, was ze toch uitermate interessant daar ze de drie belangrijkste karakteristieken van de Cobrabeweging weergaf:
- het internationalisme
- het anti-specialisme
- het inter-specialisme.
Na het opheffen van Cobra, viel de driehoek: Kopenhagen - Brussel - Amsterdam uiteen. De Nederlanders K. Appel en Corneille vestigden zich reeds ten tijde van Cobra te Parijs. Alechinsky zou hun voorbeeld volgen in 1951. Jorn verbleef nog steeds in het sanatorium van Silkeborg, maar zou later eveneens naar Parijs reizen, en er zich voor bepaalde periodes vestigen. Dotremont van zijn kant verliet Silkeborg en werd verder verzorgd in het sanatorium van Eupen.
Internationaal gezien waren er gedurende de jaren '50 en '60 vele bewegingen opgericht, waarin de Cobrageest te herkennen was. Opvallend is wel dat deze revolutionaire avangardistische groepen in het zuiden van Europa te situeren zijn, meer bepaald in Italië.
Mijns inziens is dit een opvallend feit, wanneer men weet dat de grote revolte tegen de geometrische abstractie (wat toch in wezen de opzet was van al deze groepen) in het noorden, met name Denemarken, ontstaan is, en geleidelijk aan onze gebieden beroerde, en pas daarna naar meer zuidelijk gelegen gebieden doorstootte.
Is de Belgische kunst, onmiddellijk na de drie operationele jaren van Cobra, beïnvloed geweest door wat men later de 'Cobrataal' is gaan noemen? Deze vraag moet ontkennend beantwoord worden. De beweging was ondanks haar internationale contacten te intern gericht, te diskreet. En ondanks al haar inspanningen werd het grote publiek nooit bereikt.
Maar hoewel Cobra na 1951 als georganiseerde beweging niet meer bestond, bleven veel van haar leden in de geest van Cobra verder werken.
Zo waren de stichters van het tijdschrift *Phantomas*, opgericht in december 1953, drie literaire vrienden van Christiaan Dotremont: Joseph Noiret, Marcel Havrenne en Theodore Koening. Door de oprichting van dit nieuwe tijdschrift hergroepeerden zich vele Belgische surrealistische dichters en schrijvers. De stichters hadden wel bewust afstand

applied blobs of paint were to become the dominant factors. One of the visitors to this exhibition was the twenty-one-year-old Alechinsky. This new addition to Cobra was to have a decisive influence on the further development of the movement.
Once Cobra had been disbanded, the triangle: Copenhagen — Brussels — Amsterdam collapsed. The Dutchmen K. Appel and Corneille had already settled in Paris before Cobra was disbanded. Alechinsky followed their lead in 1951. Jorn was still in the sanatorium at Silkeborg, but was to make his way down to Paris too, and live there from time to time. Dotremont left Silkeborg and was cared for afterwards in the sanatorium in Eupen.
If looked at from an international perspective, many movements were established in the Fifties and Sixties in which the Cobra-spirit was recognizable. It is striking that these revolutionary Avantgarde groups can be traced back to southern Europe, most specifically to Italy.
In my view this is striking, if one bears in mind that the great revolt against geometric abstraction (which was in fact what lay behind all these groups) started in the North, in Denmark, gradually overran our areas and then pushed forward to more southern climes.
Did the experience of three years of Cobra in action with what was later to be called 'Cobra-language' have an effect on Belgian art? One can only reply in the negative. Despite its international contacts, the movement was too introvert, too discrete. But although Cobra no longer existed as an organized movement after 1951, many of the members carried on working in the same spirit. They were the founders of the journal *Phantomas*, started in December 1953, by Christian Dotremont's three literary friends: Joseph Noiret, Marcel Havrenne and Theodore Koening. By setting up this new journal they re-aligned many Belgian surrealist poets and writers. The founders had quite deliberately set themselves apart from the original Belgian surrealist movement, but were nevertheless faithful to its principles, which excluded any form of formalism, opportunism and complicity with the 'powers that be'. The literary tendencies and the internationalism witnessed in Cobra was carried on in *Phantomas*. Theoretical treatises were printed in it and reports of national and international events in the art world.
A selection of the *Phantomas* numbers also offered an arena for poets and painters to air their views.
The most important Belgian participants, apart from the founders, were: Serge Vandercam, Pol Mara, Maurice Wyckaert, Louis van Lint, Wout Hoeboer, Jean Raine, Paul Bourgoignie and others who had been involved with Cobra or who had joined the movement when it was in operation.

No. 3 van *Le petit Cobra*, voorjaar 1950 met omslag van Alechinsky

No. 3 of *Le petit Cobra,* spring 1950, cover by Alechinsky

'Cobra's hoogste glorie schijnt mij deze te zijn, dat ze een levende totaliteit is geweest (een "dialectische monoloog" zeiden de revolutionair-surrealisten), datgene wat een schilderij zelf, een sculptuur, een gedicht heeft te zijn' (Christian Dotremont in: *Museumjournaal* jan.—febr. 1962)

'Cobra's greatest good would seem to me to be the fact that it was a living totality (a "dialectic monologue" said the revolutionary-surrealists), just what a painting, sculpture or poem ought to be.' (Christian Dotremont in: *Museumjournaal* Jan-Feb 1962)

genomen van de oorspronkelijke Belgische surrealistische beweging, maar bleven toch trouw aan de moraal ervan, die 'elk formalisme, elk opportunisme, en elke medeplichtigheid met de macht' uitsloot. De literaire tendens en het internationalisme van Cobra werden in *Phantomas* doorgevoerd. Er werden theoretische geschriften en verslagen van het actuele kunstgebeuren, zowel nationaal als internationaal in afgedrukt.

Verschillende nummers van *Phantomas* boden ook de mogelijkheid tot confrontatie tussen de semantiek van de dichter en die van de schilder.
De belangrijkste Belgische deelnemers waren naast de stichters: Serge Vandercam, Pol Mara, Maurice Wyckaert, Louis van Lint, Wout Hoeboer, Jean Raine, Paul Bourgoignie en nog anderen, die Cobra hadden meegemaakt of die er tijdens de operationele jaren waren bijgekomen. Het laatste nummer van *Phantomas* verscheen in december 1980.
Na de opheffing van de Cobrabeweging volgde er een lange stilte. De gewezen Cobraleden, waarvan er veel in Parijs vertoefden, waren ieder afzonderlijk bezig met de ontwikkeling van een eigen stijl. Zelden zochten ze elkaar op. Voor sommigen onder hen was het een nare ervaring en een heuse aanpassing: 'Niets bereidt de schilder voor op de eenzaamheid. Hij heeft zijn leertijd doorgemaakt omringd met kameraden. Dan, op een zekere dag zal hij om te schilderen de cel moeten ingaan,' aldus Alechinsky. Er bleek duidelijk nood aan contacten.
In een tekst van Gentil Haesaert en Walter Korun gepubliceerd en *De Kunst Meridiaan* lezen we dat in de zomer van 1955 meermaals in de kringen van jonge dichters, schilders en critici het ontbreken werd gevoeld van een plaats, een centrum waar ze elkaar regelmatig konden ontmoeten.
Zo drong zich de oprichting van een kunstcentrum zoals Taptoe haast als vanzelfsprekend op. Het was niet de bedoeling een georganiseerde beweging zoals Cobra op te richten. Maar men had wel de intentie er een trefpunt van te maken, waar Belgische en buitenlandse kunstenaars elkaar konden ontmoeten. Een sfeer scheppen waar nieuwe contacten gelegd konden worden en waar wat fletse en verwaterde vriendschappen van vroeger nieuwe impulsen zouden kunnen krijgen. In de manifestaties die ingericht werden door Taptoe, zouden bekende, maar ook minder bekende kunstenaars aan bod komen.
Velen onder hen kenden later een internationale uitstraling en faam. Een oud 18de-eeuws hoekhuis, het 'Oud Korenhuis', op de Graanmarkt, nr 24-25, te Brussel werd gehuurd.
De tentoonstellingszaal werd gecombineerd tot één geheel met bar, waar eveneens voorzieningen voor het geven van

The last edition of *Phantomas* appeared in December 1980. After the Cobra-movement had been disbanded, there was a long period of silence. The ex-Cobra members, many of whom were in Paris, were each working separately on their own style. They seldom saw one another. For some of them this was a sorry state of affairs which they just had to adjust to as Alechinsky's remark shows: 'Nothing can forearm a painter against loneliness. When he is training he is surrounded by friends. Then, one fine day, he has to go into a cell in order to be able to paint'. There was a very clear desire for contact. In a text by Gentil Haesaert and Walter Korun published in *Kunst Meridian* we read that in the summer of 1955 there was an ever increasing need among young poets, painters and critics for a meeting-place, or rather a centre where they could get together on a regular basis.
The setting up of the art centre 'Taptoe' was the logical solution. They were never planning to set up an organized movement like Cobra, but they did want to make it into a meeting-place, where Belgian and foreign artists could get together. By creating the right atmosphere, new contacts could be made and the faded, watered-down friendships of yesteryear could be given a new lease of life. In the shows which were organized at Taptoe well-known artists and newcomers were given a fair crack of the whip. Many of them were later to enjoy international exposure and, in some cases, fame. They rented an old 18th century corner house, the 'Oud Korenhuis', at the Graanmarkt nrs 24-25 in Brussels. The exhibition hall was combined with the bar in one through area. There were facilities for holding conferences and meetings and there were also workshops and accommodation for the use of visiting artists.

The Board of Taptoe decided to start off with a few large group exhibitions. This clearly showed the tendency of promoting international avant-garde art. Particularly the exhibition in '56 exemplified this. The art centre Taptoe opened its second season with the first 'Cobra-after-Cobra exhibition' in Belgium. Works by Alechinsky, Appel, Bau, Constant, Corneille, Jorn, Reinhoud, d'Haese, Ting, Wickaert and Dotremont with Cobra were all shown.
In an interview on the occasion Jorn said the following to Walter Korum: 'c'est seulement plus tard, quand Cobra n'existait plus, que je me suis rendu compte de l'importance de Cobra et de la grande possibilité que Cobra avait ouverte!'
'Cobra-after-Cobra' was in fact an artistic group which was very aware of the freedom they had gained by their own efforts and of their ability to really work hard.
Taptoe was, and is, then the first art centre, which from a national viewpoint,

'Het was het eind van de oorlog, de bevrijding, en wij meenden dat het mogelijk moest zijn de samenleving te veranderen. Dat is ook de reden dat we met de communisten samenwerkten, zonder zelf communist te zijn. In elk geval wilden we een gemeenschappelijk front maken... Jammergenoeg bleek het onmogelijk met de communisten samen te werken omdat zij een ideologie hadden die gesloten is en wij juist de spontaniteit wilden, experimenteren' (Joseph Noiret)

'It was the end of the war, the liberation, and we thought society could be changed. That is also the reason for our working with the communists, without actually being communists ourselves. In any case we wanted to form a united front... Unfortunately it appeared to be impossible to work with the communists because they have an ideology which is closed and we wanted just the opposite: spontaneity and experiment.' (Joseph Noiret)

Joseph Noiret was met Dotremont de enige Belg die bij de oprichting van Cobra in november 1948 betrokken was

Joseph Noiret and Dotremont were the only two Belgians involved in Cobra when it was set up in November 1948

conferenties en vergaderingen waren. Ook stonden er een logement en een werkatelier ter beschikking van de kunstenaars.

De raad van beheer van Taptoe besloot te starten met enkele grote groepstentoonstellingen. Hieruit bleek duidelijk de tendens om de internationale avant-gardekunst te propageren. Vooral de tentoonstellingen gehouden in begin '56 vielen onder deze noemer. Het kunstcentrum Taptoe opende haar tweede seizoen met een eerste Cobra-na-Cobra tentoonstelling in België. Er werd werk tentoongesteld van Alechinsky, Appel, Bau, Constant, Corneille, Jorn, Reinhoud, d'Haese, Ting, Wickaert, en Dotremont met Cobra.

In een interviuew dat Walter Korum ter gelegenheid hiervan met Jorn had, wist deze te vertellen: *'C'est seulement plus tard, quand Cobra n'existait plus, que je me suis rendu compte de l'importance de Cobra et de la grande possibilité que Cobra avait ouverte!'*

Cobra-na-Cobra was dus eigenlijk een artistieke praktijk, die zich zeer bewust was van de verworven vrijheid, en van zijn werkkracht. Taptoe was en is dus het eerste kunstcentrum, dat nationaal gezien, onbewust het initiatief nam de Cobraleden en hun nieuwe werk te blijven volgen. Voor Alechinsky, maar waarschijnlijk ook voor de andere leden, waren dergelijke manifestaties uiterst belangrijk. Zo zei Alechinsky tijdens een interviuew dat afgenomen werd naar aanleiding van de voorstelling van het boek van Jean Clarence Lambert, dat de wisselwerkingen en de wederzijdse fertilisatie zeer belangrijk waren voor de evolutie van Cobra-na-Cobra. Na deze Taptoe-tentoonstellingen volgden er nog vele manifestaties met hetzelfde onderwerp als thema, zowel nationaal als internationaal. Ze staan allen in het teken van de Cobra-na-Cobra periode: Volgens de Cobra-ethiek heeft de kunst zowel behoefte aan persoonlijke als aan collectieve experimenten. Vooral door toedoen van Dotremont zijn de Belgen wel zeer aktief geweest in deze vorm van experimentele kunst. Er ontstonden werken tussen de Belgische Cobra-adepten onderling, maar ook tussen Belgen en Denen, Belgen en Nederlanders, tussen Denen en Nederlanders enzovoort.

Alechinsky en Dotremont zijn in dit genre de meest actieve geweest van de Cobrabeweging.

Alechinsky maakte vele vierhandige werken met ondermeer Jorn, Dotremont, en Appel, maar ook met andere kunstenaars die niet rechtstreeks met Cobra verbonden waren, maar die er toch de opvattingen, de technieken en de sensibiliteit van deelden. Enkele onder hen: Walasse Ting, de Spanjaard Antonio Saura en de Mexicaan Alberto Gironella. De verschillende boeken waarvan Alechinsky de auteur was en waaraan ook andere kunstenaars meewerkten, zijn in hun grote zorg voor

unwittingly took the initiative of following the Cobra members and their new work.

For Alechinsky, and possibly for other members, these type of shows were extremely important. This is illustrated by the fact that Alechinsky, when interviewed for the exhibition of Jean Clarence Lambert's book, expressed the importance of the mutual co-operation and cross-fertilization of ideas for the evolution of Cobra-after-Cobra.

After this Taptoe exhibition, many shows followed with the same theme, both nationally and internationally. They are all representative of the Cobra-after-Cobra period:

The Cobra-ethic states that art needs both personal and collective experiments. Particularly due to Dotremont's influence, the Belgians have been very active in this form of experimental art. Works were carried out by Belgian Cobra-adepts among themselves, but also by Belgians and Danes, Belgians and Dutchmen, Danes and Dutchmen and so forth.

Alechinsky and Dotremont were the most active members of the Cobra movement in this genre. Alechinsky did many four-handed pieces with Jorn, Dotremont, Appel and others, but he also worked with artists who were not directly linked to Cobra, although they shared their ideas, their techniques, and their sensibilities. A few of these were: Walasse Ting, the Spaniard Antonio Saura and the Mexican Alberto Gironella. The many books of which Alechinsky was the author and on which other artists worked, are examples of inter-specialism, demonstrating the great care taken with the text and pictures, which has always been one of the strongest motivations for Cobra.

'Volgens mij heeft er geen surrealistische beweging in Nederland bestaan. Zowel schilderkundig als literair is dat bij ons nauwelijks denkbaar. Daar is een bepaalde esprit voor nodig. Die had Dotremont wel. Hij was een nazaat van Breton, hoe heftig hij hem ook aangevallen heeft. Dotremont heeft Cobra sterk naar voren gebracht maar had wel één voet in het surrealisme staan, een nieuw soort surrealisme dat de Hollanders persé nooit gehad hebben' (Corneille)

'In my view there was no surrealist movement in the Netherlands. As far as painting and literature are concerned it was out of the question for the Dutch. You need a certain spirit for that. Dotremont had it. He was a descendant of Breton, no matter how much he has attacked this ancestry. Dotremont pushed Cobra to the forefront but still had one foot in surrealism which the Dutch contingent most certainly never had.' (Corneille)

Corneille en Dotremont in het kasteel de G... bij Brussel

Corneille and Dotremont in G. ... Castle near Brussels

tekst en beeld een voorbeeld van het inter-specialisme, dat een der sterkste motivaties van Cobra is geweest.

Sommige resultaten van de 'mixed-works', of de 'vierhandige werken' zoals Alechinsky ze pleegde te noemen, werden gepubliceerd in boekvorm. Een geslaagd voorbeeld daarvan is: *Encres à deux pinceaux*, een gezamelijk werk van Appel en Alechinsky, begeleid met gedichten van Hugo Claus. Het boek werd ingeleid met een tekst van Christian Dotremont.
De stijl van deze inkttekeningen is totaal verschillend van de andere werken die we van Alechinsky en Appel kennen. Zo worden de hevige, schreeuwende kleuren, die kenmerkend zijn voor Appels werk achterwege gelaten; De kinderlijke figuratie blijft evenwel behouden. Ook Alechinsky's kronkelende lijnenspel is in mindere mate aanwezig. Het humoristische element krijgt de bovenhand.
Enkele jaren later hernamen Appel en Alechinsky eenzelfde experiment. In 1982 exposeren ze samen in Fondation Maeght te Saint-Paul en Vence hun individueel werk. Naar aanleiding van deze tentoonstelling, maakten ze toen samen een nieuwe serie inkttekeningen.
Ook Christian Dotremont, de spil van Cobra, experimenteerde met verschillende vrienden-kunstenaars. Deze experimenten, men zou ze ook gezelschaps-spellen van Cobra kunnen noemen, waren van een totaal andere aard, dan die van Alechinsky.
Zoals reeds eerder werd gezegd was Dotremont bijna geobsedeerd door het geschreven woord. Niet zozeer in de betekenis van wat een geschreven 'woord weergaf, maar in de betekenis van de vorm, de figuratie, het uiterlijke van een geschreven woord. Het eerste stadium van deze experimenten waren de woord-schilderijen'. Dotremont heeft er sommige gemaakt samen met Serge Vandercam, Asger Jorn, Karel Appel, Corneille en nog vele ander Cobraleden.
Bij deze 'oefeningen met twee', waaraan Dotremont zich met enthousiasme overgaf, moet wel de nadruk gelegd worden op het spontane karakter van deze tekeningen.
Dotremont werkte niet alleen op papier of op linnen; alles waarin enigszins woorden of tekens konden gekrast worden, werd gebruikt. In l959 experimenteerde hij met Serge Vandercam zelfs met 'slijk'. Serge Vandercam die tijdens de Cobraperiode fotograaf was, kwam al heel vlug tot de schilderkunst. Zijn stijl was hevig, vol kleur, met dikke verfpasta's, verwilderd. Zowel Vandercam als Dotremont graveerden woorden en tekens in gebakken en ongebakken aarde. Het penseel werd vervangen door een boetseerstaaf of een mirette.
Na drie weken van intensief werken werd in Verviers vanaf 27 juni tot 5 juli '59 een tentoonstelling gehouden. Ze kreeg de

Some of the results of the 'mixed works' or 'four-handed works', as Alechinsky liked to call them, were published in book form. A successful example of this is: *Encres à deux pinceaux,* a joint work by Appel and Alechinsky, accompanied by poems by Hugo Claus. Christian Dotremont wrote the introduction. The style of these ink-drawings is totally different from other known works by Alechinsky and Appel. The hard, loud colours which are usually characteristic of Appel's work were not used; although the child-like figures were preserved, but even Alechinsky's meandering line game is less visible. The humour is the leading characteristic.
A few years later Appel and Alechinsky carried out a similar experiment. In 1982 they exhibited their individual work together in 'Fondation Maeght' at Saint Paul en Vence. As a result of this exhibition they made a new series of ink drawings together.
Christian Dotremont, the main pivot of Cobra, experimented with a number of artist-friends too. These experiments, one could also call them Cobra charades, were of a totally different kind than those carried out by Alechinsky.
As already mentioned, Dotremont was almost obsessed by the written word. Not so much by its meaning but by the actual shape, or form of the written word. The first stage of these experiments were the 'word-paintings'. Dotremont made some with Serge Vandercam, Asger Jorn, Karel Appel, Corneille and many other Cobra members. In the exercises for 'two', which Dotremont entered into with such enthusiasm, the emphasis should be placed on the spontaneous character of the drawings. Dotremont did not only work on paper or canvas; everything which could be used for scratching words and symbols onto was taken to hand. In 1959 he experimented with Serge Vandercam too with 'Slijk'. Serge Vandercam, who was a photographer during the Cobra period, soon took to painting. His style was madly colourful, with thick blobs of dishevelled paint. Both Vandercam and Dotremont engraved words and symbols in fired and unfired clay, replacing the brush by a modelling stick or a spatula.
After three weeks of intensive work an exhibition was held in Verviers from the 27th of June to the 5th of July '59. It was given the name: 'Boues': which translated means literally 'Muds'
In the accompanying catalogue emphasis was placed on the fact that not one of these texts had been thought or written for the 'moment' for the actual practice of writing here on earth. In the conclusion to the catalogue notes he uses the words '*Un language totale de la terre*'.
Most certainly at the start of the Cobra movement, the artists revolted against the incarceration of art in artistic temples. Their art, in their view, was meant to be

Gouache op papier van Hugo Claus zonder titel en zonder jaar. Formaat: 31 x 23 cm

Gouache on paper by Hugo Claus, untitled and undated, Size: 31 × 23 cm

Dotremont en Alechinsky, 'Brassée seismographique' 1972 (collectieve werken no. 22)

Dotremont and Alechinsky, 'Brassée seismographique' 1972 (collective works no. 5)

'Het is zinloos de schilders van Cobra volgens de een of andere definitie te willen schiften. Veeleer dient er een definitie opgesteld te worden die gebaseerd is op wat de Cobra-schilders alleen gezamenlijk geweest zijn. Cobra is een bijzonder moment geweest, waarop enkele ontwikkelingslijnen zijn samengekomen. Toen het afgelopen was met Cobra, zijn deze ontwikkelingslijnen trouwens niet weer alle uit elkaar gegaan. 'Het einde', zegt Lullus, "is het begin dat tot rust komt." (Christian Dotremont in: *Museumjournaal* jan.- febr. 1962)

'It is pointless to try to accommodate the Cobra painters in some sort of definition. It would be better to find a definition based on what the Cobra painters were as an entire group. Cobra happened at a special moment in time, when a number of lines of development came to a denouement. When Cobra finished, these lines of development did not just cease to exist. "The end" says Lullus, is the beginning after it has calmed down.' (Christian Dotremont in: *Museumjournaal* Jan-Feb 1962)

naam: 'Boues' mee: letterlijk vertaald: 'Slijken'. In de bijbehorende katalogus werd er meerdere malen de nadruk op gelegd, dat geen enkele van deze teksten bedacht of geschreven was, vóór het moment van het schrijven zelf op de aarde. *'Un language totale de la terre'* zijn de slotwoorden van de catalogus-notitie.
Hoewel Dotremont geen linguistische vorming gekregen had, beoefende hij ze met grote passie. Nochtans verweet hij de linguistiek één grote fout: ze interesseert zich niet voor de belangrijke fysische activiteit, die steeds aanwezig is bij het schrijven. Hij schreef vele gedichten in 'automatisch schrift', een methode die voortvloeide uit de surrealistische geest. Deze methode werd door Dotremont ook aangewend bij het scheppen van zijn 'logogrammen'. De elementen gebruikt in de logogrammen, de schilderijen van een taal, zijn vooral letters van het Latijnse alfabet, waar hij orthografische tekens aan toevoegde. De fysische existentie van de vormen was eigenlijk het belangrijkste.
Zeker in het beginstadium van de Cobra-beweging, revolteerden de Cobrakunstenaars tegen de opsluiting van de kunst in kunsttempels. Hun kunst, dat was althans hun overtuiging, was bedoeld voor de 'dagdaagse' mensen: daarom werd ze bij voorkeur opgesteld in openbare parken of plaatsen. In 1976 werd aan Christiaan Dotremont en Pierre Alechinsky voorgesteld om deel te nemen aan een Brussels projekt: 'Kunst in de metro'. Het is begrijpelijk dat dit voorstel enthousiast onthaald en aanvaard werd. Het kunstwerk zou in het metrostation Anneessens te Brussel geplaatst worden.
Dat Cobra tot op heden duidelijke sporen heeft nagelaten, valt niet te ontkennen. De Cobrakronkels, Cobravisioenen, kortom de Cobrataal aangewend in de werken van de hedendaagse kunstenaars, mag zeker niet geïnterpreteerd worden als een nabootsing, als een naäping van de nu bekend geworden Cobrawerken. Cobra wordt door deze mensen gezien als een voorbeeld, een hulpmiddel en een aanmoediging. De basisbeginselen, met name de experimentaliteit, de spontaniteit en het anti-specialisme worden opnieuw toegepast. En ook nu kan men ze als een revolte interpreteren, want er is nog altijd evenveel (en misschien nog meer) narigheid om zich tegenaf te zetten. Sommigen van die kunstenaars drijven het experiment nog verder dan de Cobra's. Ze krijgen dan bijvoorbeeld het etiket: De nieuwe Wilden, een benaming die mijns inziens meer afkeuring dan appreciatie inhoudt. Een voorbeeld van kleinburgerlijkheid, waar Cobra veertig jaar geleden eveneens mee te maken had.

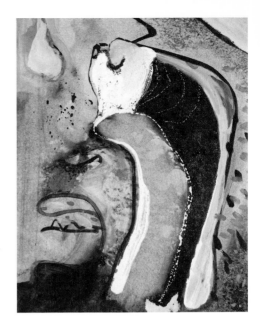

for the 'day-to-day' public: which is why they preferred to have it placed in public parks and open spaces. In 1976 Christian Dotremont and Pierre Alenchinsky were invited to take part in a project in Brussels entitled: 'Art in the Metro'. It is therefore understandable that this proposal met with enthusiasm and was accepted. The work of art was to be placed in the metro station Aneessens in Brussels.
The fact that the Cobra is still very fresh in many minds is indisputable. The Cobra-meandering lines, Cobra-visions, in short the Cobra language applied in contemporary art, should not be interpreted as imitation, as copies of the now well-known Cobra works. Cobra was seen by these people as a model, an aid and an incentive. The basic principles, that is the experimentation, the spontaneity and the anti-specialism were applied once again. One can interpret them now as a revolt too, because there is still as much, if not more, to rebel against nowadays. Some of these artists carry the experiment even further than Cobra. They are then labelled De nieuwe Wilden (The new Wild-Ones), which in my view implies the expression of denigrating rather than appreciative sentiments: the same type of bourgeois prejudice Cobra had to tolerate forty years ago.

C.E. van de Watering

COBRA EN
DE LETTEREN

COBRA AND
LITERATURE

Zusterkunsten worden ze genoemd, de poëzie en de beeldende kunst; en zelden zijn ze zo gezusterlijk opgetrokken als in Cobra. Natuurlijk is samenwerking tussen schilders en schrijvers geen uitvinding van de Cobrabeweging. Bijna alle stromingen in de geschiedenis van de kunst kennen een schilderkunstige en een literaire variant, en net als bij Cobra spelen nauwe betrekkingen tussen personen daarbij vaak een grote rol. Maar de concrete vorm die de samenwerking bij Cobra aannam, mag toch uitzonderlijk worden genoemd. Dichters die teksten schrijven *in* schilderijen, gouaches en tekeningen, en beeldende kunstenaars die aan de totstandkoming van teksten en tekstuitgaven bijdragen op een manier die uitgaat boven en buiten illustreren, dat is zelden eerder vertoond in de mate waarin dat bij Cobra het geval is geweest.

Het meest vérstrekkende gevolg van het samen optrekken van schilders en schrijvers - en daardoor ook het meest bekend geworden - is zonder twijfel de literaire Beweging van Vijftig geweest, waarvan het ontstaan ten nauwste met Cobra verbonden is. De literaire beweging die zo'n grote invloed heeft gehad op de ontwikkeling van de Nederlandse poëzie, ontstond weliswaar in en uit Cobra, maar ontwikkelde zich gedeeltelijk ernaast en erna. *Binnen* Cobra had het samengaan van schilders en schrijvers een andere, een eigen status.

Al bij de feitelijke totstandkoming van de 'organisatie' Cobra speelden literatoren een rol. De twee Belgen die Cobra mee oprichtten, waren schrijvers: Christian Dotremont en Joseph Noiret. Zij vertegenwoordigden de hoofdzakelijk uit (Franstalige) schrijvers bestaande groep Surréalistes révolutionnaires.

Belangrijker is dat er vanaf het begin een uitgesproken en in praktijk gebracht streven bestond naar opheffing van het onderscheid tussen schrijven en schilderen. De aandacht voor de picturale waarde van het (hand)schrift, die al aanwezig was in de pre-Cobra-tijd bij de Denen, in het bijzonder bij Asger Jorn (1), kan men nog als voornamelijk schilderkunstig beschouwen. Maar vanaf het moment dat - in 1948 - Jorn en Dotremont samen experimenteerden met het op één doek organisch vermengen van woorden en beelden, werd collectief werken een programmatisch kernpunt van Cobra.

De achterliggende gedachte daarbij was, dat elementaire expressiedrang (die van het kind, van de 'primitief' en van de volkskunst) zich niets gelegen laat liggen aan de onderscheidingen en de specialismen die in de officiële kunst gelden. Daarom tekenden en schilderden de niet-

Poetry and the visual arts have been described to as siblings, and the Cobra movement shows the best side of brotherly, or perhaps sisterly, love. Of course the Cobra movement did not invent this type of alliance between painters and writers. It is true to say that in the history of the Arts nearly all the movements had an artistic and literary variant, and, as was the case with Cobra, the interaction between the factions was fed by the intimate personal relationships between members. Nevertheless, in the case of Cobra, the alliance took on such an outwardly visible form, that it warrants being thought of as exceptional. Poets writing texts *onto* paintings, gouaches and drawings, and artists who contributed to the production of texts and publications in a way that went beyond mere illustration — all this had seldom been seen so fully before the Cobra movement.

The most far-reaching, and consequently most well-known, result of this mutual cooperation between painters and writers is, without doubt, the literary movement of the 1950s, called the Vijftigers, was closely connected with Cobra. This literary movement, which had an enormous influence on the development of Dutch poetry, was established both within and beyond Cobra's sphere of influence. Its development ran parallel to the Vijftigers movement but it continued after Cobra had reached its zenith. *Within* Cobra, the alliance between painters and writers had a quite different status.

The story begins with the part played by Belgium in the actual foundation of the 'organization' Cobra, as it was chiefly formed by the (Frenchspeaking) writers who were already grouped in the movement *Surréalistes révolutionnaires*. They were represented at the founding of Cobra by Christian Dorremont and Joseph Noiret.

The need was also expressed from the very start to attempt to eliminate the differences between writing and painting. Wherever possible, this ideal was put into practice. The attention paid to the pictorial value of (hand)writing, which had already been important in pre-Cobra times among the Danish contingent, (particularly advocated by Asger Jorn), indicated that it was usually considered to be on a par with painting. But from the moment, in 1948, when Jorn and Dotremont experimented with an organic mixture of word and image, collective works became one of the main lines of Cobra. The thinking behind this is that the elementary urge to express oneself (that of the child, of the 'primitive', and of folk-art) is in no way hindered by the divisions and specialisms which hold for officially recognized art. This is why non-painters actually draw

schilders en waagden de niet-dichters zich aan poëtische teksten. Vooral Christian Dotremont is de drijvende, om niet te zeggen driftige, kracht geweest die deze kant van Cobra gepraktiseerd, gestimuleerd en hartstochtelijk verdedigd heeft. Het resultaat (niet alleen van Dotremonts activiteit) is een stroom van woordschilderingen, peintures-mots, poèmes-peintures, dessins-mots, tableaux-mots, objets-mots, poèmes-objets, desins-poèmes, tekening-gedichten, tekst-tekeningen, logogrammen.... het aantal benamingen geeft een indruk van de grote diversiteit aan meng- en samenwerkingsvormen. Een deel daarvan resulteerde in boekuitgaven waarin beeldend werk en teksten in meer of mindere mate geïntegreerd zijn. Een puur bibliografische inventarisatie daarvan, en dan nog alleen van de Nederlandstalige publikaties, bestaat al een compleet boekdeel. (2)

and paint, and non-poets try their hand at writing poetic texts. Christian Dotremont was the driving, or rather irascible force behind this side of Cobra activities, which he himself practised, stimulated and passionately defended.
The result is (from Dotremont and others) a collection of word-paintings, peintures-mots, poèmes-peintures, dessins-mots, tableaux-mots, objets-mots, poèmes-objets, dessins-poèmes, drawing-paintings, text-drawings, logograms ... the number of names gives you some idea of the immense diversity of the mixed and combined forms. Part of the collection was published in book form with the pictures and texts more or less integrated. A bibliography of just the Dutch language publications fills a complete volume.
The importance of working collectively, even for the painters, cannot be denied,

Omslagen van *Braak* en *Reflex*, links naar rechts: Otto Gøtz, Corneille en Remco Campert ('Appel-vervalsing')

Covers for *Braak* and *Reflex*, l. to r.: Otto Götz, Corneille and Remco Campert ('Appel falsified')

Het belang van het collectief werken - ook van de schilders onderling - is onmiskenbaar groot geweest en staat hier niet ter discussie. Tot op zekere hoogte *was* Cobra die samenwerking. Maar hoe groot het belang ervan ook geweest moge zijn voor de deelnemende kunstenaars, de *waarde* van de resultaten valt daar niet mee samen. Beziet men die resultaten zónder het Cobra-parool te delen dat de voortbrengingsdaad van veel groter betekenis is dan het voortgebrachte, dan moet worden gezegd dat bij lange na niet alle produkten van de vermenging van schilderen en schrijven hoge ogen gooien, niet in schilderkunstig en zeker niet in literair opzicht. Niet elke geschreven of geschilderde tekst is een gedicht netzomin als elke verfstreek een schilderij is. De waardevolle resultaten zijn die waarbij een échte schilder en een échte dichter het spel samen speelden.

nor is it called in question here. To a certain extent, Cobra *was* this joint effort. But no matter how great the importance may have been for the artists who participated, the *value* of the results is a different matter altogether. If you look at those results without sharing the Cobra philosophy that the working process is of much greater importance than the final result, then it must be said that not all the results of mixing painting and writing are that exceptional not as far as painting is concerned — and certainly not as far as literature is concerned. The valuable results are those in which a true painter and a true poet played their game together.
One of the better examples is *Good morning cockerel* by Constant Nieuwenhuys and Gerrit Kouwenaar. It has all the characteristics of Cobra. The drawing and handwritten text are a real unit: it is easy to see that they were created at the same time

Van de betere voorbeelden is *Goede morgen haan* van Constant Nieuwenhuys en Gerrit Kouwenaar het meest representatief. Het vertoont alle karakteristieke kenmerken van Cobra. Tekening en handgeschreven tekst zijn werkelijk één: men *ziet* dat ze tegelijk en in directe wisselwerking tussen tekenaar en dichter zijn ontstaan. Men ervaart de improviserende spontaneïteit, ook als men niet weet dat het boekje in twee ochtenden, of misschien zelfs op één dag gemaakt is. Tekeningen en teksten zijn natuurlijk niet écht kinderlijk-primitief, maar wel zo direct dat een kinderlijk-primitieve wereld meer dan gesuggereerd wordt: "HOERA is een woord, dat is altijd jarig". Normen en vormen van traditionele esthetiek zijn - bijna vanzelfsprekend - volstrekt afwezig.

and as the result of a direct interplay between artist and poet. One experiences the improvising spontaneity, even if one does not realize that the booklet was made in two mornings, or possibly in the course of a single day. Drawings and texts are of course not really childishly primitive, but so direct that a child-like, primitive world is quite definitely suggested, as in the line: 'HOORAY is a word, that is always having a birthday'. Norms and traditional forms of aesthetics are — almost as a matter of course - completely lacking. What mostly radiates from each page is gaiety and joy, which - it is true — does not harmonize well with serious art. It is not a case here of opening an attic-window — as Eugene Brands so aptly expressed it in *Reflex* no. 1, but rather of throwing all the windows

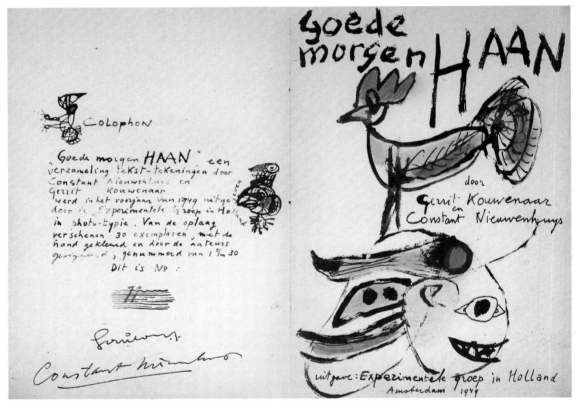

Twee pagina's uit 'Goede morgen haan' van Constant en Kouwenaar, 1949 (collectieve werken no. 5)

Two pages from 'Good morning rooster' by Constant and Kouwenaar, 1949 (collective works, no. 5)

Bovenal straalt van elk blad een vrolijkheid en een blijheid af, die - inderdaad - niet in overeenstemming is met serieuze kunst. Hier wordt niet - in de woorden van Eugène Brands in *Reflex,* no. 1 - een dakvenster opengestoten, maar alle ramen en deuren staan open en hier en daar is ook nog een wand gesloopt.
Wat aan de teksten extra opvalt, is de grote diversiteit aan vormen of typen tekst. Die loopt van een nonsensicaal klankgedicht:

> "Is teefe?"
> "Is taafe?"
> " rankodem driNK?"
> "Walsloten driNK!"

tot bijna-proza-teksten van vrij eenvoudig verhalende aard, zij het lichtelijk fantastisch, in keurige, grammaticaal correcte zinnen met hoofdletters, komma's,

and doors wide open and knocking a wall down here and there too.
What is equally striking about the texts is their great diversity. These range from a nonsensical sound-poem:

> 'Is teefe?'
> 'Is taafe?'
> ' rankodem driNK?'
> 'Walsloten driNK!'

to almost-prose-texts of a fairly simple narrative kind, albeit rather fantastic, in polished grammatically correct sentences with capitals, commas, full-stops and all the other required markers.
If one is to judge by the texts, then 'experimental' takes on the significance of: freedom, joy; anything is permissible, anything is possible.
Schierbeek, in a general observation

punten en al.

Gaat men af op deze teksten dan lijkt 'experimenteel' vooral te betekenen: vrijheid, blijheid; alles mag, alles kan.

In een algemene beschouwing over de experimentelen gebruikt ook Schierbeek de formule "Alles kan, alles mag", maar hij voegt er aan toe: "als je het kunt!" (3) Met die voorwaarde, die een beperking is, komt iets als talent om de hoek kijken en wordt een van de Cobra-concepten als utopisch ideaal bestempeld. Het is de gedachte, die al aanwezig is bij de Deense voorgangers, dat alle mensen kunstenaars zijn, dat ze het alleen zelf niet geloven.

Voor Nederland betekent Cobra niet alleen een ingrijpende schilderkunstige vernieuwing, maar is zij tevens de bakermat van een literaire revolutie die het

about the experimentalists, used the formula 'Anything is permissible, anything is possible!' but he adds to it: 'if you can do it!' With this condition, which works as a restriction, the idea of talent is introduced, and straight away one of the Cobraconcepts is reduced to a Utopian ideal. This is the idea, already found in the Danish predecessors, that we are all artists; we just need to beleive it.

For the Netherlands, Cobra did not just mean a drastic artistic innovation, it was also the cradle of a literary revolution, which was be determine Dutch (Dutch-language) poetry for decades afterwards. In this respect the Dutch situation was quite different from that in other countries. In Denmark a few writers were involved in the movement but no more

beeld van de Nederlandse (Nederlandstalige) poëzie voor tientallen jaren zal bepalen. In dat opzicht verschilt de Nederlandse situatie belangrijk van die in andere landen. Noch in Denemarken, waar incidenteel wel schrijvers betrokken waren bij de beweging maar niet anders dan in het algemeen bij kunststromingen het geval is, noch in Franstalig België, waar de betrokken Surréalistes révolutionnaires een marginale groep zijn gebleven, noch in een van de andere landen waar Cobra heeft rondgewaard, is een literaire beweging ontstaan die ook maar in de verte te vergelijken is met die van de Vijftigers of Experimentelen. (De Vlaamse literatuurvernieuwing rond het tijdschrift *Tijd en Mens* staat slechts in verwijderd verband met de Nederlandse Experimentelen en, afgezien van Hugo Claus, los van Cobra.)

than in any other artistgroup; in French speaking Belgium the *Surréalistes révolutionnaires* remained a marginal group; in none of the other countries where Cobra had an influence, was there a literary movement that was in any way comparable with the Vijftigers or the Experimentals. The Flemish literary revolution which centered around the magazine *Tijd en Mens,* should only be seen in loose connection with the Dutch Experimentalists and, apart from Hugo Claus, separate from Cobra.

The actual bond between the Vijftigers movement and Cobra has been described and documented at great length elsewhere. To mention a few facts: the three poets who form the kernel of the group Elburg, Kouwenaar and Lucebert - were members of the 'Experimental Group in Holland' at the moment when it was

Omslag van *De blijde en onvoorziene week* van Appel en Claus,
1951 (collectieve werken no. 3)

Cover from 'The joyful and
unexpected week' by Appel and
Claus, 1951 (collective works,
no. 3)

De ronde kant van de aarde van
Appel en Andreus, 1952 (collectieve werken no. 2)

'The round side of the world'
by Appel and Andreus, 1952
collective works, no. 2)

Het feitelijk verband tussen de beweging
van Vijftig en Cobra is elders uitvoerig
beschreven en gedocumenteeerd. Om
slechts een paar van de belangrijkste feiten te noemen: de drie dichters die de kern
vormen van de beweging van Vijftig,
Elburg, Kouwenaar en Lucebert, zijn lid
van de 'Experimentele Groep in Holland'
op het moment dat die opgaat in Cobra;
de term 'experimentelen' die lange tijd
nagenoeg synoniem is geweest voor 'Vijftigers', is afkomstig uit de Deense, voornamelijk schilderkunstige voorgeschiedenis van Cobra; Gerrit Kouwenaar
publiceert als woordvoerder van wat op
een bepaald moment zelfs de 'Sectie Literatuur van de Experimentele Groep Holland' heet, in het tweede nummer van
Reflex het artikel 'Poëzie is realiteit' dat in
programmatisch opzicht geheel overeen-
stemt met het 'Manifest' van Constant; in
hetzelfde nummer van *Reflex* debuteert
Lucebert als dichter met zijn fel-politieke
'Minnebrief aan onze gemartelde bruid
Indonesia', nadat eerder al Elburg een
gedicht had bijgedragen aan het eerste
nummer van genoemd tijdschrift; en tenslotte het schandaal dat de roemruchte
tentoonstelling van november 1949 in het
Stedelijk Museum van Amsterdam ver-
wekte. Dat was niet in de laatste plaats een
gevolg van de actieve deelname van de
schrijvers in hun 'dichterkooi' en vooral
op hun voordrachtsavond.
De geschiedenis van deze externe betrekkingen tussen Cobra en Vijftig is natuurlijk maar de helft van het verhaal, of minder dan dat. De werkelijke overeenkomsten liggen dieper en zijn essentiëler. Het
zijn de gemeenschappelijke mentaliteit
en het gemeenschappelijk streven, voort-
komend uit de gemeenschappelijke situatie. In algemene zin verschilde de situatie
van de schrijvers niet van die van de beeldende kunstenaars. De sleutelwoorden
zijn dan ook dezelfde: het echec van de
Westers-burgerlijke cultuur, verzet tegen
de dreigende restauratie, algehele ver-
werping van traditionele normen en
waarden; vanuit het nulpunt in ongebon-
denheid zoeken naar "een nieuwe, voor
ieder verstaanbare, vitale poëzie, die niets
anders wil dan een manifestatie zijn van
het leven, het grote ogenblikkelijke
leven" (4); terug naar de elementaire, universele creativiteit van het kind en de
volkskunst, directe expressie, spontane-
iteit.
Gemeenschappelijke uitgangspunten en
een gemeenschappelijk streven mogen
niet verward worden met een feitelijke
werkwijze en/of met de concrete uitslag
ervan. Anders gezegd: als schilderen en
schrijven *niet* hetzelfde zijn - en dat zijn ze
niet - dan kunnen bij gemeenschappelijk-
heid van uitgangspunten en streven toch
belangrijke verschillen optreden in werkwijze en resultaat. Enerzijds zijn die het
gevolg van het fundamentele verschil tussen verf en taal als uitdrukkingsmiddelen
en als materiaal - van te meer belang waar

incorporated into Cobra; the term 'experimentalists' which for a long time was
synonymous with Vijftigers, arose from
the Danish, mainly artistic, history of
Cobra; Gerrit Kouwenaar, as spokesman
of what was then called the 'Literary
Department of the Experimental Group
of the Netherlands', published an article
in the second number of *Reflex* called
'Poetry is reality' which, programmat-
ically speaking, is in complete agreement
with Constant's 'Manifesto'; in the same
Reflex number Lucebert made his debut
as a poet with his bitingly-political 'Love-
letter to our tortured bride Indonesia', in
the footsteps of Elburg, who had already
published a poem in the first number; and
finally it should be said that the scandal
caused by the famous exhibition in the
Stedelijk Museum in Amsterdam in 1949,
was largely attributable to the active participation of the writers in their 'poet's
cage' and particularly to their poetryread-
ing evening.

The history of these external alliances between Cobra and the Vijftigers group is of
course only half the story, or even less. The
true similarities lie far deeper and are far
more essential. They are to be found in the
joint interaction and the combined effort
which arose from the communal situation. Generally speaking, the situation of
the writers was no different from that of
the artists. The key words were the same:
the overthrow of Western middle-class
culture, a general rejection of traditional
norms and values; going right back to ba-
sics and searching unfettered for 'a new,
vital sort of poetry, accessible to everyone,
which aims at being representative of life,
the great life of the moment'; back to the
elementary, universal creativity of the
child and folk-art, direct expression and
spontaneity.

Communal starting points and communal efforts should not be confused with
their method of work in practice and/or
with the concrete products which resulted from them. In other words: if
painting and writing are *not* the same —
and they are not - then when you depart
from communal ideals and effort you
may still be confronted with differences
in methods and results. On the one hand,
these are a result of the fundamental difference between paint and language as
methods of expression and as materials:

'Enerzijds kan men de internationale Cobra zien als een vergaarbak van wat op een gegeven moment in verschillende landen buiten de marge liep... Aan de andere kant evenwel kan men Cobra ook zien als iets kernachtigers, iets dat bepaalder is dan de veelkantige en non- conformistische revolte van een jonge na-oorlogse generatie... En ik meen dat deze Cobrakern voornamelijk vertegenwoordigd wordt door wat omstreeks '50 speciaal door de Kopenhaagse en Amsterdamse experimentelen werd nagestreefd. Ik meen dat wat de kern van Cobra is geweest in feite een typische "noordelijke" aangelegenheid was, die met name in het verlengde van het expressionisme lag. Het expressionisme dat van het dualisme vorm- inhoud nooit een probleem van de eerste orde heeft gemaakt, zulks bijv. in tegenstelling tot het surrealisme dat aan deze problematiek om het sterk te zeggen min of meer zijn bestaan ontleent' (Gerrit Kouwenaar in: *Museumjournaal* jan.-febr. 1962)

'One way of looking at the international Cobra movement is to see it as an international receptacle for everything beyond the fringe in specific countries at a specific time... you might also consider Cobra to be something more crucial, something more definite than the many-sided non-conformist revolt of a young post-war generation... And I mean that this pivotal Cobra element was mainly represented by what the Copenhagen and Hague experimentalists stood for in about 1950. I mean that, what they were striving for in Cobra was in fact a typically Northern phenomenon, which , to be specific, followed on in a direct line from expressionism. The sort of expressionism that never made a great issue out of the dualism inherent in the form-content opposition. This, in contrast to surrealism, which, to put it in a loaded fashion, owed its existence to this dichotomy.' (Gerrit Kouwenaar in: *Museumjournaal* Jan-Feb 1962)

in de theorie van Cobra zo'n centrale rol wordt toebedeeld aan de 'zelfwerkzaamheid' van het materiaal. Anderzijds waren ook de externe omstandigheden voor schilders en dichters niet voor honderd procent gelijk. Zo'n externe omstandigheid was, dat er rond 1950 voor de schilders heel wat meer bestond om zich tegen af te zetten dan voor de dichters. In de beeldende kunst was in de voorafgaande decennia een hele reeks -ismen ontstaan, die ieder voor zich een uitgesproken richting vormden, ieder met een eigen theorie. Samen vertegenwoordigden ze de hele scala van uiterst abstract tot extreem realistisch: het cubisme (of minstens de nawerking ervan), het expressionisme (zelf een hele waaier van figuratief tot abstract), het constructivisme en neo-plasticisme van *De Stijl*, het deels abstracte surrealisme, het (vooral Hollands) magisch realisme van Willink, Koch, Heynckes en anderen. Niet dat al deze stromingen werden onderwezen aan de kunstacademies (maar alleen al het bestaan van deze instellingen doet de positie van schilders belangrijk verschillen van die van beginnende schrijvers!), maar ze waren wel bekend, al was het maar door de serie tentoonstellingen die Sandberg na de oorlog wijdde aan de 'klassieken van de 20e eeuw'.

Wat stond daar aan de kant van de poëzie in Nederland tegenover? Geen veelheid van onderscheidbare richtingen of scholen, maar slechts één, en dan nog vaag, conglomeraat van realisme en romantiek, belichaamd in het tijdschrift *Criterium*, dat de oude tegenstelling tussen het rationalisme van *Forum* en het expressionisme trachtte te overbruggen. De enige uitschieters waren Nijhoff en - pas sinds kort - Achterberg, terwijl het modernistisch werk van Van Ostaijen nauwelijks bekend was. Die situatie in de Nederlandse literatuur werd toentertijd door bijna iedereen, dus niet alleen door jonge heethoofden, als een malaise ervaren; en de roep om vernieuwing was algemeen.

Daar komt nog bij dat de literatuur, die door haar medium toch al minder internationaal georiënteerd is dan de beeldende kunst, al vóór de oorlog de aansluiting met buitenlandse ontwikkelingen had gemist. Dadaïsme en surrealisme waren grotendeels aan Nederland voorbijgegaan. Daardoor is Vijftig meer dan Cobra een inhaalmanoeuvre ten opzichte van het buitenland, in het bijzonder met betrekking tot het surrealisme.

In ongeveer dezelfde bewoordingen als Constant wijst Kouwenaar het surrealisme als school, als beweging af, omdat het verstard is in eenzijdige formalistische dogma's, maar tegelijk prijst hij het, omdat het "in zijn zuiverste vorm een gebied heeft opengestoten, dat zowel in beperkt-artistiek als in menselijk opzicht een ontdekking van de eerste rang betekent", namelijk het onderbewustzijn. (5)

particularly important since Cobra theory emphasizes the central role of the materials in the creative process. On the other hand, the external conditions for painters and poets were not exactly the same. The situation was such around 1950 that there was more for painters to rebel against than for poets. In the visual arts a whole string of 'isms' had cropped up in the preceding decade, each with its own deliberate direction, each with its own theory. Together they represented the whole scala from extremely abstract to extremely realistic: cubism (or its aftermath), expressionism (itself a whole palette from figurative to abstract), constructivism and neo-plasticism of De Stijl, partly abstract surrealism, the (particularly Dutch) magic realism of Willink, Koch, Heynckes and others. Not that all these styles were taught at art colleges (the very existence of these institutions makes the start of an artist's career very different from that of a writer's!), but they were well-known, even if only through the series of exhibitions after the war which Sandberg dedicated to 'Classics of the 20th century'.

What did the poetry scene in the Netherlands have to offer? Not a number of definable styles or schools - there was in fact just one - and that was vague, a conglomeration of realism and romanticism, embodied in the journal *Criterium*, which attempted to mediate between the rationalism of *Forum*, and expressionism. The only breath of fresh air was Nijhoff and — the newly arrived — Achterberg, whilst the modernist work of Van Ostaijen was hardly known at all. It was not just the young hotheads who recognized that Dutch literature was ailing; it was quite clear to everyone and there was a general desire for innovation.

In addition, Dutch literature, which due to its medium is less internationally oriented than art, had already missed joining up with the foreign developments before the war. Dadaism and surrealism had passed the Netherlands by. In this respect the Vijftigers movement — more than Cobra — was an attempt to catch up with abroad, in particular with respect to surrealism.

In almost the same phraseology as Constant, Kouwenaar rejects surrealism as a school and as a movement. He rejects it because it is rigid with one-sided formalistic dogmas, but at the same time he admires it because 'in its purest form it has opened up an area, which in respect of both restricted artistic and human aspirations has made a discovery of the first order', namely the subconscious.

The poetry of the 1950's shows more surrealist characteristics than Cobra's visual material does. In any case, surrealist techniques and 'games' like *ecriture automatique* and *cadavre* start being applied. Jan Elburg had already written texts during the war

De poëzie van Vijftig vertoont, naar het mij voorkomt, dan ook meer surrealistische trekken dan het beeldend werk van Cobra. In ieder geval worden surrealistische technieken en 'spelletjes' als *écriture automatique* en *cadavre exquis* toegepast. Jan Elburg schreef al in de oorlog teksten die duidelijk neigden naar surrealisme en dadaïsme "al beschouwde hij ze toen zelf als een poging tot kolderpoëzie." (7) Tijdens Vijftig zelf - en daar ligt al meteen een verschil met het orthodoxe surrealisme - werden de technieken eerder als middel gebruikt dan als doel, meer als startmotor voor de verbeelding dan als eindresultaat.

which showed definite leanings towards surrealism and dadaism 'even if he himself saw them as an attempt at nonsense poetry.' During the 1950's — and here lurks a difference from orthodox surrealism — the techniques were more used as a means than as an end in themselves, more as an ignition mechanism for the imagination than as a final result.

For example, there are a number of rough papers still in existence of Lucebert's, in which he plays a variant of *cadavre* all on his own, namely the question and answer game in which the answer is formulated independently of the question which results in a completely random correspond-

April in Paris van Corneille en Claus 1951 (collectieve werken no. 10). In dit nooit gepubliceerde boekje staan de gedichten van Claus boven de gouaches van Corneille. In 1987 verscheen hiervan een eerste druk waarbij tekst en beeld afzonderlijk uitgegeven werden

'April in Paris' by Corneille and Claus, 1951 (collective works, no. 10). This unpublished book contains poems by Claus above gouaches by Corneille. In 1987 a first edition of this was published, in which text and illustration were printed separately

Van Lucebert zijn bijvoorbeeld enkele kladpapieren bewaard, waarop hij in zijn eentje een variant van het *cadavre exquis* speelt, namelijk het vraag-en-antwoordspel waarbij het antwoord onafhankelijk van de vraag wordt geformuleerd en dus het verband tussen vraag en antwoord volstrekt willekeurig is. Van zo'n blad waarop vijfendertig absurde vraag-en-antwoord-combinaties staan, zijn er maar negen ooit in een gedicht gebruikt. Met andere woorden: er vindt een rigoureuze selectie plaats uit het toevallig gevonden materiaal; de willekeur én de spontaneïteit worden achteraf onder controle gebracht.

ence between question and answer. Of the 35 absurd question and answer combinations on the paper only nine were ever used in a poem. In other words: a rigorous selection took place from accidentally accumulated material; the randomness and the spontaneity are brought under control at a later point in time.

In one important respect surrealism was not only overtaken but actually surpassed. All the language escapades in surrealism occur at word level (sound, letter and other *word* games) and at the level of the relationship *between sentences*. The actual construction of the sentence was left alone, that is: in tact. The 'scientific' ex-

In één, belangrijk opzicht werd het surrealisme niet alleen ingehaald maar ook een flink eind voorbijgestreefd. Alle taalescapades van het surrealisme spelen zich af óf op het niveau van de woorden (klank-, letter- en andere *woord*spelen) óf

planation for this was that the psychoanalysts, whom surrealists were keen to learn from, had laid down that in the language of dreams — and thus in the subconscious — a great number of 'irregularities' occurred with words, images and

Omslag van een dichtbundel
van Lucebert (Den Haag 1951)

Cover of a collection of poems
by Lucebert (The Hague, 1951)

op het niveau van de relatie *tussen zinnen*.
De zinsbouw zelf bleef buiten schot, dat
wil zeggen: intact. De 'wetenschappelijke'
verklaring daarvoor was, dat de psycho-
analytici, bij wie de surrealisten graag in
de leer gingen, hadden vastgesteld dat in
de taal van de droom - en dus in die van
het onderbewustzijn - er van alles en nog
wat aan 'onregelmatigs' gebeurde met
woorden, beelden en gedachtegangen,
maar dat de zinsbouw er ongeschonden
grammaticaal bleef.
De Vijftigers voegden een complete
dimensie toe aan een vrij taalgebruik door
ook de grammatica van de zin open te
breken. Mede daardoor is meerduidig-
heid een van de hoofdkenmerken van het
experimentele taalgebruik: niet alleen
worden woorden in verschillende betekenissen tegelijk gebruikt, maar ook woord-
groepen en hele zinstukken krijgen verschillende betekenissen doordat ze op
meer dan één manier in de zin functione-
ren. Een betrekkelijk eenvoudig voorbeeld leveren de volgende slotregels van
een gedicht van Kouwenaar:

> het nadert. onleesbaar. bestaande
> het blijft
> > onverdragelijk
> > > uit - (8)

Het voorbeeld is daarom betrekkelijk
eenvoudig omdat in dit geval de typogra-
fie - de verdeling van de woorden over de
regels - de lezer attendeert op de mogelijkheid om verschillende combinaties te
maken, zoals:
het bestaat; het blijft bestaan; het blijft
aanwezig; dat het bestaat blijft onverdragelijk; dat het blijft is onverdragelijk; hoewel het bestaat, blijft het uit (= komt het
niet); dat het uitblijft is onverdragelijk;
(het gedicht is) uit (en misschien is ook dat
onverdragelijk).
In heel veel andere gevallen ontbreekt
zo'n typografisch attentie-signaal.
In plaats dus van het surrealisme over te
doen, zoals wel beweerd is, maakt Vijftig
gebruik van de verworvenheden ervan en
bouwt die verder uit. Iets dergelijks geldt
ook ten aanzien van andere bewegingen.
Luceberts veel geciteerde regels getuigen
ervan:

> de tijd der eenzijdige bewegingen
> is voorbij
> daarom de proefondervindelijke
> poëzie is een zee
> aan de mond van al die rivieren
> die wij eens namen gaven als
> dada (dat geen naam is)
> en
> daar dan zijn wij damp
> niemand meer rubriceert (9)

Een proza-variant van dezelfde Lucebert
drukt het misschien nog duidelijker uit:
"de zgn. experimentele stroming in de
hedendaagse Nederlandse literatuur is
niet, zoals algemeen beweerd wordt,

trains of thought, but that sentence structure remained purely grammatical.
The Vijftigers added a completely new
dimension to free use of language by also
opening up the grammatic structure of
the sentence. This is why one of the main
characteristics of experimental language
is multi-interpretability: not only are
words used with different meanings sim-
ultaneously, but word groups and whole
sentences take on a different meaning due
to their ability to function in more than
one way in a sentence. A reasonably
simple example can be taken from the
final lines of a poem by Kouwenaar:

it approaches. illegible. existing
it stays
unbearable
out-

The example is then relatively simple because in this case the typography — the
spread of the words over the lines —
makes the reader aware of the possibility
of making different combinations:

- it exists;
- it continues to exist;
- it continues to be present;
- the fact that it exists remains unbearable;
- the fact that it remains is unbearable;
- although it exists, it keeps out(it doesn't
  come);
- that it doesn't come is unbearable;
- (the poem is) out(finished) (possibly this
  is unbearable
In many other cases this attention-signal
is missing.
Instead of re-doing surrealism, as is often
contended, the Vijftigers made use of its
attainments and extended them even further. This is also true, to a certain extent,
of other movements. Lucebert's much-
cited lines show this:

the time for one-sided movements has
passed by
that is why experimental poetry is a sea
at the mouth of all those rivers
which we once gave names to like
dada (which isn't a name)
and once there we are vapour
nobody is categorizing any more

A prose-variant by the same Lucebert expresses it perhaps even more clearly: 'the
so-called experimental movement in
contemporary Dutch literature is not, as
is generally maintained, dadaist, realist or
expressionist, but a combination of all
these 20th century movements, their
logical progression at the present time; it
is therefore a versatile artistic-revol-
utionary tradition, purged of circumstan-
ces and moulded with modern experiences to a matchless present.'
A combination then, but paradoxically
enough: an artistic-*revolutionary tradition*.
And in fact, the relationship of the Vijftigers to tradition is more differentiated

De dichterkooi: 'Op het grote, bijna vierkante, zwartge-schilderde achtervlak van de ver-der door latwerk omgeven ruimte werden door de dichters een aantal traditionele dicht- en essaybundeltjes gena-geld...Vooral Lucebert weerde zich bij het inrichten van de kooi geducht. Een stuk of vier, vijf tekst/peintures van zijn hand hingen tegen de tralies. Een ervan had de provocerende aan-vangsregel: 'mijn hanen zijn vol kakkende rozen...Tegenover al deze door Lucebert vervaardigde paneeltjes hingen een paar mon-tages door Elburg samengesteld met behulp van kleurenrepro-ducties uit tijdschriften... Een paar meer dan manshoog uit-geschreven fragmenten, die ook al in *Cobra* waren afgedrukt, werden op een andere plaats aan de muur gespijkerd' (Jan G. El-burg in: *Geen letterheren*, Amster-dam 1987)

The poet's cage: 'On the large, almost square black backcloth in a room which was further covered in trellis work, the poets had nailed up a number of tradi-tional poems and collected es-says... Lucebert in particular was a formidable opponent of the cage idea. About four or five of his texts/paintings were hung at the bars. One of them had the provoking opening line: "my cockerels are full of shitting roses...." Opposite the many pa-nels made by Lucebert there were a couple of assembled works, gathered by Elburg with the aid of colour prints from ma-gazines. A couple of man-size fragments of writing, which had appeared in Cobra, were nailed to the wall in a different spot.' (Jan G. Elburg in: *No Literature Gentlemen,* Amsterdam 1987)

dadaïstisch, surrealistisch of expressionis-tisch, maar een samenvloeisel van al deze 20ste-eeuwse stromingen, hun logische voortzetting in deze tijd; een veelzijdig artistiek-revolutionaire traditie dus, van bijkomstigheden gezuiverd en door eigentijdse ervaringen tot een onvergelij-kelijk heden gevormd." (10)

Een samenvloeisel dus, maar ook para-doxaal genoeg: een artistiek-*revolutionaire traditie.* En inderdaad is in het algemeen de verhouding van Vijftig tot de traditie genuanceerder dan die van Cobra, genu-anceerder ook dan lange tijd is aangeno-men. Enkele niet willekeurige details kunnen dat illustreren.

Het openingsgedicht van Kouwenaars debuutbundel - een visitekaartje! - begint met de regels:

> Ik heb achter een woord staan luis-teren
> broeders luister ik vertel een ware historie (11)

Wie is nu de cultuurbarbaar: de dichter die dit schrijft, of de lezer die hierin niet onmiddellijk de echo hoort van de begin-regels van een van de oudst bekende lite-raire teksten in het Nederlands?:

> Fraeye historie ende al waer
> Mach ic u tellen, hoort naer. (12)

In het openingsgedicht van Elburgs bun-deldebuut-als-experimenteel zijn drie van de vijf strofen echte Sapfische strofen (drie regels van elf en een slotregel van vijf lettergrepen), een uiterst klassieke vers-vorm, zij het in het Nederlands zelden gebezigd. (13)

Net niet Luceberts debuut maar wel zijn als tweede gepubliceerde gedicht is 'Ver-dediging van de 50-ers'. (14) Alleen al door zijn titel is dit gedicht verbonden met een eeuwenoude traditie van mani-festen. Via onder andere Shelley's *A Defence of Poetry* (1821/1840) en Sir Philip Sidney's *An Apology for Poetry/The Defence of Poetry* (1595), een manifest van een nieuwe dichterschool, gaat de titel terug tot Du Bellay's *La Deffence et illustration de la langue francoyse* (1549), het manifest van de nieuwe school der Pléiade-dichters en vooral de verdediging van een literatuur in de volkstaal (het Frans) tegenover het Latijn van de humanisten. Maar niet alleen door zijn titel wortelt Luceberts manifest in de traditie, ook de versvorm mag er zijn. Het gedicht telt acht strofen van zes regels en een slotstrofe van zeven regels. Het rijmschema (jawel!) is, met een variant in de strofen zeven en acht, steeds hetzelfde: a-b-a-c-c-b. In alle strofen hebben de b-rijmen (vol of assonerend) dezelfde rijmklank, zodat in het hele gedicht niet minder dan achttien regels op dezelfde klank rijmen. Daar komen er zelfs nog drie bij, doordat de variant in de zevende en achtste strofe bestaat in een extra b-rijm (a-b-b-c-c-b) evenals de

than is the case with Cobra, more dif-ferentiated than was first supposed. A few non-arbitrary details illustrate this. The opening poem in Kouwenaar's debut vol-ume — a visiting card! — begins with the lines:

I have stood listening behind a word brothers listen I am telling a true histori-cal picture

Who is now the cultural illiterate: the poet who writes it, or the reader who does not immediately recognize the first lines of the oldest extant text in the Dutch lan-guage?:

Fraeye historie ende al waer
Mach ic u tellen, hoort naer.

In the opening poem of Elburg's first col-lection as an experimentalist, three of the five stanzas are true Sapphic stanzas (three lines of eleven and one final line of five syllables), a classical verse-style, although not much used in the Netherlands.

Not quite Lucebert's debut, but in fact his second published poem is *Defence of the 50ers.* By its title alone this poem is allied with an age-old tradition of manifestos. By way of Shelley's *A Defence op Poetry* (1821-1840) and Sir Philip Sidney's *An Apology for Poetry* (1595) — the latter a manifesto for a new school of poetry — the title goes back to Du Bellay's *La Def-fence et illustration de la langue francoyse* (1549), the manifesto of the new school of Pléiade poets and particularly the defence of literature in the vernacular (French) rather than the Latin of the humanists. But it is not only Lucebert's title that an-chors his manifesto to tradition. It is also reflected in his verse form. The poem has eight stanzas of six lines each, and a final stanza of seven lines. The rhyme scheme (yes it has one!), is the same throughout: a-b-b-c-c-b, with a variation in stanzas seven and eight. In all the stanzas, the b-rhymes (full or assonant) have the same rhyming sound, so that throughout the complete poem no less than eighteen lines rhyme on the same sound. In fact this rhyme appears on three other occasions because the variant in the seventh and eighth stanza consists of an extra b-rhyme (a-b-b-c-c-b) as well as the extra line in stanza nine. The extra line in the final stanza (not the last line but the first in this stanza) is actually an envoy, a brief dedica-tory or explanatory conclusion, in this case directed to 'the peaceful Nether-lands'. All in all, a classical rhetorician's refrain! Possibly the traditional verse form is satirical or intended as a parody, but even then: if anything is permissible and anything is possible, you still have to pos-sess the skill to do it.

One should not draw the conclusion that the poetry of the Vijftigers was all tradi-tion. On the contrary, in many other re-spects this poetry was so totally different and shockingly new that the sort of tradi-tional elements - like the ones mentioned

DAG JAN

cobra is natuurlijk dood
cobra is bijgezet in het mausoleum van de
kunsthistorie
cobra is een goed geconserveerde mum-
mie
cobra is de geur van oude drukwerkjes
cobra is een jeugdliefde
cobra is die 78 toeren plaat van parker nog
eens opzetten
cobra is een proefschrift
cobra is niet meer

*

maar wat was cobra?
geen school, eerder een anti-school
geen stijl, eerder een anti-stijl
maar wat was cobra?
een spontaan complot van sujektieve
instellingen
maar wat was cobra?
(fragment)

Gerrit Kouwenaar

---

extra regel van strofe negen. Die extra regel in de slotstrofe (niet de laatste regel maar de eerste van deze strofe) is zowaar een 'prince', de directe aanspreking van diegene tot wie het gedicht gericht is of aan wie het is opgedragen, in dit geval "vredig Nederland". Alles bijeen dus een klassiek rederijkersrefrein! Misschien is die uiterst traditionele versvorm satirisch of parodiërend bedoeld, maar dan nog: als alles mag en alles kan, moet je het ook nog maar kunnen.

Hier mag natuurlijk niet uit worden afgeleid dat het een en al traditie was in de vroege Vijftigerspoëzie. Integendeel, in allerlei andere opzichten was ook de poëzie zo totaal anders en schokkend-nieuw dat het soort traditionele elementen als boven vermeld aanvankelijk — en ook nog lange tijd nadien — volledig over het hoofd is gezien. Dat is tot op zekere hoogte zelfs begrijpelijk als men bedenkt dat in deze zelfde 'Verdediging van de 50-ers' de hele Hollandse cultuur naar de vuilnisbelt wordt gescholden en — letter-lijk — gevloekt.

Een verschil dat al bij de beeldende kunstenaars bestond tussen Denen en Nederlanders, werkte versterkt door bij de experimentele dichters. De Deense ideeën over volkskunst berustten voor een belangrijk deel op de waardering voor volkse kunstuitingen uit het eigen nationale verleden.

Cobra, Constant voorop, neemt het volkskunst-parool over en kleurt het marxistisch in. Maar waar moesten de Nederlandse schilders een nationale volkskunst vandaan halen? Die was óf afwezig óf totaal onbruikbaar. Vandaar dat zij zich 'beperkten' tot de kinderteke-ning, althans daar veel sterker op georiën-teerd en geconcentreerd waren dan de Denen.

Bij de dichters vindt een verdere ver-schuiving plaats. Kinderlijk dichten is een enkele keer leuk, zoals in Goede morgen haan, maar kan onmogelijk dienen als blijvend alternatief; de experimentele poëzie is dan ook alles behalve kinderlijk. De veronderstelling is gerechtvaardigd dat bij de dichters deze 'opengevallen plaats' is ingenomen door wat de licha-melijkheid van de experimentele poëzie is gaan heten. Om als substituut te dienen voor volks en kinderlijk-primitief moet lichamelijkheid worden opgevat als tegenpool van rationalisme, eventueel nog als anti-intellectualisme, maar niet als anti-geest. Het was juist het dualisme van lichaam en geest dat overwonnen moest worden.
Kouwenaar: "Het lichaam, de zintuige-lijke ervaringen en wat daar bij wijze van spreken met sociaal, biologisch en vooral psychologisch elastiek aan vast zit, is hun – de experimentele dichters –, meer dan welke idealistische humanitaire preposi-tie ook, middel en maatstaf om door te dringen in de menselijke existentie." (15) Als centrum en bron van álle menselijke

---

above - were completely ignored for a very long time afterwards.

That is to a certain extent understandable, if one remembers that in this same *Defence of the 50ers* the whole of Dutch culture is relegated to the rubbish dump and lite-rally damned.

A difference which already existed be-tween the artists, between the Danes and the Dutch that is, was further intensified in the case of the experimental poets. The Danish ideas on folk-art were based for the most part on the appreciation of folk-art artifacts from their own national past. Cobra, with Constant at the forefront, takes over the folk-art slogan and fills it in with shades of Marxism. But where were the Dutch painters supposed to get their national folk-art from? It was either non-existent or totally unusable. This was why they were 'restricted' to children's draw-ings, or at least why they were more in-clined to concentrate on them than were the Danes.

In the case of the poets, a further shift took place. Making child-like poetry is nice for once, like in *Good morning cockerel*, but cannot possibly function as a permanent alternative; therefore experimental poetry is anything but childish. The as-sumption is correct that in the case of the poets this 'gap' is filled by what came to be known as the corporal aspect of ex-perimental poetry. In order to be able to function as a substitute for the folk and child-like-primitive style, the corporal aspect must be seen as the opposite of ra-tionalism, perhaps even as anti-intellec-tualism, but not as anti-spiritual. It was the dualism of body and soul which had to be overcome.

Kouwenaar: 'The body, its sensual experi-ences and everything related to it by so-cial, biological and particularly psycho-logical ties, is for the experimental poets the means and the criterion for getting through to the essence of human exist-ence. This is more important to them than any other humanitarian proposi-tion.' As the centre of the source of all

67

'Lustful figures' van Corneille en Claus, 1951 (collectieve werken no. 9)

'Lustful figures' by Corneille and Claus, 1951 (collective works, no. 9)

ervaren, bewust zowel als onderbewust, garandeert zulke lichamelijkheid, of wordt verondersteld te garanderen: directheid, authenticiteit, het elementaire en universele, precies die kwaliteiten dus die ook gezocht werden in primitieve kunst en in uitingen van kinderen.

In onmiddellijk verband met deze opvatting van lichamelijkheid als eerste en laatste eenheid van de mens staat het totaliteitskarakter van de vroege experimentele poëzie. Wat poëzie-opvatting betreft verschillen de Vijftigers vooral hierin van

human experience, conscious and unconscious, this type of corporal emphasis guarantees: directness, authenticity, the elementary and universal, exactly the qualities which are also looked for in primitive art and in children's forms of expression. These views about the corporal singularity of humanity stand in direct relationship with the totality of earlier experimental poetry.

As far as their views on poetry went the Vijftigers differed from their immediate predecessors, in that they wanted to

'Driehoogballade' van Corneille en Vinkenoog, 1950 (collectieve werken no. 11)

'Third floor ballad' by Corneille and Vinkenoog, 1950 (collective works, no. 11)

hun onmiddellijke voorgangers, dat zij de poëzie een plaats willen (her)geven in het centrum van de werkelijkheid en het leven. Poëzie niet meer als randverschijnsel, als bijkomstige en luxe versiering van het leven, maar poëzie die midden in het leven staat, die de totaliteit van het leven en werkelijkheid representeert. Poëzie die "een manifestatie wil zijn van het leven, het grote ogenblikkelijke leven" (16), zal precies zo mooi en lelijk (!), precies zo vrolijk en droevig, precies zo irrationeel en absurd, kortom precies zo veelvormig zijn als het leven zelf is.

Lichamelijkheid en totaliteitskarakter zijn de hoofd-verantwoordelijken voor de ethische en esthetische geschoktheid en verontwaardiging bij publiek en kritiek, omdat eenvoudig alles wat tot dan toe taboe was geweest, plotseling in de poëzie werd binnengelaten.

Overigens is ook bij de dichters de hang naar primitieve kunst zo groot gebleven, dat hij mogelijk de aanleiding is geweest tot de volgende mystificatie. In het 7e en laatste nummer van *Braak*, het gerotaprinte tijdschriftje van Remco Campert, Rudy Kousbroek, Lucebert en Schierbeek, wordt een Zuidamerikaanse dichter van Indiaanse afkomst ten tonele gevoerd. Na een introductie door Jan Carrew (?) volgen zes pagina's Walt-Whitman-achtige natuurlyriek in het Engels. De naam van deze Engels schrijvende Zuidamerikaan van Indiaanse afkomst is Kona Waruk (één keer: War*e*k). Het is bijna uitgesloten dat die naam ní*e*t een anagram/pseudoniem is van Kouwenaar. Het kan een grap zijn geweest, maar dan is het er toch een die dicht aanligt tegen compensatie voor het gemis aan eigen volkse cultuur.

De vergelijking van Cobra-schilderkunst en Vijftiger-poëzie die verder wil gaan dan uiterlijkheden en bijkomstigheden, is uiterst problematisch omdat verf en taal als materiaal en uitdrukkingsmiddel fundamenteel van elkaar verschillen. Daardoor zijn sommige kernpunten van Constants schilderskunstige programma eenvoudig 'onvertaalbaar' voor de literatuur. Dat is bijvoorbeeld het geval waar Constant de experimentele scheppende gedachte omschrijft als 'een reactie op een ontmoeting van de menselijke geest met de ruwe materie'. Taal is, in tegenstelling tot verf, geen *ruwe* materie (als het al materie genoemd mag worden). Wie met taal wil werken als met ruwe materie, zal die taal eerst ruw moeten máken; dat wil zeggen: de woorden ontdoen van hun conventionele betekenissen, de daarin opgesloten 'afspraken' ongedaan maken. Deze wijze van omgaan met taal tégen het systeem-zelf van de taal in, verschilt principieel van de manier waarop de schilder met zijn materiaal werkt. In ieder geval ligt *spontane* omgang met het materiaal - een van de grondslagen van Cobra - voor de dichter een stuk verder weg dan voor de schilder.

(re)instate poetry at the centre of reality and life. No longer poetry as a fringe activity, as an extra luxurious decoration to life, but poetry which is central to life, which represents the totality of life and reality. Poetry that 'is prepared to be a manifestation of life, the great life of the moment', just as beautiful and ugly (!), just as happy and sad, just as irrational and absurd, in short: exactly as multi-facetted as life itself.

The totality and physical character of the work are the chief reasons for the public's and critics' reactions of ethical and aesthetic shock and indignance, for the simple reason that everything which hitherto had been taboo was suddenly allowed into poetry.

It is worth remembering that the poets' hankering after primitive art remained so huge that it was probably the cause of the next mystification. In the 7th and last number of *Braak*, the roller-printed journal produced by Remco Campert, Rudy Kousbroek, Lucebert and Schierbeek, a South-American poet of Indian ancestry is introduced onto the scene. After an introduction by Jan Carrew(?) follow six pages of Walt Whitman-like nature lyrics in English. The name of this South-American of Indian ancestry - writing in English - is Kona Waruk (once War*e*k). It seems virtually certain that the name is an anagram-pseudonym for Kouwenaar. It might have been a joke, but it is a joke which is very close to being a substitute for the lack of personal folk-culture.

At the core of all the poets who sometimes drew or painted — not always without merit — and painters who attempted poetry, we find Lucebert - one of the few who was doubly talented. As a poet he is indisputably the most important figure in the Vijftigers movement and throughout all the developments he is the one who remained most faithful to experimental language usage — and that has lasted right up to the present day. (Compare him with Kouwenaar who quickly disassociated himself from Cobra and the 50ers). Lucebert's relationship with Cobra is somewhat more complicated. He only took part in it as a poet, since he did not actually paint in the Cobra period, but later developed in that area so strongly that he might be called 'the purest follower of Cobra's ideals' and 'a complete Cobra painter'.

Poet and painter united in one person: there could not be a better subject for considering the relationship poetic art/fine art. The fact that Lucebert talks about this subject in almost every interview makes this apparent. His own statements on this point are not consistent. It is extremely difficult to draw parallels between the work of the Cobra painters and the poetry of the Vijftiger group, since both in material and means of expression, paint and words differ radically. That's why some of the essential elements in

Tekening van Lucebert uit de Dichterskooi (voor beschrijving zie p. 66 van dit boek)

Drawing by Lucebert from the Poets' Cage (see p. 66 of this book)

Ondanks deze stand van zaken wordt in de meste beschouwingen over Cobra en Vijftig gedaan alsof verf en taal één pot nat zijn. Eén voorbeeld uit vele: 'De gedichten zijn beelden die uit woorden bestaan, zijn picturale beelden zijn letters, die, voordat ze de lettertekens van het bewuste alfabet werden, afsloegen naar alfabel, en de fabels van zichtbare gestalten en vormen werden. Klinkklare tekeningen.' (17)

De geciteerde passage heeft betrekking op het werk van de dichter-schilder Lucebert, en dat is niet toevallig.

Temidden van dichters die bijna allemaal ook wel eens tekenden of schilderden - niet altijd onverdienstelijk - en schilders die zich waagden aan poëzie, is Lucebert een van de weinige echte dubbeltalenten. Als dichter is hij onomstreden de belangrijkste figuur van de beweging van Vijftig en door alle ontwikkelingen heen is hij ook het langst - dat wil zeggen: tot op de dag van vandaag - trouw gebleven aan het experimentele taalgebruik. (Vergelijk Kouwenaar die zich in sneltreinvaart verwijderd heeft van Cobra én van Vijftig). Luceberts verhouding tot Cobra is wat gecompliceerder. Hij nam er alleen als dichter aan deel, schilderde nog niet in de eigenlijke Cobra-periode, maar ontwikkelde zich later zo sterk in die richting dat hij "de zuiverste nastrever van de Cobra-idealen" en "op en top Cobraschilder" kon worden genoemd. (18)

Dichter en schilder in één persoon verenigd: een dankbaarder object voor beschouwingen over de relatie dichtkunst/beeldende kunst is niet denkbaar. Dat blijkt al uit het feit dat het onderwerp in bijna elk interview met Lucebert aan de orde komt. Zijn eigen uitspraken op dit punt zijn niet eensluidend. Soms lijkt het erop dat ook voor hem schilderen en schrijven in- en verwisselbaar zijn. Die passages worden het vaakst geciteerd, maar bij nader toezien gaat het dan meestal over iets anders dan over de verhouding schilderen/dichten. Bijvoorbeeld over studie en hard werken die je voor beide disciplines nodig hebt. Of over het werken vanuit de totaliteit van de kunstenaar, waaruit zowel gedichten als schilderijen voortkomen.

Maar als het aankomt op werkelijk vergelijken, dan maakt hij in het merendeel van de gevallen een scherp onderscheid: "Natuurlijk zijn dichten en schilderen of tekenen volkomen verschillende dingen." (19) Schilderen is "een handwerk, een aard bedrijf, je zit niet steeds in jezelf te boren." (20) "Gedichten schrijven is iets dat binnen in je gebeurt. Er is sprake van een andere concentratie dan bij schilderen, een concentratie op een *innerlijk denkproces*, taalproces, dat via gedachtenassociaties verloopt. Schilderen is een proces dat veel meer *buiten* je gebeurt, je zet iets buiten je, en daarop ga je door. Door het werken met de hand wordt daarbij het verbale proces afgesneden. (...) Schilderen is een lichamelijke bezigheid (...)" (21). Zowel

Constant's programme for painting simply cannot be translated into literary terms. That is for example the case when Constant describes the experimental creative though process as 'a reaction to the encounter between the human spirit and raw material'. Language, in contrast to paint, is not *raw* material — if indeed we can call it material. Anyone who wants to work with language int the same way as with raw materials, first has to transform that language into its raw state. That is, words must be stripped of their conventional meaning, the secret agreements which lie hidden in these meanings must be broken. This method of approaching language, against the very system that lies at the heart of the language, differs fundamentally from the way a painter relates to his material. Clearly, the spontanous relationship with one's material — one of the basic tenets of Cobra — is more difficult for the poet than for the painter. Nevertheless, in most studies of Cobra and the Vijftigers, the two are considered as if paint and poetry were one and the same thing. Take this example, one of many: 'The poems are pictures formed from words, the pictorial images are letters, and before the letter shapes were claimed by a particular alphabet they took a side turning towards alfable and became the fables of visible shapes and forms. Resounding images.' This passage, not surprisingly, refers to the work of the poet-painter Lucebert. Sometimes it seems as if writing and painting are equally important to him. These are the passages which are most quoted, but if examined more closely he is usually a subject other than the relationship painting/writing poetry. For example, it may be about studying and working hard which are essential to both disciplines. Or about working out of the totality of the artist, out of which comes both paintings and poems.

But if it is truly a case of pure comparison, then he usually makes a division: 'Of course writing poetry painting drawing are completely different things.' Painting is 'working with your hands, a down-to-earth business, you are not constantly drilling into yourself. The sort of concentration is different from that called for when painting, a concentration on an *inner thought process*, language process, which runs via thought-associations. Painting is something which occurs far more on the *outside*, you see something outside and then you follow it through. When working with your hands the verbal process is cut off(...) Painting is a physical activity(...)'. Both painting and writing 'demand a high level of concentration and in fact, my writing and painting periods are strictly separate like two compartments, with no connecting door.'

The eminent Lucebert-expert, Ad Petersen, is one of the few to draw the right conclusions from this. After mentioning a few substantial similarities like (general)

schilderen als schrijven "vereist grote concentratie en het is dan ook zo, dat mijn schrijf- en schilderperioden streng gescheiden zijn als twee compartimenten, waartussen geen verbinding bestaat." (22) De eminente Lucebert-kenner Ad Petersen trekt hieruit - als een van de weinigen - de juiste conclusies. Na de vermelding van enkele inhoudelijke overeenkomsten zoals (algemene) houding en thematiek, zegt hij: 'hoe beeldend Luceberts poëzie ook genoemd kan worden en hoe poëtisch zijn tekeningen, vergelijkingen zijn moeilijk verder door te trekken dan in deze algemene termen. Beeldende kunst bevindt zich op een ander vlak, in een andere ruimte. Luceberts schilderijen en tekeningen vormen een wereld apart, die tenslotte nauwelijks inzicht in zijn poëzie verschaft - en omgekeerd al evenmin, hoe duidelijk het aan de andere kant ook is dat we met één en dezelfde auteur te maken hebben.'(23)

Cobra en Vijftig hadden de pretentie, de kloof tussen kunst en maatschappij te dichten. Dat het niet gekomen is tot de volkskunst die in hun beider vaandel stond, is duidelijk. Maar even duidelijk is, dat beide bewegingen belangrijk hebben bijgedragen tot de democratisering van de kunst. Democratisering wil niet zeggen dat iedereen in gelijke mate deel heeft aan wat er in de kunst gebeurt. Wel, dat dat deelhebben in principe voor iedereen bereikbaar is. De kunst heeft weinig tot niets heiligs of hoogverhevens meer, ze heeft de ivoren torens en de gesloten tuinen verlaten. Tot die ontwikkeling, die in de jaren-50 is ingezet, hebben ongetwijfeld ook andere factoren bijgedragen, maar Cobra en Vijftig staan dicht bij de bron en de oorsprong ervan.

Onder andere daarom is het de vraag of Cobra en Vijftig definitief geschiedenis geworden zijn dan wel alleen maar hun veertigste verjaardag vieren. Laten we het houden op de regel van Lucebert die in 1988 prijkte op vuilniswagens van de Rotterdamse stadsreiniging:

het verhaal is zo goed dat het nog lang niet uit is.

attitude and themes he says : 'no matter how pictorial Lucebert's poetry may be and how poetic his drawings, it is difficult to draw comparisons other than in very general terms. Visual art is created along quite different lines, in a different space. Lucebert's paintings and drawings form a world all their own, which hardly throw any light on his poetry -- and the reverse is equally true, despite the obvious fact that we are confronted by one and the same author.' Cobra and the 50ers were pretentious enough to try and bridge the gap between art and society. It is clear that it did not result in the folk-art which they had had in mind. But it is equally clear, that both movements have played a part in democratizing art. Democracy does not mean that everyone has as much to do with what goes on in artistic circles. It does mean, however, that, in principle, anyone can participate. Art is no longer the holy of holies; the ivory towers and the walled gardens have been left for good. This development — which started in the 1950's — was no doubt influenced by other factors, but Cobra and the Vijftigers are close to the source and origin of this change.

For this reason one may wonder whether the 50ers and Cobra should definitely be relegated to the annals of history or whether they are just celebrating their fortieth birthday? Let us keep to Lucebert's line which was displayed on Rotterdam's refuse lorries in 1988:

The story is so good that it has a long way to go before it ends.

1. Dit en een aantal andere feitelijke gegevens in deze bijdrage zijn ontleend aan: Willlemijn Stokvis, *Cobra, Geschiedenis, voorspel en betekenis van een beweging in de kunst van na de tweede wereldoorlog.* Amsterdam, De Bezige Bij, 1974, 1985³.
2. Erik Slagter, *Tekst en beeld. Cobra en Vijftig.* Een bibliografie. Met bijdragen van Piet Thomas en Lucebert. Tielt, Lannoo, 1986.
3. Bert Schierbeek. *De experimentelen.* Amsterdam, J.M. Meulenhoff, z.j. (Serie: Beeldende kunst in Nederland); p.11.
4. Gerrit Kouwenaar, 'Poëzie is realiteit'. In: *Reflex*, no. 2, (febr.) 1949.
5. Gerrit Kouwenaar, 'Pegasus heeft vleugels'. In: *Kroniek van kunst en kultuur*, 12e jrg., no. 1 (dec. 1951).
6. Het *cadavre exquis* is een gezelschapsspel dat ouder is dan de surrealisten maar door deze in de literatuur is geïntroduceerd. De deelnemers schrijven onafhankelijk van elkaar respectievelijk een bijvoeglijk naamwoord, een zelfstandig naamwoord, een werkwoordsvorm, opnieuw een bijvoeglijk en een zelfstandig naamwoord op. Samengevoegd en grammaticaal met elkaar in overeenstemming gebracht, vormen deze woorden een zin. De naam stamt van de eerste zin die op deze wijze gemaakt zou zijn: *1e cadavre exquis boira le vin nouveau.*
7. Jan G.Elburg, *Geen letterheren. Uit de voorgeschiedenis van de vijftigers.* Amsterdam, Meulenhoff, 1987; p. 34.
8. Gerrit Kouwenaar, *Het gebruik van woorden.* Gedichten. Zaandijk, J. Heijnis Tsz., 1958; p. 30. Ook in *Gedichten 1948-1978*; p. 130.
9. Lucebert, 'het proefondervindelijk gedicht'. Eerste publikatie in *Atonaal.* 1e druk, 1951; p. 76. Ook in: *Verzamelde gedichten* (1974); p. 432.
10. Flaptekst - van de hand van Lucebert zelf - in de bundel *Triangel in de jungle gevolgd door De dieren der democratie.* 1e druk. 's-Gravenhage, A.A.M. Stols, 1951. In de 2e druk (1955) luiden de slotwoorden: "tot een onvergankelijk heden gevormd."
11. Openings- tevens titelgedicht van Gerrit Kouwenaar, *Achter een woord.* Amsterdam, U.M. Holland, (Serie: De Windroos, nr. XXII); p. 5. Niet opgenomen in de verzamelbundel *Sint Helena komt later* (1964) noch in *Gedichten 1948-1978* (1982).
12. Karel ende Elegast. Diverse schooluitgaven.
13. Het gedicht 'Om...' in: Jan G. Elburg, *Laag Tibet.* Amsterdam, De Bezige Bij, 1952. Ook in: *Gedichten 1950-1975*; p. 9.
14. In: *Cobra*, no. 4 (nov. 1949); p. 10. Ook in: *Verzamelde gedichten*, p. 406.
15. Gerrit Kouwenaar, 'Inleiding'. In: *Vijf 5 tigers.* Amsterdam, De Bezige bij, z.j. (jan. 1955); p. 12.
16. Gerrit Kouwenaar. Zie noot 4.
17. Peter Berger, 'Lucebert, tovenaar'. In: Catalogus *Lucebert 50 jaar.* Galerie Nouvelles Image, Den Haag, 1974.
18. Respectievelijk: J. Eijkelboom, 'Lucebert de dichter als schilder als dichter'. In: *Museumjournaal*, serie 7, no. 7/8, jan.-febr. 1962 (Cobranummer); p. 180. Willem Stokvis, geciteerd werk, p. 213.
19. Interview door Ben Dull, *Het Parool*, 1 mei 1969.
20. Interview door H.U. Jessurum d'Oliveira, *Tirade*, 3e jrg., no. 30, 15 juni 1959. Ook in: dezelfde, *Scheppen riep hij gaat van Au.* Amsterdam, Polak & Van Gennep, 1965.
21. Interview door Nico Scheepmaker, *Avenue*, december 1974.
22. 'Papieren vraaggesprek', interview door Ad Petersen. In: catalogus *Lucebert.* Gemeentelijk museum Het Princessehof, Leeuwarden 1979.
23. Ad Petersen, 'Lucebert, Groenendijk en het Stedelijk'. In: *Lucebert in het Stedelijk.* Catalogus van alle schilderijen, tekeningen, gouaches, aquarellen en prenten in de verzameling. Amsterdam, Stedelijk museum, 1987.

72

Ed Wingen

'COBRA EN IK? WIJ HEBBEN ELKAAR TE PAKKEN'

KAREL VAN STUIJVENBERG: 'COBRA AND I'

Toen Karel van Stuijvenberg in 1974 een collage van Appel uit 1958 kocht en daarmee zonder het te beseffen de basis legde voor zijn omvangrijke Cobraverzameling, was Appel al lang een beroemde schilder, maar betekende Cobra internationaal niet meer dan een voetnoot bij het verhaal over de naoorlogse kunst. Van Stuijvenberg had nog nooit van Cobra gehoord en wist nauwelijks wie Appel was. Sterker nog: de moderne kunst was voor hem een gesloten boek. Hij bezat een bescheiden collectie post-impressionisten en een aantal kleine Hollandse en Vlaamse meesters, die het interieur van zijn huis in Caracas in overeenstemming brachten met zijn status van succesvol zakenman met gevoel voor de aangename kanten des levens. Hij had niet het flauwste vermoeden van het avontuur dat zijn leven zou gaan beheersen.

De collage van Appel (nr.16) met de voor de late jaren vijftig zo kenmerkende, half-abstracte figuratie moet iets in hem hebben losgemaakt. Hij spreekt van een 'eyeopener', maar je zou beter kunnen spreken van een giftige slangebeet: het gif verspreidde zich door zijn bloed en maakte van hem een Cobraverslaafde, die de galeries en veilingen in Amsterdam, Brussel, Parijs, Londen en Kopenhagen afloopt om aan het begeerde 'spul' te komen en er niet voor terugschrikt de Cobrakunstenaars in hun atelier op te zoeken en te vragen zijn verslaving te bevredigen.

Van Stuijvenberg bezit nu zo'n vijfhonderd werken van een veertigtal kunstenaars die bij Cobra betrokken zijn geweest. Een belangrijk deel ervan stuurt hij de wereld over voor exposities die niet alleen de aandacht op zijn 'verslaving' vestigen, maar ook de betekenis van Cobra als een vitale Europese bijdrage aan de internationale ontwikkeling van de kunst sedert de Tweede Wereldoorlog onderstrepen.

Die betekenis is vrij laat officieel erkend, ondanks het feit dat Willem Sandberg al in 1962 het Nederlandse aandeel in het buitenland (Canada) heeft laten zien. Vier jaar later kwam het Museum Boymans-van Beuningen in Rotterdam met de eerste terugblik op het gemeenschappelijke optreden van de Deense, Belgische en Hollandse Experimentelen en hun geestverwanten. De catalogus was van de hand van Willemijn (de Haas) Stokvis en vormde de aanzet van haar in 1974 verschenen Cobradissertatie, die sedertdien als een bijbel op het nachtkastje van Van Stuijvenberg ligt. Enkele jaren eerder, in 1962, was het Museumjournaal met een Cobranummer gekomen, maar deze uitgave heeft slechts een kleine kring belangstellenden bereikt. In het jaar, waarin

In 1974 Karel van Stuijvenberg bought an Appel collage dated 1958, and in so doing, unwittingly laid the foundation for an extensive Cobra-collection. Appel was a well-known painter at the time, but Cobra international was no more than a footnote to the post-war art scene. Van Stuijvenberg had never heard of Cobra and hardly knew who Appel was. In fact modern art was a closed book for him. He possessed a modest collection of post-impressionist works and a number of the minor Dutch and Flemish masters. These additions turned the inside of his house in Caracas into a suitable residence for someone of his status, which was that of the successful businessman expressing a preference for the good things of life. He had not the slightest inkling of the adventure he was letting himself in for, nor of how much it was to influence his life.

The Appel collage, which was so typical of the late Fifties with its half-abstract figuration, must have made a lasting impression on him. He talks about it as an 'eyeopener', but it would be better to refer to it in terms of a poisonous snakebite: the poison infiltrated his blood and made him into a Cobra-addict, driven to going round the galleries and auctions in Amsterdam, Brussels, Paris, London and Copenhagen to get hold of the desirable 'stuff'. He never thought twice about visiting Cobra artists in their studios to ask them to help him support his habit. Van Stuijvenberg is now the proud owner of some 500 works of art by forty or more artists involved with Cobra. An important part of the collection is sent all over the world for exhibitions which not only draw attention to his addiction but also emphasize the significance of Cobra as a vital European contribution towards the international development of art since the Second World War. This significance was only officially recognized at a very late date, despite the fact that Willem Sandberg had already shown the works of the Dutch contingent abroad (Canada) in 1962. Four years later Boymans-Van Beuningen Museum in Rotterdam presented the first retrospective exhibition of the collective works of the Danish, Belgian and Dutch Experimentalists and those working in their style. The catalogue was produced by Willemijn (de Haas) Stokvis and was at the same time the first step towards her Cobra-dissertation which appeared in 1974. It has adorned Van Stuijvenberg's nightstand ever since — like a surrogate bible. A few years earlier, in 1962, the Museumjournaal produced a Cobra number, but this edition has only managed to interest a very limited group of readers. In the year in which *Cobra, His-*

'In september 1974 kocht ik mijn eerste Appel, een collage uit 1974. Ik kocht het doek niet omdat ik 't bijzonder mooi vond. Ik kon zelfs niet beoordelen of het een goed werk was. Ik wilde gewoon een 'Appel' bezitten, zo simpel lag dat. Mogelijk uit ontwetendheid of luiheid deed ik het tegenovergestelde van wat de meeste kunstkopers doen. Eerst kocht ik gewoon dat schilderij, vervolgens een boekje en daarna pas begon ik te lezen over Cobra dat in dat boekje genoemd werd. Tot dat moment had ik het woord 'Cobra' alleen maar in verband gebracht met foto's die ik in Ceylon van een slangenbezweerder genomen had' (J. Karel P. van Stuijvenberg)

So, in September 1974 I bought my first 'Appel', a 1958 collage. I did not buy it because I liked it all that much, I could not even judge whether it was a good work or not. I just wanted to have an 'Appel', as simple as that. Maybe, out of ignorance or laziness, I did the opposite of what most art-buyers would do. I just bought it, then a booklet, and then read about Cobra as it happened to be mentioned in the booklet I had bought about Karel Appel. Until then I only associated Cobra with photos I had taken in Ceylon of a snake-charmer.

Cobra, Geschiedenis, voorspel en betekenis van een beweging in de kunst van na de Tweede Wereldoorlog verscheen, werd in het stadhuis van Brussel een Cobratentoonstelling geopend en publiceerde Gunnar Jespersen zijn boek over de beweging, zodat zowel in Nederland als in Denemarken uitgebreid van de feiten rond deze inmiddels kunsthistorische groep kennis kon worden genomen. Pas in 1982 volgde de internationale erkenning, toen de Kunstverein in Hamburg en het Parijse Musée d'Art Moderne de la Ville grote Cobratentoonstellingen organiseerden. Met de uitgave Cobra, un art libre van Jean-Clarence Lambert het jaar daarop (er zijn ook edities in het Nederlands, het Engels en het Duits verschenen), en Leanor Flomenhaft's studie The development of Cobra Art in 1985 was de internationale erkenning een feit.

De gevolgen zijn niet uitgebleven: Cobra-kunst, waartoe gemakshalve en ook om commerciële redenen het latere werk van sommige Cobrakunstenaars wordt gerekend, is een gewild veilingartikel geworden, dat vooral het type verzamelaar/belegger aantrekt. Van Stuijvenberg heeft in die ontwikkeling de hand gehad. Zijn geruchtmakende aankoop in 1985 van de voorstudie van de Appelbar in het Stedelijk Museum (zie Appel nr. 8) uit de nalatenschap van Sandberg, bij Sotheby's Amsterdam, was het signaal voor de 'ton-nendans' rond Cobra op de veilingen in Amsterdam en Londen. Dat is uiteraard nooit zijn bedoeling geweest, maar een verslaafde kan het niet helpen: die moet steeds weer zijn dosis en liefst nog meer dan de vorige. Toch beseft Van Stuijvenberg dat het zo langzamerhand tijd wordt om af te kicken. Veertien jaar na de aankoop die zijn Cobrakoorts veroorzaakte, beschikt hij immers over een verzameling waarin het internationale karakter van Cobra geheel tot zijn recht komt. En dat was ook de bedoeling, want hij wilde een zo compleet mogelijk beeld oproepen van de experimentele kunst, die vóór de oorlog in Denemarken haar aanloop had, die zich rond 1948 in internationaal verband ontwikkelde, en in 1949 haar hoogtepunt beleefde met de grote tentoonstelling in het Amsterdamse Stedelijk. Zelfs na het officiële einde in 1951 is ze nog van betekenis gebleven, voor sommige Cobrakunstenaars tot op de dag van vandaag. De Cobraverzameling van Van Stuijvenberg is dan ook uniek. In geen enkel museum en bij geen andere verzamelaar kan dat totaalbeeld worden aangetroffen. De Cobracollectie van Meyer en Golda Marks in het museum van Fort Lauderdale, Florida, komt er het dichtste bij, maar deze telt maar een klein aantal werken (van de meer dan duizend) uit de periode 1948-'51. De Nederlandse musea bezitten hoofdzakelijk kenmerkende voorbeelden van de A van COBRA, waaronder ook werk uit latere perioden. De Cobracollecties van het Stedelijk

tory, predecessors and significance of a post-war artistic movement was published, a Cobra exhibition was held in the Brussel's Town Hall and Gunnar Jespersen published his book about the movement. This ensured that the facts about the group were available to art historians both in Denmark and the Netherlands. They were not recognized internationally until 1982, when the Kunstverein in Hamburg and the Parisian Musée d'Art Moderne de la Ville organized major Cobra-exhibitions. With the publication of Cobra, un art libre by Jean-Clarence Lambert the following year (Dutch, English and German editions were brought out too), and Leanor Flomenhaft's study The development of Cobra Art in 1985, international recognition had arrived. It was not without its repercussions: Cobra-art, which for reasons of ease and finance covers the later works of some Cobra artists as well, has become a very sought-after auction article, of particular interest to the collector/investor type.

Van Stuijvenberg had his own part to play in this development. His sensational purchase at Sotheby's Amsterdam branch of a painted study for the Appelbar in the Stedelijk Museum in 1985 (Appel no. 8) was the signal for a steady rise in Cobra prices at the auctions in Amsterdam and London. Of course, it was never meant to happen that way, but an addict cannot be held responsible for his actions: he has to have just one more and if at all possible one more after that. Nevertheless, Van Stuijvenberg has realised that the time has come to kick the habit. Fourteen years after the purchase which started him off on his Cobra trail, he can now boast a Cobra collection in which the international character of the movement is justly portrayed. And that was the whole idea, because his aim was to present a picture of experimental art which was as complete as possible. It started off in Denmark before the war, developed internationally around 1948, reached its zenith in 1949 with the major exhibition in the Amsterdam Stedelijk, and sustained its impetus after its official demise in 1951. For some Cobra-artists its importance has remained unchanged to the present day. Stuijvenberg's Cobra collection is quite unique. There is no museum and no other collector with such a complete selection of works covering the entire movement. There is another Cobra-collection which belongs to Meyer and Golda Marks in the Fort Lauderdale museum in Florida which comes very close to being an all-round collection, but this only includes a small number of works (of the more than a thousand) from the period 1948-'51. The museums in the Netherlands are mostly in possession of characteristic examples of the A of COBRA -including works from the later period.

The Cobra collections at the Stedelijk Museum in Amsterdam, the Schiedam Museum and the Frans Hals Museum in

'Kinesisk landskab' van Østerlin (no. 3)

'Kineskisk Landskab' by Øster-lin (no. 3)

Museum in Amsterdam, het museum in Schiedam en het Frans Hals Museum in Haarlem zijn voor een belangrijk deel in de jaren vijftig tot stand gekomen. In Amsterdam liggen de accenten vooral op Appel en Lucebert. Laatstgenoemde heeft

Haarlem, were mostly acquired in the Fifties. In Amsterdam the emphasis is placed on Appel and Lucebert, who was one of the poets in the Experimental Group and afterwards started painting in the style of Cobra. In Schiedam and the Hague

'Mijn eerste Appel opende me de ogen. Zoals de Cobrakunstenaars bij nul begonnen waren door traditie en scholing overboord te zetten, zo maakte ook ik een radicale omkeer. In zaken begon ik zonder één cent, van kunst wist ik niets af. Misschien heb ik gewoon iets van die 'Cobrageest' in me: revolutionair, onafhankelijk van professioneel en academisch advies. Ook ik deed het op mijn manier. De vrijheid, de spontane manier van schilderen maar ook de collectieve geest, de samenwerking, de opbouw van een imago, de sterke motivatie van de kunstenaars, dit alles fascineerde me' (J. Karel P. van Stuijvenberg)

My first Appel was just an entrée, an eye-opener. Just as the Cobra artists started from scratch, threw tradition and academic schooling overboard, so too did I do a complete about-turn. In business I started from scratch, my art education is zero. Maybe I might just have some of the Cobra spirit in me, revolutionary, ignoring professional — academic advice — I went all out for it. My way. The freedom, the spontaneous way of painting, but then the collective work too (mutual collaboration to begin with), the building up of an image, the drive of these artists — all this intrigued me.

weliswaar alleen als dichter deel uitgemaakt van de Experimentele Groep, maar wordt ook als schilder tot Cobra gerekend. In Schiedam en in het Haags Gemeentemuseum is het werk van Appel sterk vertegenwoordigd, respectievelijk door een aankoop uit een bruikleen van de kunstenaar en door de schenking die Appel in het begin van de jaren tachtig heeft gedaan. In beide gevallen gaat het om werken op papier. Het omvangrijke Lucebert-onderdeel van de collectie van het Stedelijk Museum is hoofdzakelijk te danken aan de recente aankoop van de verzameling Groenendijk.

In de naoorlogse jaren, toen de Experimentelen zich manifesteerden, had alleen Stedelijk Museum-directeur Sandberg oog voor de nieuwe tendensen. Het aantal sympathisanten was zeer gering! Architect Aldo van Eyck, die de Cobratentoonstelling in 1949 inrichtte, meubelontwerper Martin Visser, die een expositie van de A van COBRA op de meubelafdeling van de Bijenkorf maakte, de fotografen Lemaire en Melchers, Hans Rooduijn van Le Canard, de journalist Vrijman en nog enkele anderen. Martin Visser was een van de eersten die Cobrawerken verzameld heeft. Hij heeft zijn collectie later van de hand gedaan om zich op de kunst van dat moment te kunnen richten. De Hengelose fabrikant Hans de Jong bouwde in de jaren vijftig een internationale verzameling op, waarin Cobra sterk vertegenwoordigd was met vroeg werk van Constant, Pedersen en Wolvecamp en later werk van Appel, Corneille en Jorn. Het Arnhems Gemeentemuseum heeft in 1970 de gelegenheid gehad de collectie Hans en Alice de Jong te verwerven, maar er geen gebruik van kunnen maken. Korte tijd later is deze belangrijke particuliere verzameling verspreid geraakt.

Pas in de jaren zestig, toen Appel, Corneille en Jorn internationaal bekend waren geworden, begon er omtrent Cobra iets te dagen. De Rotterdamse Galerie Delta hield exposities van de op de achtergrond geraakte Cobra-schilders Brands en Rooskens. Galerie Espace in Amsterdam, die aan het eind van de jaren vijftig in Haarlem al aandacht voor Appel had gevraagd, presenteerde nieuw werk van Corneille, Lucebert en later ook van Alechinsky, terwijl Galerie Krikhaar in Amsterdam en Galerie Nova Spectra in Den Haag zich hoofdzakelijk op Appel concentreerden. In de jaren zeventig volgden exposities van o.a. Rooskens, Wolvecamp en Pedersen (Krikhaar), Jacobsen, Heerup (Nova Spectra) en Jorn (Brinkman, Amsterdam). Dit betekende eindelijk ook aandacht voor de Deense Cobra-kunstenaars, van wie alleen Jorn een grote tentoonstelling in het Amsterdamse Stedelijk had gekregen. Alechinsky kreeg een presentatie in Museum Boymans-van Beuningen.

Deze galerie-activiteiten hebben de belangstelling voor de kunst van Cobra,

Municipal Museum, Appel is well represented, due to their purchase of a work loaned from the artist, and a gift which Appel made at the beginning of the Eighties, respectively. In both cases it is work on paper which is involved. The extensive Lucebert-section of the Stedelijk Museum's collection is a direct result of the recent purchase of the Groenendijk collection.

In post-war years, when the Experimentalists were making their presence known, it was only the director of the Stedelijk, Sandberg, who could see anything is this new trend. The number of sympathizers was very restricted!: the architect Aldo van Eyck, who designed the Cobra-exhibition in 1949, furniture designer Martin Visser, who made an exhibition of the A of COBRA in the furniture department of the Bijenkorf department store, the photographers Lemaire and Melchers, Hans Rooduijn from Gallery Le Canard, the journalist Vrijman and a few others. Martin Visser was one of the first to collect Cobra work. He later sold his collection in order to be able to concentrate more on contemporary art. The Hengelo based factory-owner Hans de Jong, built up an international collection in the Fifties, which had a good deal of Cobra in it, with Constant's early work, Pedersens, Wolvecamps and later Appels, Corneilles and Jorns. The Arnhem Municipal Museum was fortunate in obtaining Hans and Alice de Jong's collection in 1970, but was never able to make any use of it. A short time afterwards this important private collection was to be broken up.

It was only in the Sixties, when Appel, Corneille and Jorn were internationally recognized, that Cobra's significance began to dawn on people. The Rotterdam gallery Delta held an exhibition of the Cobra-painters Brands and Rooskens who had fallen in the background. Gallery Espace in Amsterdam, that had already drawn attention to Appel in Haarlem at the end of the Fifties, presented new work by Corneille, Lucebert and later by Alechinsky too, whilst Gallery Krikhaar in Amsterdam and Gallery Nova Spectra in the Hague concentrated mainly on Appel. In the Seventies, this was followed by exhibitions on Rooskens, Wolvecamp and Pedersen (Krikhaar), Jacobsen, Heerup (Nova Spectra) and Jorn (Brinkman, Amsterdam). This meant that at last some attention was paid to Danish Cobra-artists, of whom only Jorn had previously been given exposure in a large exhibition in the Amsterdam Stedelijk. Alechinsky was given a showing in Boymans-Van Beuningen Museum. These gallery activities strongly stimulated the interest in Cobra art, which in 1974 was pronounced an art-historical phenomenon. Karel van Stuijvenberg, who appears on the scene at that time, becomes fascinated by the international network

die in 1974 als een kunsthistorisch fenomeen te boek werd gesteld, sterk gestimuleerd. Karel van Stuijvenberg, die op dat tijdstip zijn eerste Cobrawerk verwerft, raakt gefascineerd door het internationale netwerk van Cobra en besluit terug naar de bron te gaan om het experimentele klimaat van toen in beeld te brengen en een aantal Cobrakunstenaars in hun ontwikkeling te volgen. Het is eerder het besluit van een kunsthistoricus dan van een liefhebber. Het streven naar volledigheid – hij gaat met de namenlijst in de hand te werk – vind je doorgaans alleen bij verzamelaars van postzegels, luciferdoosjes en plastic tassen. In de kunstwereld is het een uitzondering. Dat streven staat immers het liefhebben in de weg. Is het mogelijk van zoveel verschillende karakters te houden? Van Stuijvenberg geeft toe, dat hij inderdaad wel eens moeite met een Cobrakunstwerk heeft en noemt als voorbeeld het abstract-informele 'Hourihaleine' van Jorn uit 1961. Maar dat hij zich daardoor niet laat weerhouden het in de collectie op te nemen. Volledigheid staat voorop. 'Het gaat niet om mooi of lelijk,' zegt hij, 'maar om de werkelijkheid die het kunstwerk vertegenwoordigt.' En omdat hij vindt, dat iedere bij Cobra betrokken kunstenaar, hoe bescheiden zijn aandeel ook was, iets van dat experimentele avontuur tot uitdrukking heeft gebracht, slaat hij niemand over. De collectie roept dan ook vooral een tijdsbeeld op.

Hoewel Van Stuijvenberg rijkelijk laat aan zijn Cobraavontuur is begonnen,

'Figuur met hoed' van Karel Appel (no. 16). De eerste aanschaf van Van Stuijvenberg

'Figure with hat' by Karel Appel (no. 16). The first acquisition of Van Stuijvenberg

shared by Cobra and decides to go back to the source to show what the experimental climate was like and to follow the development of a number of Cobra artists. It is the sort of decision more likely to be taken by an art historian than by an art-lover. His attempt to include everything – he gets down to the job with a list of names in his hand – can only be compared to stamp-collectors, match-box collectors and polythene bag collectors in the usual run of things. In the field of fine art this is an exceptional procedure. His effort to be

complete stands in the way of his devotion. Can one possibly love so many differing characters? Van Stuijvenberg admits that he sometimes had difficulties with a certain work of art and names as an example the abstract-informal 'Hourihaleine' by Jorn from 1961 but it did not stop him adding it to the collection. The universality is all that counts. 'It is not a question of beautiful or ugly', he says 'but the reality which the work represents'. And because he feels that every Cobra artist, no matter how minor his contribution, has added to the experimental adventure, he does not overlook anyone. Due to this, the collection is a true reflection of its time.

Although Van Stuijvenberg began his Cobra-adventure very late, he possesses a number of exceptional works from the famous Cobra-years; from Appel the unusual, because of its noticeable surrealism, 'Questioning children' (1948) (no. 8); Constant's aggressive 'Woman with dog' (no. 4), the magical-surreal 'Mask' (no. 7) and an assembly of seven small paintings (no. 10); Corneille's Miroesque 'Birds' (no. 5) and the Klee-like 'In the heart of the desert' (no. 8); Heerup's surrealist object 'Cat with bird' (no. 5); Jorn's mythical 'Composition with fable animal' (no. 4); Erik Ortvad's mysterious 'Chinese landscape' (no. 3); Rooskens magical 'The menace' (no. 1) and Wolvecamp's two moving abstractions. In addition, earlier works particularly by Jacobsen, Pedersen, and Heerup, (who added a characteristic accent as a sculptor), strengthen the Cobra image. This is also true of Appel's assemblage 'Passion in the Attic' (1947) (no. 3), which is reproduced in the first number of *Reflex*, the Experimental Group's journal. This relief with its vacuum-cleaner tube is a recent purchase.

bezit hij een aantal uitzonderlijke werken uit de historische Cobrajaren: het voor Appel ongewone, wat opvallend surreële 'Vragende kinderen' uit 1948 (nr. 8); van Constant het agressieve 'Vrouw met hond' (nr. 4), het magische-surreële 'Masker' (nr. 7) en een uit een zevental kleine schilderijen bestaande assemblage (nr. 10); van Corneille de Miró-achtige 'Vogels' (nr. 5) en het naar Klee verwijzende 'Au sein du désert' (nr. 8); van Heerup het surrealistische object 'Kat met vogel' (nr. 5); van Jorn de mythische 'Compositie met fabeldier'(nr. 4); van Erik Ortvad het geheimzinnige 'Chinese landschap' (nr. 3); van Rooskens het magische 'Dreigingen' (nr. 1) en van Wolvecamp een tweetal beweeglijke abstracties. Daar omheen zorgen vroege werken, vooral van Jacobsen, Pedersen en Heerup — laatstgenoemde voegt als beeldhouwer een karakteristiek accent toe — voor versterking van het eigene van Cobra. Dat is ook al aanwezig in Appels assemblage 'Drift op zolder' (nr. 3) uit 1947, die is afgebeeld in het eerste nummer van *Reflex*, het orgaan van de Experimentele Groep. Dit relief met stofzuigerslang is een recente aanwinst. De kunstenaar had het nog in zijn bezit. Het is een duidelijk voorbeeld van de spontane dada-geest waarmee de Experimentelen de muffe traditie te lijf gingen. Eugène Brands heeft in die periode reliefs gemaakt die de Merz-constructies van Schwitters in herinnering brengen. In de collectie van Van Stuijvenberg is hij alleen met twee voorbeelden uit zijn 'kindperiode' na 1950 vertegenwoordigd. Brands maakte toen al geen deel meer uit van Cobra. Twee beelden van Appel uit 1947, de buste van een vrouw en een vogelkop, die de invloed van Picasso verraden (nr.1 en 2), zijn ook kenmerkend voor het experimentele klimaat waarin de jonge kunstenaars in de eerste naoorlogse jaren een nieuwe uitdrukkingswijze zochten. Appel maakte toen verscheidene beelden in gips, die hij pas veel later in brons heeft laten gieten. Het Stedelijk Museum heeft ook een exemplaar van zijn bronzen 'Vogelkop' aangekocht. Appel is een van de kunstenaars van Cobra wiens ontwikkeling Van Stuijvenberg volgt. In de praktijk betekent dit een beperking tot enkele accenten. De ontwikkeling van Appel wordt gemarkeerd door een 'Menselijk landschap' (nr. 17) uit 1958, de beschilderde boomstronk 'De getuige' (nr. 18) uit 1959, het figuratieve 'Hartstocht van twee mannen' (nr. 19) uit 1962 en de beschilderde houtsculptuur 'De zwarte maagd' (nr. 20) uit 1966, een recente aanwinst waarmee de 'Appel-ontwikkeling' in de collectie voorlopig wordt afgerond. Dat de belangstelling van Van Stuijvenberg ook naar het latere werk van Constant uitgaat is opmerkelijk. Hij bezit niet alleen een abstracte collage uit 1953 en enkele werken met het New Babylon-thema uit de jaren zestig en begin zeventig, maar ook voorbeelden

Fortunately, the artist still had it in his possession. It is a clear example of the spontaneous Dada spirit with which the Experimentalists attacked the stuffy traditions of the establishment. In that period Eugene Brands made reliefs which remind one of the Merz-constructions by Schwitters. In Van Stuijvenberg's collection he is only represented by two examples from his 'children's period' after 1950. Brands was no longer a part of Cobra then. Two of Appels' sculptures from 1947, the bust of a woman and a bird's head, which betray the influence of Picasso, are also characteristic of the experimental climate in which young artists looked for a new form of expression in the years just after the war. Appel made a number of plaster sculptures, which he only had cast in bronze a lot later on. The Stedelijk Museum also bought one of his bronzes entitled: 'Bird's head'.

22.45

CARACAS 12/09/88
TLX NR.
COBRA AMSTERDAM

PLEASE PASS ON TO ''COBRA'':

1) I WAS SUPPOSED TO GET BY T
   EXHIBITED, FOR MY FINAL AF
   BELIEVE TIME BECOMING SHO

2) THE COLLECTIVE INK BY ALE
   POSTPONED, AS AM UNDECIDE
   AND LEAVE IN THE COLLECTI

3) I ALREADY CONFIRMED TO M
   PEDERSEN (CARACAS LOT NR
   ROLLED UP, TOGETHER WITH

4) WHEN DECIDING ON CATALO
   ITEMS PLANNED FOR COLOU
   REPRODUCED, SO IN CASE
   SUBSTITUTED FOR ANOTHE

REGARDS,
VAN STUIJVENBERG.

Appel is one of the Cobra artists who is closely watched by Van Stuijvenberg. In practice it boils down to him concentrating on certain accents. Appel's development is marked by a 'Human landscape' (no. 17) (1958), the painted tree trunk 'The witness' (1959), the figurative 'Passion of two men' (no. 19) (1962) and the painted wooden sculpture 'The black widow' (no. 20) (1966), a recent addition which, for the moment, rounds off the collection of Appels. It is also noticeable that Van Stuijvenberg's interest extends to Constant's later works. He not only possesses an abstract collage from 1953 and a few of

van Constants terugkeer naar de traditie, al is in de aquarel 'Luchtaanval' (nr. 20) uit 1983 het spontane van Cobra weer aanwezig. Het lijkt erop, dat de verzamelaar in dit geval vooral geboeid wordt door de persoonlijkheid van de kunstenaar. Ten aanzien van de ontwikkeling van Corneille stelt hij zich daarentegen duidelijk afstandelijk op. Dat de late Alechinsky royaal is vertegenwoordigd is begrijpelijk. De Benjamin van Cobra was in zijn begintijd nog een lyrische abstract. In zijn ontwikkeling toont hij zich meer dan wie ook een erfgenaam van Cobra. Samen met Christian Dotremont, de theoreticus van de groep, heeft hij zich ook ingezet de erfenis van Cobra te behoeden. In de verzameling van Van Stuijvenberg getuigt een aantal werken van Dotremonts stimulerende activiteiten tijdens en ook nog lang na Cobra. Samenwerken was een van de belangrijkste doelstellingen van de groep. Van Stuijvenberg heeft enkele bekende en onbekende voorbeelden van samenwerkingsvormen. Hij is terecht verguld met het schilderij 'Wellustige figuren' (Collectieve werken nr. 9) dat Corneille in 1951 in samenwerking met Hugo Claus heeft gemaakt, want het is een uniek bewijs van de Cobrageest en een van de schaarse voorbeelden van de collectieve schilderingen die bewaard zijn gebleven.

De Cobrageest was zeer beweeglijk en zelfs grillig, de ene keer figuratief en dan weer abstract, had surrealistische neigingen en kon ook heel formeel zijn. Al die facetten zijn in de collectie terug te vinden, want in zijn streven naar volledigheid, naar een zo compleet mogelijk beeld, heeft Van Stuijvenberg ook die werken opgenomen die zichtbaar van het als Cobra te herkennen beeld afwijken of er zelfs tegenin lijken te gaan. Dat is bij voorbeeld het geval met de abstracties van de Belgen Bury, Collignon, Ubac en Van Lint en van de Zweed Österlin en de Engelsman Gear. Maar die volledigheid zorgt ook voor verrassingen, zoals de beelden van Sonja Ferlov, de werken op papier van de Hongaarse Madeleine Kemeny en de bijdragen van Stephen Gilbert, Karl-Otto Götz en Atlan.

Het feit dat de Cobra-geest in die naoorlogse periode in Europa vele kunstenaars heeft bezield, waardoor ze ongeacht individuele verschillen tot een gezamenlijk avontuur werden bewogen, heeft Van Stuijvenberg het meest aangesproken. Zijn Cobraverzameling is vóór alles het gevolg van een tot weetgierigheid uitgegroeide nieuwsgierigheid naar het hoe en waarom van dat avontuur. Het is ook de reden, dat hij alles over Cobra verzamelt. Als verzamelaar vereenzelvigt hij zich met de slang, die de opstand tegen de burgerlijke maatschappij symboliseert. 'Heb ik Cobra te pakken of heeft Cobra mij te pakken?' vraagt hij zich af en geeft meteen het juiste antwoord: 'Wij hebben elkaar te pakken.'

the works with the New Babylon theme dating back to the Sixties and the beginning of the Seventies, but examples of Constant's return to traditional style as well, although it is true to say that in the watercolour 'Air raid' (no. 20) (1983) the spontaneous side of Cobra is again in evidence. It seems, in this case, as if the collector is fascinated by the personality of the artist. As far as Corneille's development is concerned, it seems that he takes on a more reserved stance. It is understandable that the later works of Alechinsky are fully represented. This Benjamin of the Cobra movement was originally lyrically abstract in style. In his development he shows his Cobra ancestry more than any of the others. Along with Christian Dotremont, the theoretician of the group, he has put himself out to protect Cobra's inheritance. In the Van Stuijvenberg collection a number of Dotremont's works bear witness to the stimulating activities which continued long after the movement had collapsed. Working together was one of the most important aims of the group. Van Stuijvenberg has a number of well-known and less well-known examples of this. He is rightfully delighted with the painting 'Lustful Figures' (no. 9), which Corneille made with Hugo Claus in 1951, because it is a unique proof of the Cobra-spirit and one of the very scarce examples of the collective paintings which has been saved.

The Cobra-spirit was extremely agile, sometimes to the extent of being erratic, first figurative then abstract with surrealistic tendencies, but it could also be very formal at times. All these facets can be seen in the collection, because in his search for universality, for a total picture, Van Stuijvenberg has also acquired those works which quite clearly differ from Cobra or which may even seem to contradict it. That is true of the abstracts by the Belgians Bury, Collignon, Ubac and Van Lint, the Swede Østerlin and the Englishman Gear. But this total view leads to surprises, like the sculptures of Sonja Ferlov, the works on paper by the Hungarian Madeleine Kemeny and the contributions by Stephen Gilbert, Karl-Otto Götz and Jean-Michel Atlan.

The fact that the Cobra-spirit impassioned many european artists in the post war period, leading them to engage upon a co-operative venture despite their individual differences, was what appealed to Van Stuijvenberg most. His Cobra-collection is, above all else, the result of a certain curiosity which developed into a thirst for knowledge about the ins and out of that particular adventure. It is also the reason why he collects everything on Cobra. As a collector he identified with the snake, which symbolized the revolt against the bourgeoisie.

'Did I get Cobra, or did Cobra get me?' The answer of course is: 'We got each other.'

HE LIST OF WORKS TO BE
WILL YOU HAVE THIS READY?
UAL RECTIFICATIONS.

I WAS SUPPOSED TO BUY, I
E, SO LEAVE THIS ONE OUT,
SAME ARTIST.

BY PHONE, THAT THE LARGE
, HAVE IT ALREADY NICELY
(CARACAS LOT NR. 92).

ONS, KINDLY INFORM WHICH
B+W, AND WHICH WILL NOT BE
ASONS, I COULD STILL HAVE ONE

Technische gegevens: Wanneer geen vertaling gegeven wordt is de titel in alle talen dezelfde (eigennamen, titels als 'constructie', 'Cinema' etc.). Werken zonder titel worden alleen aangegeven als Z.T. (Sans titre/ Without title).
De collectieve werken zijn na de individuele vermeld.
Alle maten zijn in centimeters, eerst de lengtematen, vervolgens de breedtematen.
In twijfelgevallen is als oorspronkelijke titel de moedertaal van de maker aangehouden, tenzij verwacht zou mogen worden dat deze om redenen van verblijf of commercie op dat moment aan een andere taal de voorkeur gaf.
Als daarbij geen redelijke oplossing gevonden kon worden, werd het werk van een Nederlandse titel voorzien.

Biografische gegevens worden zoveel mogelijk beperkt tot de Cobraperiode of de aanloop daartoe. Van stilistische opmerkingen is in principe afgezien. Nadere informatie over de afzonderlijke kunstenaars kan in bijna alle gevallen in het standaardwerk van Willemijn Stokvis gevonden worden waarin ook uitgebreide en tot 1985 bijgewerkte bibliografische gegevens.

Alle **citaten** zijn, tenzij anders vermeld, uit de interviews die Jan Vrijman ter voorbereiding van zijn documentaire met de voormalige Cobrakunstenaars maakte

Technical information
If no translation is given then the title is the same in every language (personal names, titles like 'construction', 'Cinema' etc.). Works without a title are shown by the initials Z.T. (Sans titre/ Without title). The collective works appear after the individual ones.
All sizes are in centimetres, first the length, then the breadth.
In doubtful cases the original title in the native language of the maker has been adhered to, unless it is reasonable to expect that due to a prolonged stay abroad or some other reason a preference for a different language would be more likely to be shown.
If applying this norm still does not solve the problem the work will be given a Dutch title.

Biographical background:

This has been restricted as far as possible to the Cobra period or the period leading up to it. Stylistic remarks have not been included. Further information about the separate artists can, in most cases, be found in the standard work by Willemijn Stokvis, in which extensive biographical information is given – updated to 1985.

All the **quotations**, unless otherwise indicated, are from Jan Vrijman's interviews with former Cobra artists, which he carried out for his documentary

Dutch - English. Technical descriptions.

acryl	acrylic	koper	copper
aquarel	water-color	krijt	chalk
brons	bronze	lithografie	lithography
doek	canvas	marmer	marble
ets	etching	olie op doek	oil on canvas
gips	plaster	potlood	pencil
hout	wood	steen	stone
inkt	ink	zink	zinc
karton	cardboard	Z.T.	without title

PIERRE ALECHINSKY

Werk van Pierre Alechinsky, de jongste van het gezelschap (Brussel 1927), verscheen in juni 1949 voor het eerst binnen de Cobrakring. Van zijn hand is immers het omslag van *Cobra* no. 3 dat in die maand gepubliceerd werd (zie Alechinsky no. 3). Op de tentoonstelling in het Stedelijk Museum is hij de enige aanwezige Belg, in de catalogus foutief van de voornaam Paul voorzien. Hij verscheen daar ondermeer met 'Les métiers' (Alechinsky no. 2). In de komende jaren zou hij zich voor Cobra buitengewoon verdienstelijk maken, met name door de organisatie van de tentoonstelling in Luik en het daaraan gekoppelde tiende en tevens laatste nummer van het tijdschrift *Cobra*. Daarin publiceerde hij een uitgebreid artikel over de principes van de kunstenaarsgroep *(Abstraction faite)*. Alechinsky was met Dotremont de spil van de Belgische tak van Cobra en de organi-

Pierre Alechinsky's work first appeared in Cobra circles in June 1949. He was, in actual fact, the youngest in the group (Brussels 1927). In the same month, he produced the cover of *Cobra* no. 3 (Alechinsky no. 3). At the exhibition held at the Stedelijk Museum, he was the only Belgian participant. In the catalogue he was incorrectly named Paul. One of the works on show at that exhibition was 'Les métiers' (Alechinsky no. 2) In the years which followed Alechinsky proved extremely useful to Cobra: he organized the exhibition in Luik and the accompanying 10th and last edition of the *Cobra* magazine. This was the edition in which he published an extensive article on the group's artistic principles *(Abstraction faite).* Alechinsky and Dotremont were the pivot of the Cobra's Belgian contingent and ran the house on the Rue de Marais in Brussels where many Cobra

1. Le Cirque 1948
Het circus/The circus
lithografie
68x53

2. Les Métiers 1948
De beroepen/The professions
Serie van 9 etsen met tekst van Luc de Heusch (Zangrie)
herdrukt in een oplage van
99 ex. 1979
Blad 44,5x31,5
Beeld 13,5x10

3. Cinéma 1949
lithografie
30x48

1

2

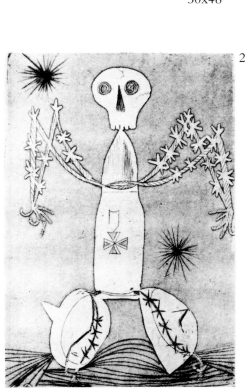

3

4. L'expérience sans l'expérience 1950
De ervaring zonder ervaring
Experience without experience
Serie van 10 lithografieën, herdrukt
in een oplage van 99 ex. (1979)
Blad: 45x63
waaruit:
a) Politique internationale 25,5x18,5
(ill. pag. 17)
b) Soleil chez Mourlot 16x32
c) Badigeon 22x29

5. Le bombardement 1950
Het bombardement/
The bombardment
olie op doek
22x27

(ill. pag. 45)

sator van het huis aan de Rue du Marais in Brussel waar vele de Cobrakunstenaars elkaar in de loop der jaren ontmoet hebben. Een boekje van Alechinsky *(Les poupées de Dixmude,* met foto's van Roland d'Ursel) inspireerde enkele leden van de Cobragroep tot de enige film die uit hun midden is voortgekomen. Over het ontstaan en de filosofie daarvan schreven Luc Zangrie en Jean Raine in *Cobra* no. 7.
Met name na een reis naar Japan in 1955 en kennismaking met Oosterse kalligrafie ontwikkelde Alechinsky de stijl die voor zijn latere werk kenmerkend zou zijn. Die stijl lag overigens direct in het verlengde van het spoor dat hij onder invloed van Dotremont tot dan toe gevolgd had: het schrift als pi014rale uitdrukkingsvorm. In Japan deed hij ook een werkwijze op die hij tot op heden is blijven hanteren: het papier ligt op de grond, de kunstenaar staat erboven. Zo is hij, aldus Alechinsky, veel vrijer dan gezeten in een stoel achter een tafel. Uit zijn Cobratijd heeft Alechinsky in zijn verdere loopbaan in ieder geval één ideaal overgehouden: het verlangen naar samenwerking. In de loop der tijd heeft hij samen met tal van kunstenaars werk gemaakt, niet alleen met Dotremont en Appel (zie collectieve werken ns. 1, 21, 22) maar ook met Walasse Ting en tal van anderen.

artists were to meet in the years which followed. A book by Alechinsky *(Les poupées de Dixmude,* with photos by Roland d'Ursel) inspired a few members of the Cobra group to make what was to be their first and last film. How this came about and the philosophy behind it were explained by Luc Zangrie and Jean Raine in *Cobra* no. 7.
It was after a trip to Japan in 1955, and the accompanying introduction to Eastern calligraphy, that Alechinsky developed the style which was to be characteristic of his later works. This style, influenced by Dotremont, was a direct continuation of his own personal line of development: writing as a form of pictorial art. In Japan he picked up a method of work which he has continued to use up to the present day: the paper is placed on the ground, and the artist works standing up and leaning over it. Alechinsky feels he has more freedom doing it this way than sitting in a chair behind a table. Throughout his career Alechinsky has held on to one ideal from the Cobra period: his desire to work with others. Over the years he has worked with a great number of artists, not just with Dotremont and Appel (see collective works nrs. 1, 21, 22) but also with Walasse Ting and many others.

6

6. Le printemps 1951
Het voorjaar/ Spring
olie op doek
70x100

7. Les ateliers du Marais 1951
De ateliers van de Marais/
The studios of the Marais
serie van 5 etsen, herdrukt in
een oplage van 99 ex. 1979
blad: 44,5x31,5
plaat: 16x10,5

8. Debout 1959
Staande/Standing
olie op doek
171x64

9. Assis 1960
Zittend/Sitting
olie op doek
180x97

10. L'île 1960
Het eiland/The island
olie op doek
127x111

11. Zéro de conduite 1961
Wangedrag/ Bad behaviour
olie op doek
97x129,5

9

8

10

11

84

12. Le cadet de mes soucis 1962
Mij een zorg/The least of my worries
olie op doek
73x59,8

13. Fête dans la tête 1963
Feest in het hoofd/
Party in the head
olie op doek
60x52

14. Les Alchimistes 1967
De alchemisten/ The alchemists
acryl op papier op doek
100x154

12

13

Alechinsky in Paris in 1954

14

15. Cobras vulcanalogiques 1970
Vulcanalogische cobra's/
Vulcanalogical cobras
acryl op papier op doek
114x154,5

'Als een schilder eerst een onderwerp kiest en dan pas aan het
werk gaat, werpt hij dan geen
barrières op die een ontwikkeling van zijn innerlijke dyna-
miek in de weg staan?' (Alech-
nisky in: *Abstraction faite, Cobra*
no. 10)

'If a painter first chooses a subject
and then goes to work, won't he
be erecting barriers to block the
path of his own creative energy?
(Alechinsky in: *Abstraction faite,
Cobra* no. 10)

15

16. Puits perdu 1973
Verlaten bron/ Derelict well
acryl op papier op doek
100x77

17

20

17. Cordelière 1973
Franciscaner non/Franciscan nun
acryl op papier op doek
184x153

18. Le mors aux dents 1975
Bit tussen de tanden/ Bit between
the teeth
acryl en inkt op papier op doek
153x168

19. Mardi gras 1981
Vastenavond
inkt op papier op doek
76x106

20. Encrier de voyage 1982
Reisinktpot/ Travelling inkpot
acryl op papier op doek
148x185

18

22

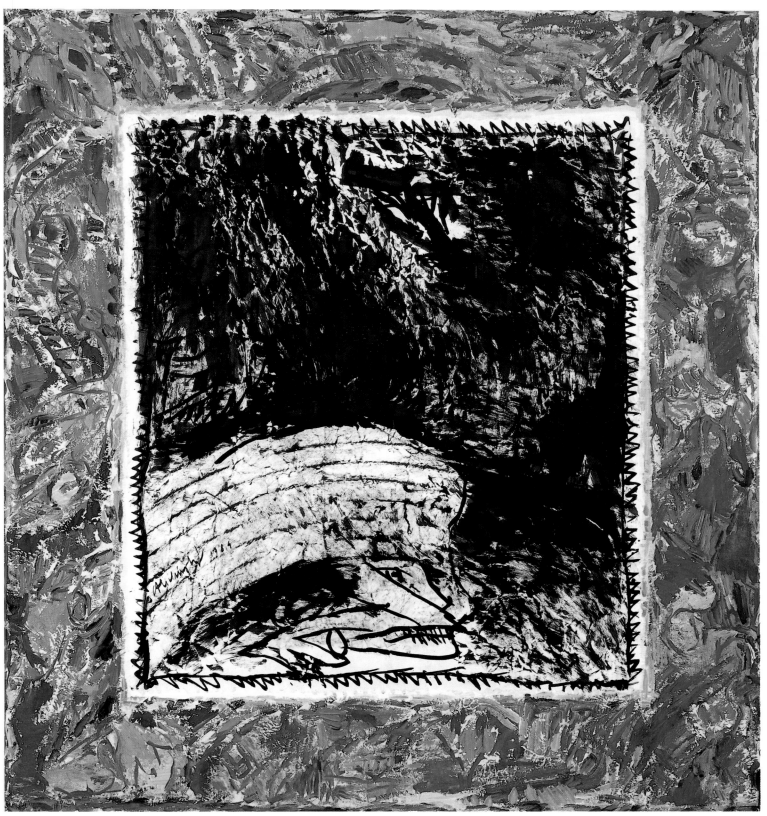

21

21. Rétrovision prémonitoire 1984
Waarschuwende terugblik/
Forewarning retrospect
acryl en inkt op papier op doek
170x155

22. Remuement d'eau 1985
Bewegend water
Stirring water
acryl en inkt op papier op doek
200x200

ELSE ALFELT

1. Regnbuebjerge 1946
Regenboogbergen/
Rainbow mountains
olie op board
63x85

1

Hoewel Else Alfelt (Kopenhagen 1910–1974) op de Cobratentoonstelling in 1949 in Amsterdam aanwezig was, is haar werk stilistisch en thematisch ver verwijderd van wat wel de 'Cobrataal' genoemd wordt. Onmiskenbaar is echter wel dat zij door haar huwelijk met Carl-Hennig Pedersen sterk betrokken raakte bij het sociale leven van de Cobragroep.

Although works by Else Alfelt (Copenhagen 1910–1974) were a part of the Cobra exhibition in Amsterdam in 1949, she was stylistically and thematically far removed from what is known as the 'Cobra language'. By marrying Carl-Henning Pedersen she was undeniably involved in the social life of the Cobra group.

KAREL APPEL

1. Buste de femme 1947
Vrouwenbuste
Bust of a woman
brons
hoogte: 94

2. Vogelkop 1947
Bird's head
brons
hoogte: 72

8

'1949...Karel Appel/ Zijn naam - in het oog van de brave burger- / wordt symbool van de opstand', schreef Sandberg in het begin van de jaren '60 eens. Weinigen zullen dat bij nader inzien willen ontkennen. Misschien niet eens omdat Appel (Amsterdam, 1921) destijds het symbool van de Cobra opstand was, als wel omdat hij dat in de loop van de tijd werd. Geen van de schilders die bij Cobra betrokken was, kreeg later immers zoveel bekendheid als deze kunstenaar, traditioneel altijd als 'Amsterdamse volksjongen' omschreven. Appel was vanaf het begin betrokken bij de Nederlandse Experimentele Groep die in Cobra opging. Hij zorgde ongewild voor veel publiciteit door in het voorjaar van 1949 een wand te beschilderen in de kantine van het Amsterdams stadhuis. Daarover ontstond een rel die tot gevolg had dat het werk gedurende tien jaar bedekt werd en Aldo van Eyck in januari 1950 een pamflet in Amsterdam aanplakte dat hij toepasselijk *Een appèl aan de verbeelding* noemde. Als een soort doekje voor het bloeden kreeg Appel in de loop van datzelfde jaar de opdracht de bar van het Stedelijk Museum te beschilderen (zie Appel no. 8, omslag). Ondertussen was Cobra in volle gang: Appel was bij de oprichtingsvergadering aanwezig geweest en had even tevoren zelfs een soort manifest tegen dat van Constant gepubliceerd. Daaruit blijkt zijn minimale theoretische belangstelling en optimale praktische gedrevenheid.

'1949...Karel Appel. His name was a symbol of rebellion to the middle classes,' wrote Sandberg at the beginning of the Sixties. Looking back over the years, few people would deny the truth of this statement. Probably not so much because Appel (Amsterdam 1921) was a symbol of Cobra rebelliousness at the time in question, but rather because he took on that function as time went by. None of the painters who were involved in Cobra were to receive so much acclaim in later years as this particular artist, traditionally described as an 'Amsterdam working-class lad'. From the very start, Appel was involved in the Dutch Experimental Group which evolved into Cobra. In 1949, he unwittingly aroused a great deal of publicity by painting a wall in the Amsterdam Municipal Town Hall's canteen. This created such a stir that the work was covered up for ten years and Aldo van Eyck lampooned the whole situation in a pamphlet which was fly-posted throughout Amsterdam in January 1950, called *Een appel aan de verbeelding* (a play on Appel's name meaning *a plea for imagination*). As a gesture of appeasement Appel was commissioned to paint the bar of the Stedelijk Museum in the very same year (see Appel no. 8, cover). In the meantime Cobra was in full swing: Appel had been present at the meeting in which the movement had been formally established, and had published beforehand a sort of manifesto attacking Constant's theories.

90

3. Drift op zolder 1947
Passion in the attic
assemblage, beschilderd
159x59

4. Vragende kinderen 1948
Questioning children
olie op doek
71x105

5. Vragende kinderen 1948
Questioning children
vetkrijt op papier/wax crayon
19,5x29

Andere motieven dan bevrediging van zijn scheppingsdrift kent de schilder niet, zegt hij in dat geschrift. 'Men heeft haar (de kunst) zovele doelen en eisen gesteld, hoge morele ethische religieuze sociale en honderden andere plichten en roepingen verkondigd en daarmee zo vele soorten van ismen menen te vinden dat het zuiver inzicht in hetgeen scheppingsdrift in wezen is daardoor slechts verduisterd is geworden.'

In it he expresses a minimum of interest in theory and an optimum appreciation of practical drive. Motives other than satisfying a desire to create are unknown to the painter, he states in the text. 'People have set (art) so many goals and made so many demands on it, proclaimed its highly moral, ethical, religious, social and hundreds of other duties and callings, and in doing so have thought to find so many "isms", that pure insight into the creative urge has been obscured.'

4

6. Figuur met vogel 1948
Figure with bird
aquarel
64x49,5
(ill. pag. 16)

7. Dier 1949
Animal
olie op doek
40x60

8. Vragend kind 1949–1950
Questioning child
olie op doek
92x62

9. Vogel 1950
Bird
brons
42x51x34

7

3

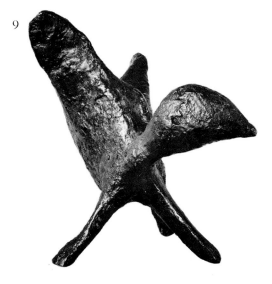

9

drift op zolder en vragende kinderen
voor karel appel

maar jij verhuisde naar zolder, lekker
dicht bij de zon
en het licht daar huist nog net niet geregeld
door de 1001 nationale stillevenschilders
je bouwde er een boom van zeepkloppers
voor lieflijk lawaai voordien
alleen verspreid door die visionaire zee-
vogels
die ieren graag zien
en je bouwde je een weg van afval
de weg die kinderen gaan
aan de hand van feeën uit vodden
(fragment)

lucebert

92

10. Enfant et animal 1950
Kind en dier
Child and animal
olie op doek
110x137

11. De blijde dierenwereld 1950
The happy world of animals
olie op doek
58x67

12. Figuur 1950-1951
Figure
gips met draad-constructie/
plaster with wire-construction
hoogte: 57,5

13. Dierenparade 1951
Parade of animals
olie op doek
80x120

11

Appel en Constant in Parijs

Appel and Constant in Paris

12

'Door Monet ontdekte ik de vrijheid. Ik trok naar het platteland. Ik was arm, had geen cent. Ik verbleef bij een boer. Het mooiste was dan als je 's morgens opstond: de dauw over dat vlakke land, de zon die opkwam en als enige geluid het rinkelen van de melkkan van de boer. Prachtig van atmosfeer. Dat soort dingen schilderde ik tot de oorlog uitbrak...In 1942 kwam ik op de Academie. Daar werd niets aan moderne kunst gedaan. Je tekende naar gipsen koppen of levende modellen. Dan kwam de leraar kijken of het leek en daar bleef het bij.' (Appel).

'Through Monet I discovered the meaning of freedom. I went to the countryside. I was poor, I didn't have a penny to my name. I stayed with a farmer. The best thing was when you got up in the morning: the dew hanging suspended over the flat land, the sun rising and the only noise the chinking of the farmer's milk churns. A wonderful atmosphere. I painted that type of thing until war broke out... In 1942 I went to the Academy. Modern art was entirely neglected there. It was drawing using plaster heads or live models. Then the teacher would come round to see if there was a resemblance and that was about it.' (Appel)

10

13

18

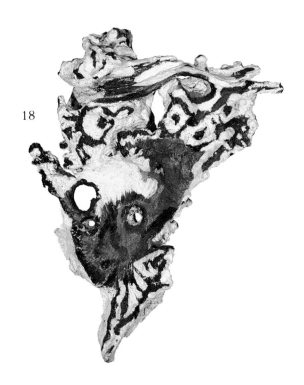

14. Twee figuren en een vogel 1951
Two figures with bird
inkt en gouache
50x70

15. Personnage avec chien
Man met hond 1952
Man with dog
olie op doek
110x100

16. Figuur met hoed 1958
Figure with hat
collage en gouache op papier
65x50

17. Paysage humain 1958
Menselijk landschap/
Human landscape
olie op doek
130x195

18. Man, the Witness 1959
Mens, de Getuige
beschilderde stronk olijfhout/
painted stub of olive-wood
hoogte: 147

19. Passion of two men 1962
Hartstocht van twee mannen
olie op doek
161x131

20. La vierge noire 1966
De zwarte maagd/ The black virgin
olie op hout
217x144

17

'Ik heb nooit geprobeerd volks-kunst te maken, ook al hebben ze dat gezegd. Altijd heb ik gepro-beerd een nieuwe expressie in de schilderkunst te brengen. Je zou kunnen zeggen dat ik begonnen ben als een kind, krassen op een schone bladzijde. Dat was mijn bevrijding van de Academie. En dat is snel tot een eigen vorm van expressie uitgegroeid.' (Appel)

'I have never tried to make folk art, even though this has been said about me. I have always tried to bring new expression to paint-ing. You could say that I started as a child, scrawling on a clean page. That was my liberation from the Academy. And that soon grew into a personal form of express-ion.' (Appel)

20

19

Appel in zijn atelier, 1986

'Als ik voor een doek sta te schilderen, ben ik in een soort trance,
een meditatieve situatie. Dan
ben ik wat ik ben.' (Appel)

'If I stand in front of a canvas,
painting, I am in a sort of trance,
in meditation. Then I am the
true me.' (Appel)

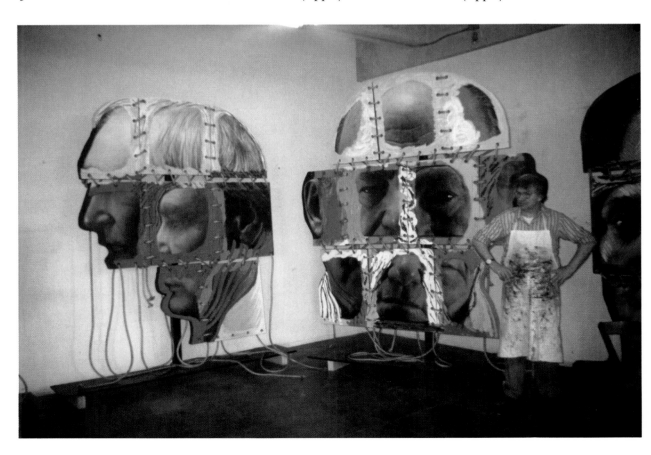

21. Boer met hond 1972
Farmer with dog
olie op hout
148x115

22. The kiss 1975
De kus
olie op doek
130x195

23. Clown 1978
beschilderd hout
153,6x89x22,5

24. Nude 1986
Naakt
olie op doek
244x367

21

'Forty years after, everyone starts talking about Cobra again, but I have forgotten it entirely. Cobra was such a short episode in my life. In that period you met one another from time to time, but I didn't know most Cobrapainters, except for the Dutch of course. I didn't know most of the Danes. And as for the Belgians only Dotremont and Alechinsky really.' (Appel)

'Veertig jaar later gaat iedereen over Cobra praten maar ik ben het helemaal vergeten. Cobra is zo'n kleine episode in mijn leven. In die periode ontmoette je elkaar wel enkele malen maar de meeste Cobraschilders heb ik niet gekend, buiten de Hollanders natuurlijk. De meeste Denen ken ik niet. En van de Belgen eigenlijk alleen Dotremont en Alechinsky.' (Appel)

23

24

22

JEAN MICHEL ATLAN

De Algerijn Jean-Michel Atlan (Constantine, 1913-1960) kwam in 1946 in contact met Asger Jorn die voor de opzet van een internationaal tijdschrift in Parijs verbleef en de schilder in zijn atelier opzocht. Atlan was op dat moment actief binnen de Franse surrealistische beweging, een bezigheid die samenhing met zijn belangstelling voor 'het erotische en het magische'. Aansluiting bij de mythe-scheppende kunst van de Denen was voor hem dan ook niet zo moeilijk. Hij was met zijn collega Jacques Doucet de enige die zich na het uiteenvallen van de Franse groep daadwerkelijk bij de 'opstandelingen' rond Dotremont en anderen aansloot. Atlan zou op beide grote Cobratentoonstellingen, in zowel Amsterdam als Luik, vertegenwoordigd zijn. Zijn atelier in Parijs werd een ontmoetingscentrum voor Cobraleden. In *Cobra* no. 6 schreef hij een kort artikel onder de titel *Abstraction et aventure dans l'art contemporaine* waarin hij beweerde dat de huidige kunst door twee conformismes bedreigd werd: 'het banale realisme, de vulgaire imitatie van de werkelijkheid' en 'de orthodoxe abstracte kunst, een nieuw academisme dat de levendige schilderkunst probeert te vervangen door een louter decoratief vormenspel'.

In 1946, the Algerian Jean-Michel Atlan (1913-1960) met up with Asger Jorn who was staying in Paris to set up an international magazine. Jorn went to see Atlan at his studio. Atlan, at that time, was active within the French surrealist movement, an activity which linked up with his interest in 'the erotic and the magical'. It wasn't difficult for him to relate to the myth-creating art of the Danes. He and his colleague Jacques Doucet were the only ones who joined the 'rebels' grouped round Dotremont and others when the French group fell apart. Atlan was represented in both large Cobra exhibitions in Amsterdam and Luik. His studio in Paris became a meeting place for Cobra members. In *Cobra* no. 6 he wrote a short article entitled *Abstraction et aventure dans l'art contemporaine* in which he maintained that art at that time was threatened by two types of conformism: 'trite realism, the vulgar imitation of reality' and 'orthodox abstract art, a new academism which aimed at replacing lively painting by a merely decorative play on shapes.'

1. Composition 1949
olie op doek
81x100

2. Composition 1949
pastel
72x57

3. Z.T. 1954
pastel op schuurpapier/ sand-paper
46x54

4. Composition 1956
olie op doek
46x55

5. Midi 1957-1958
Midden op de dag/Midday
Meerdere technieken op papier/
various techniques on paper
60x46

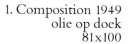

1

Mogens Balle met vrienden in een galerie, 1949. Op de voorgrond 'Komposition Spiralen' (no. 1)

Mogens Balle with friends in a gallery, 1949. In the foreground 'Komposition Spirale' (no. 1)

1. Komposition 'Spiralen' 1949
Compositie 'Spiralen'
Composition 'Spiralen'
olie op doek
54x47

2. Lykønskning 1950
Felicitatie/Congratulation
olie op doek
24x41,5

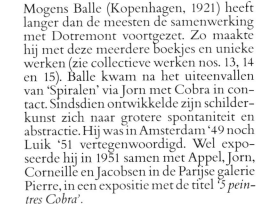

2

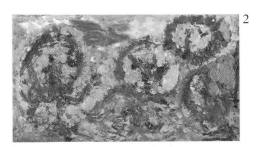

3

4

5

Mogens Balle (Kopenhagen, 1921) heeft langer dan de meesten de samenwerking met Dotremont voortgezet. Zo maakte hij met deze meerdere boekjes en unieke werken (zie collectieve werken nos. 13, 14 en 15). Balle kwam na het uiteenvallen van 'Spiralen' via Jorn met Cobra in contact. Sindsdien ontwikkelde zijn schilderkunst zich naar grotere spontaniteit en abstractie. Hij was in Amsterdam '49 noch Luik '51 vertegenwoordigd. Wel exposeerde hij in 1951 samen met Appel, Jorn, Corneille en Jacobsen in de Parijse galerie Pierre, in een expositie met de titel '5 peintres Cobra'.

Mogens Balle (Copenhagen 1921) continued the alliance with Dotremont longer than most. This can be verified in a number of books and original works (see collective works nrs. 13 and 14). Balle got to meet Cobra through Jorn after the Spiralen group fell apart. From then on his painting developed towards the expression of greater spontaneity and abstraction. He wasn't represented in either Amsterdam '49 nor Luik '51. He did have an exhibition in 1951 with Appel, Jorn, Corneille and Jacobsen in the Parisian gallery Pierre, and an exhibition entitled '5 peintres Cobra'.

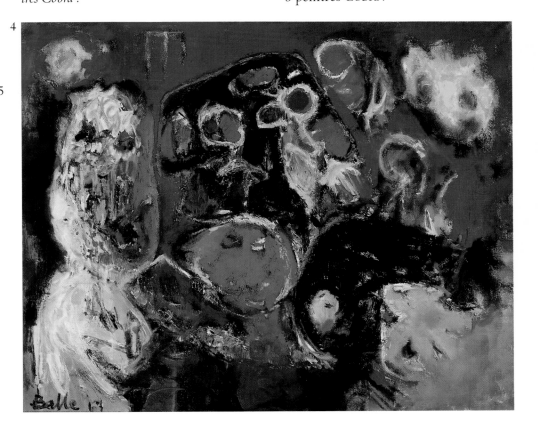

3. Huse Natten 1954
Huis bij nacht/House by night
olie op doek
24x33

4. Blå verden 1967
Blauwe wereld/ Blue world
olie op doek
82x100

5. Mærkeligt tegn 1980
Vreemd teken
Strange sign
olie op doek
81x61

101

EJLER BILLE

Ejler Bille (Odder, Jutland, 1910) was een van de mede-oprichters van *Linien* en stond als zodanig aan de wieg van de moderne kunst in Denemarken. Hij was tevens nauw betrokken bij de tentoonstellingsvereniging Höst en het blad *Helhesten*. Met Jorn, Pedersen, Jacobsen, Heerup en anderen werkte hij met andere woorden al in de jaren '30 aan de principes die later kenmerkend voor Cobra genoemd zouden worden: spontaneïteit, kindertekeningen, primitieve kunst. In zijn eigen werk, tot dan toe vooral sculptuur, voltrok zich aan het eind van de jaren '30 een vrij plotselinge overgang van abstracte, surrealistische composities naar spontane creaties. Midden in de oorlog keerde hij echter weer terug naar rustiger werk zodat critici wel zeggen dat hij ten tijde van Cobra kunstwerken maakte die aan de Cobrastijl tegengesteld zijn. Wel exposeerde Ejler Bille in 1949 in Amsterdam.

Ejler Bille (Odder, Jutland 1910) was one of the instigators of *Linien*, and in that capacity was present at the birth of modern art in Denmark. He was also closely allied to the exhibition society Höst and the magazine *Helhesten*. In the Thirties, working with Jorn, Pedersen, Heerup and others he was already working by the principles which were to be so characteristic for Cobra later on: spontaneity, children's drawings, primitive art. In his own work, which had up until then been mostly sculpture, there was a sudden change from abstract, surrealistic compositions to spontaneous creations. Half way through the war he did, in fact, revert to less startling creations which makes the critics say that in the Cobra period he was producing work which was just the opposite of the Cobra style. Ejler Bille did show his work in Amsterdam in 1949.

1

1. Figurrelief 1945
Reliëf met figuren/ Figure relief
brons
22,6x21,5x3,6

2. Gående figur 1948
Wandelende figuur/ Walking figure
brons
30x30x15

3. Komposition med maske 1949
Compositie met masker
Composition with mask
olie op doek
73x50

3

4. Omkring et midtpunkt 1977
Rond een middelpunt
Around a middle point
olie op doek
70x65

'Natuurlijk zijn er in de Cobrabeweging discussies geweest
over het spontane. Het was
belangrijk voor ons te ontdekken
wat je daaronder moest verstaan.
Je kunt niet gewild spontaan zijn.
Als je spontaniteit bedenkt, ben
je niet spontaan. Ik kan dat het
beste uitleggen aan de hand van
een prachtige en eenvoudige
mythe van de grote mysticus
Tao-tse. Een verhaal over de pad
en de duizendpoot. "Zeg eens,
mijnheer of mevrouw de duizendpoot, hoe doet u dat? Ik
bedoel, kiezen welk been u vóór
het andere moet zetten". En dan
schrikt de duizendpoot en raakt
zo verward dat hij niet meer kan
lopen en in de sloot valt. In het
spontane vergeet je jezelf terwijl
je toch koers houdt.' (Bille).

'Of course there were discussions in the Cobra movement
about spontaneity. It was
important for us to discover
what that meant. You cannot
induce spontaneity. If you play at
spontaneity, you are not being
spontaneous. It is best explained
by analogy to a beautifully
simple myth from the works of
the great mystic Tao-tse. A story
about the toad and the centipede. "Tell me now Mr and Mrs
Centipede, how do you do it? I
mean - how do you know which
leg to put in front of which?"
This question comes as such a
shock to the centipede's system
and throws him into such confusion that he can no longer walk
properly and he falls into a ditch.
When acting spontaneously you
forget yourself yet still keep on
course.' (Bille)

'Als iemand vroeger zei dat hij
"uit z'n hoofd schilderde", dan
werd dat als navelstaren
beschouwd. Dan hield je je niet
aan de natuur. Maar de moderne
kunst wil juist het tegenovergestelde tonen: dat wat binnen ons
zit waardevol is, dat de natuur
een deel van ons is. Ik gebruik
vaak een beeld om dat duidelijk
te maken, een Indische vertelling
over een moeder die in de mond
van haar kind kijkt. Ze ziet bos-
sen en bergen en meren, een
grootse natuur kortom en ontdekt dan dat haar kind goddelijk
is, een Krishna. Dat is kijken naar
wat we met een modern woord
de "surrealiteit" noemen, de
erkenning dat de fantasie ook
werkelijkheid is, werkelijker dan
in het dagelijks leven lijkt.' (Bille)

'In the old days, if anyone were to
say that they painted "from the
head", it was seen as a sort of nar-
cissism. In doing so you did not
stick to the rules of nature. But
modern art tries to express
exactly the opposite. It is what is
inside us that is valuable: nature
is within us. I often use a visual
image to make this clear, an
Indian tale about a mother who
looks in her child's mouth. She
can see woods and mountains
and lakes, nature at its best, and
discovers that her child is divine,
a Krishna. That is a way of looking at things which we call in
modern terms "surreality", the
recognition that fantasy is
reality, more real than it would
appear to be in daily life.' (Bille)

2

EUGENE BRANDS

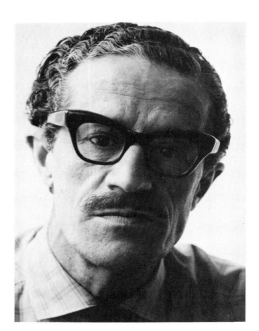

Eugène Brands (Amsterdam, 1913) leerde de andere Nederlandse kunstenaars die bij Cobra betrokken zouden zijn, op de tentoonstelling 'Jonge schilders' kennen die Sandberg direct na de oorlog in het Stedelijk Museum organiseerde. Brands kreeg in deze expositie opmerkelijk veel aandacht: een volledig zaaltje was met zijn werk ingericht. Appel en Corneille kwamen hierna geregeld bij hem op bezoek en haalden hem, huiverig voor groepsbinding, in de zomer van 1948 over om zich bij de Nederlandse Experimentele Groep aan te sluiten. Brands publiceerde in het eerste nummer van *Reflex* een stukje dat hij *To the point* betitelde en waarin hij ondermeer schreef: 'Uit hoofde van onze bezigheid van schilderen, werken wij met vorm en kleur, en net zo min U een merel langs de Amstel vraagt naar de titel van zijn lied, kunt U van ons een direct antwoord verwachten op de geijkte vraag "wat stelt het voor?"' Zowel in dit als in het tweede nummer van *Reflex* werden ook reproducties van zijn werk opgenomen. Hij was aanwezig op de tentoonstelling in het Stedelijk en verzorgde ook de Afrikaanse muziek bij de opening die zovele recensenten tot woede bracht en maakte dat bijna niemand de toespraak van Dotremont kon verstaan (over die volksmuziek schreef hij in *Reflex* II). Brands was een van degenen die direct na de rel van het Stedelijk uit de Experimentele Groep trad, volgens een rondschrijven omdat hij meende dat er te grote artistieke verschillen waren tussen hem en de anderen. Hij was dan ook niet op de volgende tentoonstellingen van de Cobragroep aanwezig, al zou hij zich in de komende jaren in afzondering wel intensief bezighouden met zulke typische Cobrafenomenen als de kindertekening en Afrikaanse kunst.

Eugene Brands (Amsterdam 1913) got to know the other Dutch artists that were to be related to the Cobra movement later on, at the exhibition 'Jonge schilders' (young painters), organized by Sandberg at the Stedelijk Museum straight after the war. Brands got an amazing amount of attention at this exhibition: a complete room was filled with his work. Appel and Corneille went round to see him regularly after this and although he shied away from group alliances they persuaded him to join the Dutch Experimental Group in the summer of 1948. Brands published a piece entitled *To the point*, in the first number of *Reflex* in which he wrote: 'In our work as painters, we use form and colour, and it is just as useless to ask a blackbird singing sweetly by the river Amstel the title of its song as it is to ask us to give a direct answer to the invariable question "what does it represent?" Reproductions of his work were included both in this and the second number of *Reflex*. He was at the Stedelijk exhibition and was also in charge of the African music at the opening which enraged a great number of critics and ensured that practically no-one could understand Dotremont's address (he wrote about this folk music in *Reflex* II). Brands was one of the members that left the Experimental Group immediately after the row at the Stedelijk, according to a circular letter, because he thought that the artistic differences between himself and the others were too great. He was therefore not at the following Cobra group exhibition, even though in the years that followed he was to occupy himself with such typical Cobra phenomena as children's drawings and African art.

eugène brands de schilder

hij schildert even uitzinnig als voorzichtig
dit gebroken beeld doch nooit met een
meesterschap
kwijlende binnen de randen van de schalen
van een tijd aan scherven maar altijd kinderlijk
met stilte en leven volmaakt verenigd aan
die ene
onzichtbare muur haast niet te verduren
(fragment)

lucebert

1

2

POL BURY

1. Composition 1948
olie op doek
40x40

2. Composition 1949
olie op doek
100x70

3. Z.T. 1950
aquarel
46.8x29,8

Paul Bury (Haine Sainte Pierre, 1922) was een van de acht Belgen die in 1951 aan de Cobratentoonstelling in Luik deelnam. Hij was lid van de groep *Jeune Peinture Belge* en kwam op die wijze in 1949 met de Cobragroep in aanraking. Spoedig neigde hij echter naar geometrische abstractie, vanaf 1953 ging hij zich geheel wijden aan het maken van bewegende plastieken. Bury plaatste enkele artikelen in het tijdschrift *Cobra*, ondermeer een lofrede op de materie in no. 2.

Paul Bury (Haine Sainte Pierre 1922) was one of the eight Belgians who took part in the Cobra exhibition in Luik in 1951. He was a member of the group Jeune Peinture Belge and in this way came into contact with the Cobra group in 1949. He soon developed a tendency towards geometrical abstraction. From 1953 onwards he dedicated himself entirely to making moving objects. Bury wrote a few articles in the *Cobra* magazine, including an appraisal of the material in no. 2.

1

GEORGES COLLIGNON

George Collignon (Flémalle- Haute, Luik 1923) was met een vijftal werken op de tentoonstelling in Luik vertegenwoordigd. Hij rekende zich tot een van Cobra losstaande Luikse schildersgroep die zich Réalité noemde, uit solidariteit met Cobra ook wel *Cobra Réalité* genaamd. Collignon exposeerde met Alechinsky, Doucet en Corneille in 1950 in de Parijse galerie Maeght en een jaar later op een Parijse tentoonstelling die Michel Ragon, de eerste criticus van Cobra, in 1951 in de Librairie 73 op de Boulevard St. Michel organiseerde. Gesierd met de naam en het vignet van Cobra publiceerden Collignon en Martinoir een boekje onder de titel *Le crayon et l'objet* waarvan de tekst ook in *Cobra* no. 10 werd opgenomen.

George Collignon (Flémalle–Haute Luik 1923) was represented by five of his works at the Luik exhibition. He considered himself a member of an artistic circle in Luik called Realité which was not allied to Cobra, but in solidarity with Cobra called itself Cobra Realité. Collignon exhibited in the Parisian gallery Maeght in 1950 with Alechinsky, Doucet and Corneille and a year later at an exhibition in Paris organized by Michel Ragon, Cobra's first critic, in the Librairie 73 on the Boulevard St. Michel. Decorated with the name and vignette of Cobra, Collignon and Martinoir published a short book entitled *Le crayon et l'objet* (the text was included in *Cobra* no. 10).

1

2

1. Réalité Cobra 1949
Cobra werkelijkheid/ Cobra reality
olie op doek
140x184

2. Composition 1950
olie op doek
100x80

3. Composition 1950
olie op doek
80x100

3

CONSTANT (Constant Anton Nieuwenhuys)

1. Z.T. 1947
gouache op boomschors/on bark
45x31

2. Z.T. 1948
kleurpotlood, krijt, potlood 54x45

Met Asger Jorn en Christian Dotremont was Constant Anton Nieuwenhuys (Amsterdam, 1920), kortweg Constant genaamd, de belangrijkste theoreticus van het Cobragezelschap. Al voor de oprichting van Cobra had hij in *Reflex* een manifest gepubliceerd dat als een uitgangspunt van de experimentele schilderkunst beschouwd kan worden. Vele theoretische geschriften zouden volgen. Het contact tussen de Nederlanders en Denen kwam tot stand door een ontmoeting van Constant en Jorn in de Parijse galerie van Pierre Loeb. In de winter van datzelfde jaar verbleef Jorn, op doorreis naar Denemarken, enkele dagen bij Constant in Amsterdam. Met name toen zijn plannen ontstaan die later in Cobra deels verwerkelijkt werden. Voor Constant zelf was de ontmoeting met Jorn een eyeopener: vanaf dat moment gaat hij steeds intensiever zoeken naar die eigen uitdrukkingsvorm die een tijdlang voor 'typisch Cobra' doorgaat. Constant was binnen de Nederlandse experimentele groep vermoedelijk de belangrijkste organisator. In ieder geval was en bleef hij tot op heden de meest gedreven theoreticus van het stel en was hij ook het meest politiek geëngageerd. Zo zocht hij gedurende de jaren '50 en '60 naar een nieuwe architectuur in zijn experimentele stad Nieuw Babylon en vond hij later aansluiting bij Provo.

Aside from Asger Jorn and Christian Dotremont the most important theoretician in the Cobra team was Constant Nieuwenhuys, known as Constant for short (Amsterdam 1920). Even before Cobra had been officially established he had published a manifesto in *Reflex* which can be taken as a starting point for experimental art. Many theoretical texts were to follow. The contact between the Dutch and the Danes came about due to Constant and Jorn meeting in a Parisian gallery owned by Pierre Loeb. In the winter of the same year Jorn stayed for a few days at Constant's house in Amsterdam on his way back to Denmark. It was at that time in particular that plans were made which were, to a certain extent, to be realized in Cobra. For Constant himself, the meeting with Jorn was an eyeopener: from that moment onwards he started to search more intensively for that particular form of expression which was for many years considered to be 'typical Cobra'. Constant was probably the most important organizer within the Dutch group. Clearly, he was and still is, the most inspired critic of them all and the one most politically involved. This led him in the Fifties and Sixties to his search for new architecture in the experimental city New Babylon, and later he joined forces with the Provo movement.

2

1

3. Compositie 1948
gouache
47x59

4. Vrouw met hond 1949
Woman and dog
olie op doek
45x74

5. De redenaar 1949
The orator
olie op doek
65x80
(ill. pag. 9)

6. Vogel 1949
Bird
olie op doek
49x60

7. Masker 1949
Mask
olie op doek
44x50
(ill. pag. 24)

8. Homme tombé 1949
Gevallen man/ Fallen man
gouache
48x62

9. Z.T. 1949
gouache op board
54x45,5

10. Nacht, Angst, Rode vlag, De Wolf,
Middernacht, Ontwaken,
De Zon 1950
Night, Fear, Red flag, The Wolf, Mid-
night, Awakening, The Sun
Assemblage van zeven doeken
Assemblage of seven paintings
olie op doek
(7x) 13x18

4

6

10

12

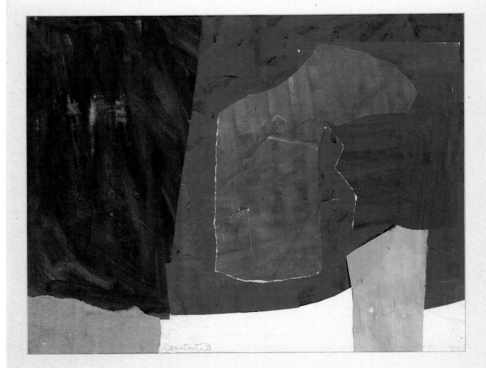

8

'Ik heb bezwaar tegen uitdruk-
kingen als "een nieuwe manier
van werken" en dergelijke. Alsof
het een stijl betreft. Dat experimentele schilderen - het woord
zegt het al - is meer experimenteren dan schilderen. We hadden
geen uitgangspunt, afgezien dan
van de materie zelf. En we keerden juist tot die materie terug
omdat we geen uitgangspunt
hadden. Dat was de bron, de oer-
bron.' (Constant)

'I am opposed to expressions like
"a new method of work" and the
like. As if it were a style. Experimental painting — the title
speaks volumes — is more ex-
perimenting than painting. We
did not have any specific principles, except for the material itself. And we returned to the material because we did not have
any specific principles. That was
the source, the primeval source.'
(Constant)

13

11. Huit x la guerre 1951
Acht keer oorlog/
War eight times over
serie van 8 lithografieën
40x29
(ill. pag. 7, 10, 11 en 22)

12. De hand 1952
The hand
olie op doek
114x146

13. Collage met groene vorm 1953
Collage with green shape
collage en aquarel op papier
48x61

14. Paarse vorm op geel fond 1953
Purple on yellow
olie op doek
65x100

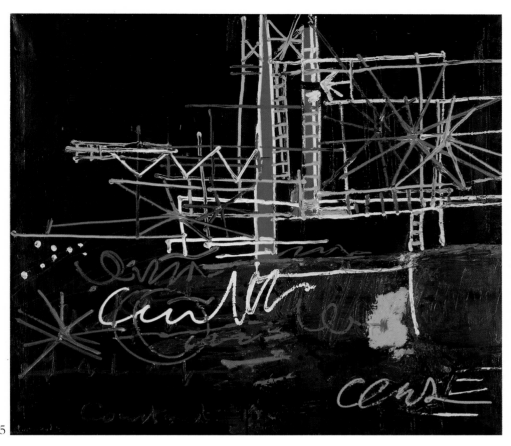

15

'Door de oorlog was er een soort vacuüm ontstaan. Er bestond geen gelegenheid het land uit te gaan, het was nauwelijks mogelijk uit een bibliotheek boeken te krijgen, tentoonstellingen waren er al helemaal niet. Je raakte in een soort niets, je wist helemaal niet meer waar je was...' (Constant)

'The war had created a sort of vacuum. There was no chance of going abroad, it was practically impossible to get books from the library, exhibitions did not take place at all. You ended up in a no-mans land, you had no idea where you were anymore...' (Constant)

18

15. Constructie Cenz 1961
Construction Cenz
olie op doek
97x110

16. Paysage artificiel 1963
Kunstmatig landschap/
Artificial landscape
olie op doek
160x185

114

'Een orgie is in volle gang.
Centraal in het schilderij ligt een zwijn voor een rijkbeladen tafel.
Geheel rechts, in witte avond-japon, staat Venus
in gezelschap van Orpheus die op de gitaar speelt.
Begeleid door diens spel voert Salomé een striptease uit.
Naast haar zien we, hoog opge-richt, Mefistofeles de ceremoni-emeester.
De blik van Venus is echter niet op hem gericht
maar op de gestalte van een naakte gemartelde gevangene, uiterst links, die zojuist is bin-nengebracht.
Zij staat op het punt om spel-breekster te worden.
Mefistofeles kijkt dreigend en Orpheus werpt een waar-schuwende blik op haar.
Een angstige Maria Magdalena wordt door een monnik behoed-zaam weggeleid.
Maar op de achtergrond ver-schijnt een opdringende me-nigte
die het feest zal verstoren'.

17

19

'There is an orgy in full swing.
The painting focuses on a wild boar and a richly laden table.
Over to the right, in a white evening gown, Venus is to be seen in the company of Orpheus who is playing the guitar.
Salomé is carrying out a strip-tease to the accompaniment of his music.
Next to her, raised on high, we see Mefistofeles, the master of ceremonies.
Venus's gaze is not directed to-wards him but towards the figure of a naked tortured prisoner, to the far left, who has just been brought in.
She is just about to ruin their fun.
Mefistofeles looks threatening and Orpheus throws her a warn-ing glance.
An anxious Maria Magdalena is led away by a wary monk.
But in the background a rowdy crowd turns up to disturb the festivities.'

'Ik denk niet dat Cobra bijgedragen heeft tot het succes van individuele leden. Eerder is het andersom: het succes van bepaalde ex-Cobraschilders heeft Cobra in de belangstelling gebracht.' (Constant)

'I don't think that Cobra participated in any way in the success of its individual members. The reverse is more likely to be the truth: the success of certain ex-Cobra painters is what brought Cobra to the forefront in artistic circles.' (Constant)

22

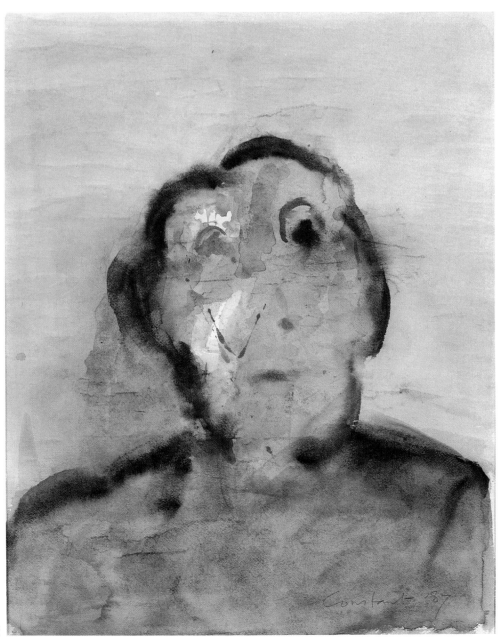

116

20

21

CORNEILLE

Corneille Guillaume van Beverloo (Luik, 1922) en Karel Appel kenden elkaar uit de oorlog en werkten geregeld samen op het atelier van laatstgenoemde aan de Oudezijds Voorburgwal in Amsterdam. Tesamen ondernamen zij in 1946 een tocht naar België waar zij in aanraking kwamen met de op het surrealisme en Frankrijk georiënteerde *Jeune Peinture Belge*. Gezamenlijk exposeerden zij in datzelfde jaar in het Beerenhuis in Groningen en het jaar daarop in het Gildehuys in Amsterdam. Door een toevallige ontmoeting met een Hongaarse vrouw reisde Corneille in dat jaar naar Boedapest waar hij het werk van de Duitse expressionisten leerde kennen en zich verdiepte in het Franse surrealisme. De sfeer van het verwoeste Boedapest maakte grote indruk op hem. In deze stad leerde hij ook Doucet kennen die er evenals Corneille exposeerde. Eind 1947 of begin 1948 kregen Appel en Corneille - net teruggekeerd van een gezamenlijke reis naar Parijs - contact met Constant die een jaar tevoren Jorn had leren kennen. Het Nederlandse drietal exposeerde tussen 14 februari en 4 maart gezamenlijk in kunstzaal Santee Landweer en dat was het begin van een samenwerking die eerst tot de oprichting van de Nederlandse Experimentele Groep en vervolgens tot de aansluiting van deze bij Cobra zou leiden. Evenals Appel zou ook Corneille op het manifest van Constant gereageerd hebben met een zogenaamd *Brouillon pour un manifeste* waarvan de tekst echter verloren is gegaan. Corneille was betrokken bij alle belangrijke Cobragebeurtenissen en zou

Corneille, Guillaume van Beverloo (Luik, 1922) and Karel Appel were wartime acquaintances and worked together regularly in Appel's studio on the Oudezijds Voorburgwal in Amsterdam. They went to Belgium together in 1946 where they came into contact with the movement Jeune Peinture Belge which had French surrealistic leanings. They exhibited together in the same year in the Beeren huis in Groningen, and a year later in the Gildehuys in Amsterdam. Due to a chance meeting with a Hungarian woman, Corneille travelled to Budapest, where he got to know the work of German expressionists and was engrossed by French surrealism. The atmosphere in Budapest, which had been completely ravaged, made a great impression on him. He got to know Doucet there who was exhibiting with Corneille. At the end of 1947 and the beginning of 1948 Appel and Corneille who had just returned from a trip to Paris together, got in touch with Constant who himself had got to know Jorn a year earlier. The three Dutch painters exhibited between 14 February and 4 March in the Santee Landweer art gallery and that was the beginning of the joint venture which was to culminate in the setting up of the Dutch Experimental Group and afterwards to joining up with Cobra. Just like Appel, Corneille had also reacted to Constant's manifesto with a so-called *Brouillon pour un manifeste* which is unfortunately no longer in existence. Corneille was involved in all the important Cobra events and was especially taken by Pedersen's work. In the summer of 1951 he

1. Composition 1947
olie op doek
65x84

2. La ville 1947
De stad/The town
olie op doek
70x100

3. Z.T. 1948
gouache
50x60

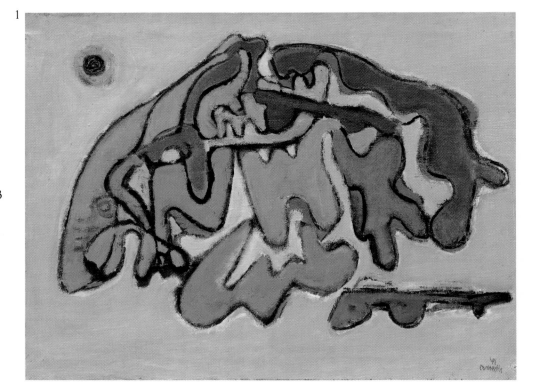

speciaal sterk door het werk van Pedersen bewogen worden. In de zomer van 1951 verbleef hij enige tijd bij hem. Corneille schilderde niet alleen, maar dichtte ook en publiceerde zijn poëzie ondermeer in *Reflex* en *Cobra*. In de Cobratijd maakte hij twee boekjes, beide in november 1949 gepubliceerd: *Les jambages au cou* (met Dotremont) en *Promenade au pays des pommes*.

stayed with him for a while. Corneille was not just a painter, he also published poetry which appeared in *Reflex* and *Cobra* and other publications. In the Cobra period he wrote two books, both published in November 1949: *Les jambages au cou* (with Dotremont) and *Promenade au pays des pommes*.

4. Femmes, tranches de lunelune entrent dedans ma verte solitude 1948
Vrouwen, porties maanmaan treden mijn groene eenzaamheid binnen/
Women, slices of moonmoon entered my green loneliness
gouache
49x52

4

7

5. Oiseaux 1948
Vogels/ Birds
gouache op papier op hout
113x138

6. La ville joyeuse 1949
De vrolijke stad/The joyful city
olie op doek
60x50

7. Vision d'Afrique 1949
Afrikaanse visie/Vision of Africa
olie op doek
60x50

5

'De essentie van Cobra noemde Dotremont eens "enlever les muselières", de muilkorven wegrukken. Wat gezegd moet worden, moet gezegd worden. Dat is Cobra.' (Corneille)

'The essence of Cobra was once expressed by Dotremont as "enlever les muselières, take off the muzzles. What must be said, must be said. That is Cobra.' (Corneille)

6

11

8

18

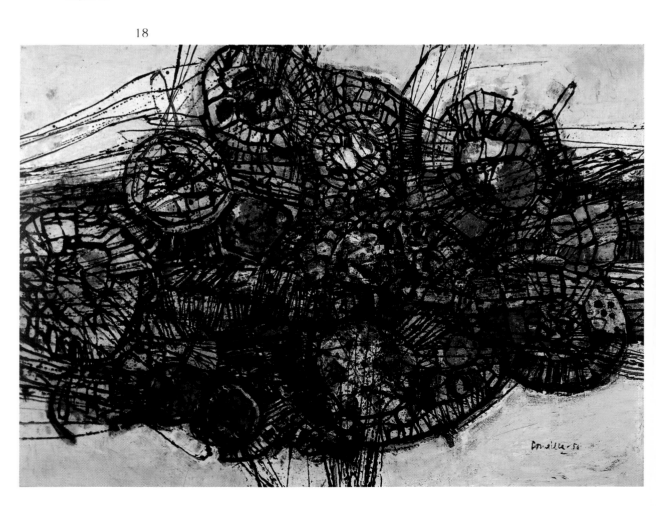

15

'We hebben nooit met een voor-opgezet idee gewerkt zoals dat in de 19de eeuw ging. De schilder had een schilderij in zijn hoofd, ging naar zijn atelier en maakte dat wat hij tevoren bedacht had. Bij ons stond voorop dat het spontaan moest gebeuren. Wij hebben verf, we hebben linnen, een paar kwasten en dan beginnen we. Verder willen we nergens aan denken. Dat schilderij heeft ook zijn rechten, ik zou zelfs nog verder willen gaan: het schilderij wordt gemaakt maar heeft een eigen stem en maakt ons dus ook...' (Corneille)

'We never set to work with a pre-conceived idea like they did in the 19th century. The painter had a painting in his head, went to his studio and made what he had previously thought out. For us it was important to be spontaneous. We have paint, we have canvas, a couple of brushes and then we start. Other than that we don't want to think about anything. A painting has rights too, you know. I would go even further : a painting is created but it has a voice of its own and creates us too...' (Corneille)

19

17

godin voor corneille

ik kan wel lachen om dat lekker dier
als zij hooggezeten tussen dikke kussens
met omkoolde ogen verbaasd naar niets
staart
lijkt zij wel een donzig haasje dommelend
tussen de zon en de grootogige kolen
(fragment)

lucebert

20

20. Vers le soleil 1965
Naar de zon toe/Towards the sun
olie op doek
90x81

22

21. Les fleurs du mal 1974
serie van 10 lithografieën
44x32

22. Le monde des fables 1977
De fabelwereld/ The world of fables
serigrafie
130x240

23. La reine de Saba 1977
De koningin van Saba/
The queen of Saba
acryl op doek
100x139

24. Petite musique de printemps 1988
Voorjaarsdeuntje
Springtime tune
lithografie
76x74

'Het merkwaardige is dat ik in de veertig jaar sinds Cobra nog niets gemerkt heb van een beweging van vergelijkbaar belang. Ik wil niet zeggen dat wij de laatsten waren maar wel de laatsten die zich gemanifesteerd hebben. Ik hoop dat er op een dag toch weer een andere beweging zal ontstaan. Wie weet is hij er al... Maar we maken nu wel een sterk individualistische periode mee. Alle schilders werken nu voor zichzelf, ze zijn als het ware allemaal nombrilisten, navelstaarders.' (Corneille)

'The amazing thing is that in the 40 years since Cobra I have not witnessed a movement of the same importance. I won't say that we were the last, but we were the last to demonstrate it. I hope that one day another movement will establish itself. Who knows, perhaps it's there already... but we are now in the middle of a period in which the balance is weighted towards individualism. Painters all work for themselves now. They are, as it were, all "nombrilists", that is narcissists.' (Corneille)

23

JAN COX

Jan Cox (Den Haag, 1919-1981), sinds 1936 in België woonachtig, werd aan het eind van de oorlog een van de oprichters van de groep Jeune Peinture Belge. Hij kwam in 1950 met Cobra in aanraking, leverde enige bijdragen aan het tijdschrift *Cobra* en was met een tiental litho's aanwezig op de tentoonstelling in Luik.

Jan Cox (Den Haag 1919-1981), has lived in Belgium since 1936, and at the end of the war became one of the founders of the group Jeune Peinture Belge. He came into contact with Cobra in 1950, made a few contributions to the magazine *Cobra* and was present at the exhibition in Luik with ten lithographs.

1

1. Z.T. 1951
lithografie
45x36

2. Les poètes dans ma maison 1953
De dichters in mijn huis/
The poets in my house
acryl
118x144

CHRISTIAAN DOTREMONT

Er kan nauwelijks twijfel over bestaan dat Christian Dotremont (Tervueren, 1922-1979) de stuwende kracht achter Cobra was. In 1940 was hij na publicatie van een gedicht in contact gekomen met de surrealistische beweging in België waarin hij gedurende heel de oorlog actief bleef. Maar door de rol van meest jongere surrealisten in het verzet groeide er een kloof tussen hen en de oudere surrealisten die met het Sovjet-communisme weinig

There can be no doubt that Christian Dotremont (Tervueren 1922-1979) was the driving force behind Cobra. In 1940 he ran into the surrealist movement in Belgium, in which he participated throughout the wartime period. Because most young surrealists were involved in the communist underground movement they became estranged from the older surrealists who were not impressed by Soviet communism. In 1947 this dichotomy led to *Le Sur-*

1. Une patience de gel sur les vitres du passé 1969
Geduld in ijs op de ruit van het verleden
A frost's patience on the panes of the past
inkt op papier
62x88

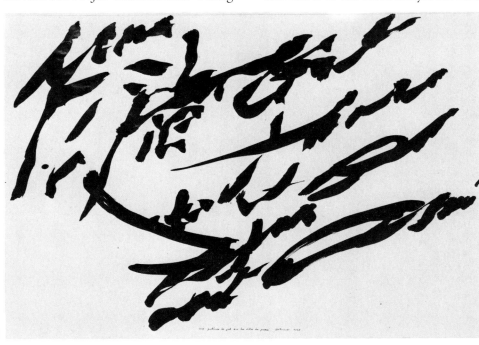

1

ophadden. Uit deze tegenstelling ontstond in 1947 Le Surréalisme Révolutionnaire, waarvan Dotremont de oprichter was. In oktober 1947 hield deze beweging, gespitst op internationale contacten, een eerste congres in Brussel waarbij ondermeer Jorn en Istler aanwezig waren. In de zomer van het jaar daarop verscheen het eerste en enige nummer van het gelijknamige tijdschrift, onder redactie van Dotremont. Daarin stonden naast een politieke redactionele verklaring van zijn hand, reproducties van werk van Doucet, Jorn en Jacobsen. Een tweede conferentie van Revolutionair surrealisten, nu in Parijs gehouden en met het doel de verschillen tussen de Belgische en Franse leden bij te leggen, betekende het officiële begin van Cobra. Deens, Belgische en Nederlandse aanwezigen scheidden zich af en organiseerden zich in een beweging die op suggestie van Dotremont naar de beginletters van de respectievelijke hoofdsteden genoemd werd (**Co**penhagen, **Br**ussel, **A**msterdam). De ideeën van Jorn en Dotremont over een internationaal tijdschrift bleken overeen te stemmen en direct na de oprichtingsvergadering werden dan ook activiteiten in deze richting ondernomen. Zo ontstond *Cobra,* onder hoofdredactie van Dotremont en

réalisme Révolutionnaire, founded by Dotremont. In October 1947 this movement, which was keen to promote international contacts, held its first congress in Brussels and both Jorn and Istler attended. The following summer the first and only number of the magazine which bore the same title appeared, edited by Dotremont. It included his political editorial statement and reproductions of work by Doucet, Jorn and Jacobsen. A second conference of Revolutionary surrealists, this time held in Paris, which was intended to clear away any differences between the Belgian and French members, was the signal for the official start of Cobra. Danish, Belgian and Dutch members formed a splinter group which at Dotremont's suggestion was called by the letters of the capitals of the three member-countries (Copenhagen, Brussels, Amsterdam). The ideas which Jorn and Dotremont had for starting an international magazine appeared to be similar, and directly after the group was established they went into action. This was how *Cobra* started off, under the chief editorship of Dotremont and put together by guest editors who constantly changed. Only no. 10 was to be made by Alechinsky because Dotremont was seriously ill at the time. Dotremont

'In maart 1949 heb ik een bezoek gebracht aan de eerste Cobratentoonstelling die Dotremont in een kleine galerie in Brussel georganiseerd had. Het was de eerste keer dat ik hem ontmoette, het was de eerste keer dat ik Cobraschilderijen zag. Dat gebeurde dus enkele maanden na de oprichting van Cobra. Ik wandelde wat en liep er toevallig binnen. Wat een geluk was het voor mij dat Dotremont daar was, met die lange jas met zakken vol papieren. Hij was de organisator van de tentoonstelling maar ook de suppoost en op dat moment tevens enige bezoeker. Er kwam bijna geen mens.' (Alechinsky)

'In March 1949 I attended the first Cobra exhibition which Dotremont had organized in a small gallery in Brussels. I met him for the first time. It was also my first introduction to Cobra paintings. That occurred a few months after the founding of Cobra. I just happened to be passing and I walked in. I was lucky to find Dotremont there, with his long coat and pockets full of paper. He was the organizer of the exhibition but was playing the part of custodian too and I was the only person there at the time. Not a soul came in.' (Alechinsky)

door deze met telkens wisselende gastredacteuren samengesteld. Alleen no. 10 zou door Alechinsky gemaakt worden omdat Dotremont op dat moment ernstig ziek was. Dotremont was ook de redacteur en chef van de *Petit Cobra* en de zogenaamde *Bibliothèque de Cobra* waarin in totaal 15 deeltjes over beeldende kunst zouden verschijnen, vreemd genoeg in Kopenhagen en onder redactie van Jorn. De voornaamste creatieve bijdrage van Dotremont aan *Cobra* bestond uit een groot aantel 'peinture-mots', combinaties van tekening en schrift. Een aantal hiervan maakte hij zelfstandig, vele in samenwerking. Daarmee is hij ook nog lang na Cobra doorgegaan, soms met oud Cobra-leden. (zie collectie werken ns. 10-19).

was also the editor and head of the *Petit Cobra* and the so-called *Bibliothèque de Cobra* in which 15 editions on art were to appear, strangely enough in Copenhagen and edited by Jorn.
Dotremont's most important creative contribution to Cobra was a great number of 'peinture-mots', combinations of drawings and writing. A number of these he made on his own, a number in collaboration. He went on making these a long time after Cobra had folded, sometimes even with ex-Cobra members (see collective works).

2

2. Au jour le jour la nuit et
le matin 1978
Overdag de dag de nacht
en de ochtend
During the day the day the night
and the morning
inkt op papier
28x21

**zie verder onder
collectieve werken**

JACQUES DOUCET

Jacques Doucet (Boulogne s/Seine, 1924) verbleef in 1947 enige tijd in Boedapest waar hij Corneille leerde kennen. Via deze kwam hij in aanraking met de Nederlandse experimentele groep. Ook was hij betrokken bij het Frans- Belgische Surréalisme- Révolutionnaire dat hem als 'te politiek' echter minder aanstond. Met Atlan sloot hij zich direct na de breuk op het congres van de revolutionaire surrealisten daarom ook bij de Cobraoprichters aan. Hij was zowel in Amsterdam 1949 als Luik 1951 aanwezig en vrij actief binnen het sociale gebeuren onder de Cobraleden.

Jacques Doucet (Boulogne sur Seine 1924) stayed in Budapest for a while in 1947 and got to know Corneille whilst he was there. Through this chance meeting he got to know the Dutch Experimental Group. He was also involved in French–Belgian Surréalisme-Revolutionnaire which did not suit him as much because he was 'too political'. After the break with the revolutionary surrealists at the congress in November 1948, he and Atlan joined the Cobrafounders. He participated in the Amsterdam 1949 and Luik 1951 exhibitions and was fairly active in Cobra's social life.

1. Petits jeux spontanés 1948
Spontane spelletjes/
Small spontaneous games
olie op hout
40x56

2. Composition 1948
aquarel
31x47

3. Village totem 1948
Totem dorp/Totem village
collage en inkt op papier
32x48

4. Composition 1950
olie op doek
50x40

1

3

4

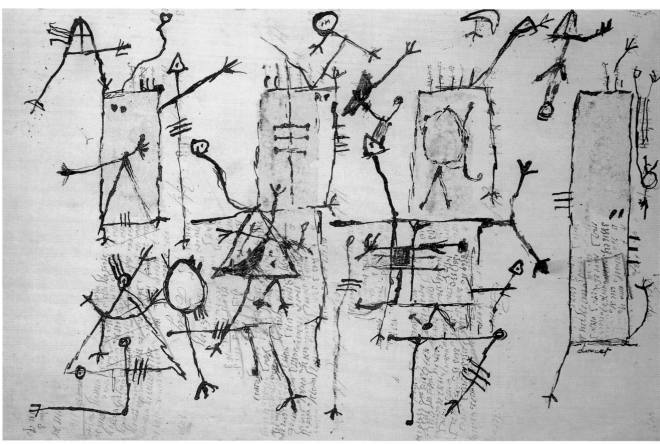

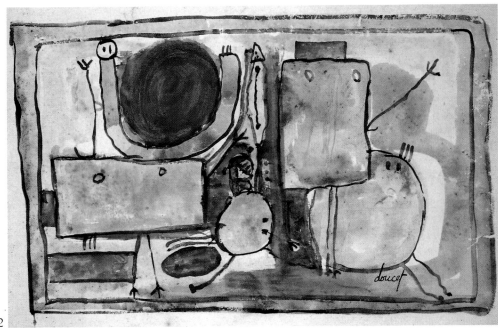

2

6

5. Usure des causses 1972
Afbrokkeling van de hoogvlakten
Abrasion of the upland plains
olie op doek
80x53

6. Z.T. 1976
collage
59x45

SONJA FERLOV

1

Sonja Ferlov (Kopenhagen, 1911) had vanaf 1943 contact met *Linien* en dus de moderne richting in de Deense kunst. Zij woonde op dat moment in Parijs waar zij Ernest Mancoba ontmoette met wie zij in het huwelijk trad. Na de oorlog keerde ze naar Denemarken terug en werd lid van de tentoonstellingsvereniging Höst. Hierdoor kwam zij in aanraking met Cobra. Zij bleef echter een buitenbeentje en ging haar eigen weg.

Sonja Ferlov (Copenhagen, 1911) was involved in *Linien* from 1943 onwards and therefore kept up with the new directions in Danish art. She actually lived in Paris at that time, where she met Ernest Mancoba whom she married. After the war she went back to Denmark and became a member of the exhibition society Höst. This is how she came across Cobra. She remained, however, an outsider and went her own way.

1. Maske 1939
Masker/Mask
brons
35,5x28,5x14,5

2. Skulptur 1951
brons
hoogte: 32

3. Stille Vaekst 1962
Langzame groei/Slow growth
brons
44,5x37x29

2

Sonja FERLOV

WILLAM GEAR

Mogelijk kwam William Gear (Schotland, 1915) via zijn landgenoot Stephen Gilbert met Cobra in contact. In ieder geval woonde ook hij van 1947 tot 1950 in Parijs. Hij kende toen al de enige Duitser die actief bij Cobra betrokken zou zijn, Karl Otto Götz. Deze exposeerde in 1946 net als hij - op dat moment in dienst bij het Engelse leger, standplaats Duitsland - op een groepstentoonstelling in Hannover. Gear heeft binnen de Cobrabeweging geen grote activiteit ontplooid en is grotendeels zijn eigen weg gegaan. Wel was hij aanwezig op de grote Cobratentoonstellingen in Amsterdam en Luik.

It is possible that William Gear (Scotland 1915) got to know Cobra through fellow-Scot Stephen Gilbert. He lived in Paris from 1947 to 1950. He already knew the only German who was actively involved in Cobra, Karl Otto Götz. They both exhibited in 1946 at a group exhibition in Hanover — Gear was in the British army, stationed in Germany. Gear did not do a great deal in the Cobra movement and mostly went his own way. He was present at the big Cobra exhibitions in Amsterdam and Luik.

1

2

3

1. Composition celtique 1948
Keltische compositie/Celtic
composition
olie op doek
54x73

2. Paysage 1949
Landschap/Landscape
olie op doek
65x81

3. Twin verticals 1958
Twee gelijke verticalen
olie op doek
91,5x61

STEPHEN GILBERT

1. Z.T. 1944–1948
olie op doek(dubbelzijdig)
50x42

2. Butterfly 1948
Vlinder
olie op doek

3. Z.T. 1951
olie op doek
93x73,5

Stephen Gilbert (Fife, Schotland, 1910) was met William Gear de enige Brit die bij Cobra betrokken was. Het contact kwam via Asger Jorn tot stand die in 1948 werk van Gilbert op een tentoonstelling in Parijs zag en meende dat diens mythologische wereld en de zijne uitzonderlijk goed op elkaar aansloten. Gilbert exposeerde zowel in Amsterdam 1949 als in Luik 1951 en raakte tijdens bezoeken aan Amsterdam bevriend met Constant. Deze laatste opende in 1952 ook een tentoonstelling van hem in de Amsterdamse galerie Le Canard.

Stephen Gilbert (Fife, Scotland 1910) was the only British artist involved in Cobra except for Gear. The contact was made by Asger Jorn in 1948, who had seen Gilbert's work at an exhibition in Paris and concluded that Gilbert's mythical world and his own had certain similarities. Gilbert exhibited in Amsterdam and Luik and became friends with Constant during a visit to Amsterdam. This led to Constant opening an exhibition of his in 1952 in the Amsterdam gallery Le Canard.

1

2

3

KARL OTTO GÖTZ

2

1. Siesta 1947
tempera op papier
40,5x54,5

2. Trinkerkopf 1949
Dronkemanskop/ Toper's head
gouache
46x63

3. Mutter mit Kindern 1949
Moeder met kinderen/
Mother with children
gouache
46x63

Karl Otto Götz (Aken, 1914) vormde de link tussen Cobra en de Duitse schilderkunst. Hij was via William Gear, ontmoet op een groepstentoonstelling in Hannover, met de kunstenaars rond Cobra in contact gekomen. Zo kwam hij er toe in februari 1949 met ondermeer Atlan in Mannheim te exposeren. Op dat moment gaf Götz een tijdschrift over moderne kunst uit, *Meta* genaamd. No. 6 daarvan (1951) werd geheel aan de Nederlandse Experimentele groep gewijd. In de zomer van 1949 kreeg Götz de uitnodiging mee te doen aan de tentoonstelling in het Stedelijk en het kwam door zijn inzet dat er daar in november 1949 werk van vijf Duitsers te bezichtigen was. Ook voor de tentoonstelling in Luik was Götz de verbindingsman. Tot die andere aanwezigen in Amsterdam behoorde onder anderen de vrouw van Götz, Anneliese Hager. Götz verzorgde het omslag van het vijfde nummer van *Braak* en no. 5 van het tijdschrift *Cobra*. Zijn redactionele inleiding daarbij eindigde met het voor Duitsland op dat moment broodnodige optimisme: 'Cobra ist das künstlerische Bekenntnis einer Weltjugend.'

Karl Otto Götz (Aken 1914) formed the link between Cobra and German art. He was introduced to the Cobra artists by William Gear whom he met at an exhibition in Hanover. This was how he came to exhibit with Atlan and others in Mannheim in 1949. At that time Götz was publishing a magazine on modern art called *Meta*. The sixth number of *Meta* (1951) was completely dedicated to the Dutch Experimental Group. In the summer of 1949 Götz was invited to contribute to an exhibition in the Stedelijk and it was due to his efforts that the work of five Germans was to be seen there in November 1949. Götz was also the contactperson for the Luik exhibition. Among others, Götz's wife Anneliese Hager attended the exhibition in Amsterdam. Götz produced the covers of the fifth number of *Braak* and of *Cobra* no. 5. His editorial in the sixth number of *Meta* finished on an optimistic note, which was so desperately needed in Germany at that time: 'Cobra ist das künstlerische Bekenntnis einer Weltjugend'.

3

4. Vyrl 1959
mengtechniek op doek
100x80

5. vorstudie zu 'Giverny' 1987
Voorstudie voor 'Giverny'
Preparatory study to 'Giverny'
gouache op karton
70x100

Seit 1949 ist **COBRA** die umfassendste internationale Zeitschrift für zeitge-
nössische Kunst und Poesie. **COBRA** bringt in dokumentarischer Form die
jüngsten Ergebnisse in Malerei, Plastik und Poesie aus: Amerika, Belgien,
Dänemark, Deutschland, England, Frankreich, Holland, Irak, Island, Portugal,
Schweden, Schweiz und Südafrika. **COBRA** erscheint 5 mal im Jahr, abwech-
selnd in jeweils einem andern Land. Anläßlich des internationalen Kunst-
kongresses 1949 in Amsterdam, auf dem auch Deutschland vertreten war,
wurde die Herausgabe einer d e u t s c h e n Nummer beschlossen. Nach einem
halben Jahr internationaler Zusammenarbeit mit den Künstlern aus nahezu
einem Dutzend Ländern ist es uns gelungen, diese d e u t s c h e **COBRA** (Nr. 5)
zu verwirklichen. Die deutsche Avantgarde ist in dieser Nummer vertreten,
Seite an Seite mit den Kollegen aus den verschiedensten Ländern.
– Wir erlauben uns darauf hinzuweisen, daß die Einnahmen aus dem Verkauf
der **COBRA** lediglich dazu dienen, die Druckkosten zu bestreiten. Sämtliche
Beiträge wurden von den Künstlern unentgeldlich zur Verfügung gestellt.
Da die relativ niedrige Auflage auf alle beteiligten Länder verteilt wird, ist
das für Deutschland bestimmte Kontingent schnell vergriffen. Sichern Sie sich
gleich eine Nummer von **COBRA 5** zum Preise von DM 2.— und schicken
Sie uns die angehängte Postkarte ausgefüllt zu.

KARL OTTO GØTZ
(Deutscher Redakteur und Auslieferer)

4

SVAVAR GUDNASSON

Svavar Gudnason (Hornafjordur, IJsland, 1919) woonde gedurende de oorlog in Kopenhagen en kwam zo in contact met de kunstenaars rond het tijdschrift *Helhesten*. Aanvankelijk zou hij deelnemen aan de tentoonstelling in Amsterdam maar in september 1949 kreeg hij van Sandberg een brief met de mededeling dat dit toch niet door kon gaan. Gudnason nam evenmin aan de Luikse expositie deel, wel was hij in 1950 met Bille, Jacobsen, Jorn, Pedersen en Gilbert vertegenwoordigd op de Parijse *Salon des Surindépendants*. In het tijdschrift *Cobra* verschenen enkele reproducties van zijn werk (ondermeer in no. 1 en no. 5)

Svavar Gudnason (Hornafjordur, Iceland 1919) lived in Copenhagen during the war and was introduced to artists involved in the magazine *Helhesten*. He was originally to take part in the Amsterdam exhibition, but in September 1949 he got a letter from Sandberg to say that the original plans had been changed. Gudnason did not take part in the Luik exhibition either, but he was in Paris in 1950 for the *Salon des Surindépendents*. A number of his prints were reproduced on the pages of *Cobra* magazine (no. 1 and no. 5 among others)

1. Composition 1945
olie op doek
54x84

2. Dødsangst 1947
Doodsangst/Death anguish
olie op doek
90x114

2

HENRY HEERUP

De Deen Henry Heerup (Frederiksberg 1907) had vanaf het begin contact met de Deense avantgarde, met *Linien,* Höst en *Helhesten.* Op deze wijze kwam hij met Cobra in contact, hoewel dat voor hem uiteindelijk niet veel betekende. Cobra was niet meer dan een middel om zijn werk, in afzondering gemaakt, te tonen. In zowel Amsterdam als Luik was hij met zijn sculpturen ruim vertegenwoordigd. In *Helhesten* (2de jrg. no. 4) schreef hij eens over zijn geliefde materiaal: 'Een steen moet een steen zijn, wat men er ook in hakt... Mag men niet fantaseren in steen? Natuurlijk wel. Waarom zou men zich niet laten leiden door een toevalligheid, het toeval heeft zijn eigen wetten.'

The Dane Henry Heerup (Frederiksberg 1907) was involved with the Danish avant-garde, and with *Linien,* Host and *Helhesten.* This is how he got to know Cobra, although it did not mean very much to him. He worked on his own, and Cobra was no more to him than a way of getting his work exhibited. He was represented in Amsterdam and Luik with a good number of his sculptures. In *Helhesten* (Year 2 no. 4) he wrote about his favourite material: ' A stone must be a stone, whether it is cut into or not ... Aren't we allowed to be imaginative in stone? Of course we are. Why shouldn't we be led by fortuity, chance has its own laws.'

4

'Ik had in de Cobratijd eigenlijk vooral met mezelf contact. Ik maakte mijn werk zo goed als ik kon en dan werd het geëxposeerd. Als het door de mensen van Cobra tenminste goed gevonden werd. Er waren jaren dat je niets van elkaar hoorde. Ik bedoel, die Nederlanders woonden toch in Nederland. Of was het Frankrijk? Van wanneer is Cobra ook al weer? Van '48?' (Heerup)

'In the Cobra period I was mostly in touch with myself. I did my work to the best of my ability and then it was exhibited. At least if the Cobra members thought it was good enough. There were years when you heard nothing from one another. I mean the Dutch lived in the Netherlands. Or was it France? I can't quite remember which year Cobra was — '48?' (Heerup)

1

1. Lille kvindetorso 1933
Kleine vrouwelijke torso/
Small female torso
marmer
30x9x15

2. Blå mand 1942
Blauwe man/Blue man
beschilderd kalksteen/
painted limestone
hoogte: 65

3. Fugl på tag 1945
Vogel op dak/ Bird on roof
olie op doek
58x67,5

4. Cobraslange 1950
Cobraslang/Cobra serpent
beschilderd graniet/
painted granite
30x28x17

2

.3

5

6

7   8

5. Kat med fugl 1950
Kat met vogel/ Cat with bird
beschilderde assemblage
hoogte: 57

6. Elskende par 1951
Liefdespaar/Loving couple
marmer
55x109

7. Kvindetorso z.j.
Vrouwelijke torso/female torso
speksteen/soap-stone
hoogte: 40

8. Kvindehoved med katteøje z.j.
Vrouwenhoofd met kattenogen /
Female head with cat's eyes
zandsteen/sandstone
hoogte: 24

9. Tilbedelse 1957
Aanbidding/Worship
olie op board
57x63

10. Svane 1960
Zwaan/Swan
assemblage
66x41x56

11. Strygebræt 1974
Strijkplank/Ironing board
assemblage
hoogte: 145

10

9

CARL OTTO HULTÉN

Van de drie Zweedse Imaginisten kreeg Asger Jorn het eerst contact met Carl Otto Hultén (Malmö 1916). Hoewel minder actief binnen de Cobra groep dan zijn landgenoot Österlin en niet vertegenwoordigd op een van de Cobratentoonstellingen (hij' ontving de uitnodiging voor Amsterdam te laat), vertoont zijn werk toch vrij veel verwantschap met dat van andere Cobraleden. Hultén zou ook na de opheffing van Cobra nog contact met Dotremont onderhouden. Dat resulteerde ondermeer in Grenu (zie Collectieve werken no. 17)

Of the three Swedish Imaginists, Asger Jorn was the first to come into contact with Carl Otto Hultén (Malmö 1916). Although he was less active within the Cobra group than his fellow countryman Osterlin, and not represented at even one of the Cobra exhibitions (he got the invitation for Amsterdam too late), his work has many similarities with that of other Cobra members. Hultén kept in touch with Dotremont after Cobra had been dissolved. This resulted in *Grénu* and others (see collective works no. 17)

1. Huvud under horisonten 1950
Hoofd onder de horizon/
Head under the horizon
olie op doek
25x35

2. Huvud 1951
Hoofd/Head
olie op doek
18x20

2

1

3. Fantasiernes Nattefugl 1951–1952
Imaginaire nachtvogel/
Imaginary nightbird
verschillende technieken op board
75x95

3

JOSEPH ISTLER

Klein en weggedrukt staat helemaal onderaan de catalogus van de tentoonstelling in het Stedelijk Museum, onderdeel van het Nederland-nummer van Cobra (no. 4), het land Tsjecho-Slovakije en de naam Joseph Istler (Praag 1919) vermeld. Istler had als vertegenwoordiger van de Tsjechische surrealistische groep Ra al eerder contact gehad met de Belgische surrealisten, in oktober 1947 namelijk toen hij op het nippertje op de eerste internationale conferentie van het Surréalisme Révolutionnaire verscheen. Hoewel niet vermeld in de catalogus (zie Cobra no. 10) zou Istler met grafiek ook aan de tentoonstelling in Luik deelgenomen hebben.

In small letters squeezed in at the bottom of the catalogue produced for the exhibition at the Stedelijk, (and a part of the Dutch Cobra no. 4) we find a mention of the country Czechoslovakia and the name Joseph Istler (Prague 1919). Istler, as the representative of the Czech surrealist group Ra, had already met up with Belgian surrealists in October 1947 when he arrived at the first international conference of the Surréalisme Révolutionnaire at the very last moment. Although this was not mentioned in the catalogue, (see Cobra no. 10) Istler exhibited graphic work at the Luik exhibition.

1. Z.T. 1945
ets 22/26
16,5x19,5

2. Composition 1949
gouache
34x24

1

EGILL JACOBSEN

Egill Jacobsen (Kopenhagen, 1910) reisde in 1934 naar Parijs en onderging daar een schok, vooral door het het zien van werk van Picasso. Bij zijn terugkeer naar Denemarken begon hij steeds spontaner te schilderen en maakte in 1937 in een vlaag het doek *'Ophobning'* (Ophoping) waarbij hij de verf zijn eigen weg liet gaan. Door zijn vrienden werd dit als de weg gezien die de Deens avantgarde diende te volgen. Vreemd genoeg echter was Jacobsen nauwelijks bij Cobrapublicaties of -manifestaties betrokken. De reden daarvan is dat hij sinds 1943 geen lid meer was van de expositiegroep Höst. Hij exposeerde niet in Amsterdam, evenmin in Luik. Wel was hij aanwezig op de tweede, kleinere tentoonstelling in Brussel, in maart 1949. Het omslag van het eerste nummer van het tijdschrift *Cobra* werd door Jacobsen samen met Jorn en Pedersen vervaardigd (Jacobsens handtekening is op de achterzijde rechtsboven vaag te onderscheiden).

Egill Jacobsen (Copenhagen 1910) went to Paris in 1934 and got quite a shock, particularly on seeing Picasso's work. On his return to Denmark he began to paint more freely and made the canvas 'Ophobning' in one go in 1937. In this painting he allowed the paint to go its own way. His friends saw this as the way in which the Danish avant-garde should develop. Strangely enough, Jacobsen was scarcely involved in Cobra publications or exhibitions. The reason for this was that from 1943 onwards he was no longer a member of the exhibition society Höst. He didn't exhibit in Amsterdam nor Luik. He was, however, present at the second smaller exhibition in Brussels in March 1949. The cover of the first number of the magazine *Cobra* was made by Jacobsen, Jorn and Pedersen (Jacobsen's signature can be vaguely distinguished on the back of the cover in the top right hand corner).

1. To figurer 1947
Twee figuren/Two figures
olie op doek
96x70

2. Maske 1947
Masker/Mask
olie op doek 85x70

3. Havet og den brune maske 1951
Hoofd met het bruine masker/Head with the brown mask
olie op doek
92x73

4. Komposition med maske i gult, rødt og grønt 1963
Compositie met masker in geel, rood en groen
Composition with mask in yellow, red and green
olie op doek
98x80

5. Cirkus 1973
Circus
olie op doek
70x100

6. Den gule mand 1977
De gele man/The yellow man
olie op doek
116x89

3

2

4

'Ik was de eerste uit onze kring die in Parijs kwam. Daar vond naar mijn mening de ware revolutie plaats. Ik had het geluk daar alle tentoonstellingen te kunnen zien... Ik had een Franse neef die in Parijs studeerde. Hij heeft me een beetje door elkaar geschud. Ik kwam uit een land waar je nauwelijks rood of paars mocht schilderen en zag toen Picasso. Dat vond ik niet om aan te zien. Die neef vroeg me te gaan zitten en er een half uur naar te kijken. Dan zou hij terugkomen. Dat deed ik en werd laaiend enthousiast over die kunst.' (Jacobsen)

'I was the first from our circle to arrive in Paris. In my view the real revolution took place there. I was lucky to be able to see all the exhibitions there... I had a French cousin who was studying in Paris. He shook me up a bit. I came from a country where you were advised against painting in reds and purples. Imagine the shock of seeing Picasso. I thought it was hideous. My cousin asked me to just sit down and look at it for half an hour. Then he would come back. That's just what I did, and became madly enthusiastic about art like that.' (Jacobsen)

6

ASGER'JORN

Asger Oluf Jørgensen, beter bekend als Asger Jorn (Vejrum, Jutland, 1914-1973) vormde de schakel tussen de Deense avantgarde aan de ene en de Belgische surrealisten en Nederlandse experimentelen aan de andere kant. Jorn had uit onvrede met het Deens cultureel klimaat al eerder inspiratie buiten de landsgrenzen gezocht. In 1936 was hij naar Parijs getrokken waar hij lessen bij Léger volgde (zie bijv. Jorn no. 1). Zoals voor meerderen van zijn generatie was kennismaking met het werk van Jacobsen ook voor Jorn een schok. Vanaf dat moment (1938) probeerde hij vrijer te gaan werken. Dat leidde ondermeer tot aaneensluiting in Höst waaruit - op initiatief van Jorn - in 1941 het blad *Helhesten* voortkwam. Na de oorlog trok Jorn opnieuw naar het buitenland en bezocht in 1946 het atelier van Atlan in Parijs. Via deze kreeg hij contact met de Franse en zo met de Belgische surrealisten. Later in datzelfde jaar ontmoette hij Constant in de galerie van Pierre Loeb en nog op dezelfde dag wisselden de twee hun ideeën over een internationale beweging uit. Op de terugreis naar Denemarken verbleef Jorn vervolgens enige dagen bij Constant in Amsterdam. In het jaar daarop was Jorn aanwezig bij de eerste internationale conferentie van het Surréalisme Révolutionaire te Brussel (29, 30 en 31 okt. 1947) waar hij

Asger Oluf Jørgensen, better known as Asger Jorn (Vejrum, Jutland 1914-1973) was the link between the Danish avantgarde and the Belgian surrealists on the one hand and the Dutch experimentalists on the other. In his unhappiness with the Danish cultural climate, Jorn looked at a relatively early date for inspiration beyond the boundaries of his country. In 1936 he had gone to Paris where he took lessons from Leger (see Jorn no. 1). Just like so many others of his generation, confrontation in 1938 with Jacobsen's work was a shock. From that moment onwards he tried to work more freely. This resulted in him joining Höst, from which — on Jorn's initiative- the paper *Helhesten* emerged in 1941. After the war, in 1946, Jorn left again and visited Atlan's studio in Paris. Through him he got in touch with the French and subsequently with the Belgian surrealists. Later in the same year he met Constant in Pierre Loeb's gallery and on the same day the two exchanged ideas on the international movement. On the way back to Denmark, Jorn stayed with Constant in Amsterdam for a few days. In the following year Jorn was present at the first international conference on *Surréalisme Révolutionaire* in Brussels (29, 30, and 31 October 1947) where he spoke about the Danish avantgarde, folk-art and mythology and

1

Litho van Henry Heerup, getiteld 'Vertrek van Jorn per BSA-motorfiets op weg naar Parijs in 1936' (1974)

Litho by Henry Heerup, entitled 'Jorn leaves for Paris on a BSA motorbike in 1936' (1974)

1. Komposition 1936
olie op doek
63x67

2. Z.T. 1940-1941
olie op board
29,5x42

3. Occupations 1939-1945
Bezetting
serie van 23 etsen
Blad 38x28

4. Komposition med fabeldyr 1950
Compositie met fabeldier/
Composition with fabulous animal
olie op board
27x35

over de Deense avantgarde, volkskunst en mythologie sprak en de Belgische surrealisten tijdschriften en schilderijen liet zien. Zo komt het dat in het eerste en enige nummer van het tijdschrift *Le Surréalisme Révolutionnaire* vertaald Deens proza en reproducties van werk van Jacobsen en Jorn te zien zijn. Dat Jorn vervolgens in het najaar van 1948 in Parijs verbleef en als enige Deen aanwezig was bij de 'oprichtingsvergadering' van Cobra, verbaast niet. Met Constant en Dotremont was Asger Jorn de belangrijkste theoreticus van de Cobragroep. Hij publiceerde in de loop van zijn leven tal van boeken en pamfletten. Ook in het tijdschrift Cobra en verwante publicaties is daarvan de neerslag te vinden. Zo bevatte het eerste nummer van *Cobra,* na twee lyrische artikelen van Dotremont en Constant over Denemarken, al een theoretische verhandeling van Jorn, *Discours aux Pinquins* getiteld. Daarin zet hij zich af tegen het psychisch automatisme van het surrealisme à la Breton en stelt daar experiment en spontaniteit tegenover. En tegenover de 'metafysica' van de 'oude surrealisten' plaatst hij het materialisme van de Experimentelen. Omschrijvingen waarmee men nog alle kanten uit kon maar waarmee wel de basis gelegd was voor de vele theoretische verhandelingen die in dit tijdschrift en elders zouden volgen.

showed Belgian surrealist papers and paintings. This is the reason for the first and only number of the magazine *Le Surréalisme Révolutionnaire* containing translated Danish prose and reproductions of Jacobsen and Jorn's work. It is not surprising that Jorn stayed on and was the only Dane to be present at the 'founder meeting' of Cobra in Paris in 1948. Asger Jorn, Constant and Dotremont formed a trio of important theoreticians in the Cobra group. During his lifetime Jorn published numerous books and pamphlets. Evidence of this is to be found in *Cobra* and related publications. The first number of *Cobra* had a theoretical discourse by Jorn entitled 'Discours aux Pinguins', which appeared after two lyrical articles on Denmark written by Dotremont and Constant. In this treatise he attacks the psychological automatism of *surréalisme à la Breton* and proposes experiment and spontaneity as alternatives. He substitutes the materialism of the experimentalists for the 'metaphysics' of the 'old surrealists'. The descriptions were multi-interpretable but they provided a framework for the many theoretical discourses which were to follow both in this publication and others.

148

5

7

'Als we een beetje boosaardig over Jorn wilden doen, beschouwden we hem als een soort handelsreiziger in kunst. Maar eerlijk gezegd zag ik hem als een echt goede vriend die propaganda maakte voor de gedachten die wij, een paar Holanders en wat Belgen, bleken te hebben.' (Jacobsen)

'If we wanted to be a bit nasty about Jorn, we referred to him as a sort of travelling salesman in art. But frankly, I thought of him as a good friend who was making propaganda for the ideas which we, together with a few Dutchmen and some Belgians, appeared to share.' (Jacobsen)

8

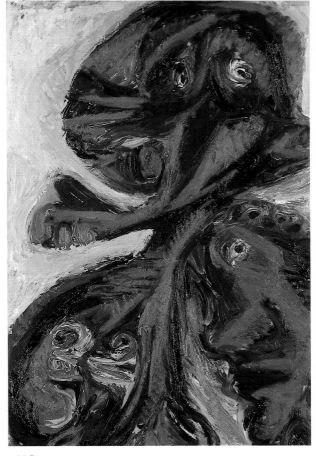

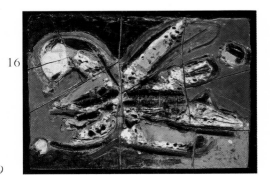

16

9

5. Aganakker 1950
olie op doek
26,8x35

6. Dirge 1950
olie op board
30,5x36,6

7. Skideballe 1951
Rotstreek / Dirty trick
olie op board
48,8x41,6

8. Komposition med to figurer 1951
Compositie met twee figuren/Com-
position with two figures
inkt en aquarel
33x40

9. Mennesker ved roden 1952
Mensen krijgen wortels/
People strike roots
olie op board
77x51,5

10. Studie nr. 4 af opus 2, den tyste
myte 1952
Studie nr. 4 van opus 2, de stille
mythe/ Study no. 4 of opus 2,
the silent myth
olie op board
66x160

'De objectieve wetenschap is de leer van het denken der materie, van de geest der materie. De subjectieve wetenschap kan de leer genoemd worden van hoe de stof voelt, over de interessen van de stof of de ziel van stof...' (Asger Jorn, in: *Held og hasard*, Silkeborg 1952)

'The objective science is the study of the mind and spirit of matter. The subjective science can be called the study of how matter feels, is concerned with what matter is interested in, or, if you like, with its soul ... (Asger Jorn, in: *Held og hasard*, Silkeborg, 1952)

10

11. Studie af opus 2,
den tyste myte
1952
Studie van opus 2,
de stille mythe/
Study of opus 2, the silent myth
olie op?
36x45

12. Des êtres 1952
Wezens/ Beings
aquarel en potlood
34x49

13. Den rode jord 1953
De rode aarde/ The red earth
lithografie
97x136

14. Midssomernatsdrøm 1953
Midzomernachtsdroom
Midsummernightsdream
olie op board
160x83

15. Schweizer Suite 1953/4
Zwitserse suite/Swiss suite
serie van 23 etsen
verschillende afmetingen
blad: 38x23

16. Z.T. 1954
keramiek
74x100

11

Eind jaren vijftig heeft Jorn meerdere zogenaamde 'modifications' gemaakt, d.w.z. experimentele veranderingen aangebracht op bestaande, veelal realistische doeken. Dit was een kortstondige mode onder moderne kunstenaars.

At the end of the 1950s Jorn made several so-called 'modifications' that is, experimental alterations on existing, usually realistic canvasses. This was for a short time very fashionable among 'mode' artists.

17. Chanson d'été 1959
Zomerzang/Summer song
olie op doek(modificatie)
46x55

18. 'Bloomsday' 1962
olie op doek
81x65

19. Die nachfolge 1963
Afstammelingen/Descendants
olie op doek
116x89

20. There is a lot of talking going on
1965
Er wordt heel wat afgekletst
décollage
53x44

21. La joie d'être 1969
Levensgeluk/ Joy of life
olie op doek
81x100

17

20

22

22. I campi verdi 1969
De groene vlaktes/
The green pastures
olie op doek
45x34

21

23. Mon pauvre chou 1969
, m'n liefje/ My little sweetheart
olie op doek
45x60

24. Sorriso enigmatico 1972
Raadselachtige glimlach/
enigmatic smile
brons
19x13x9

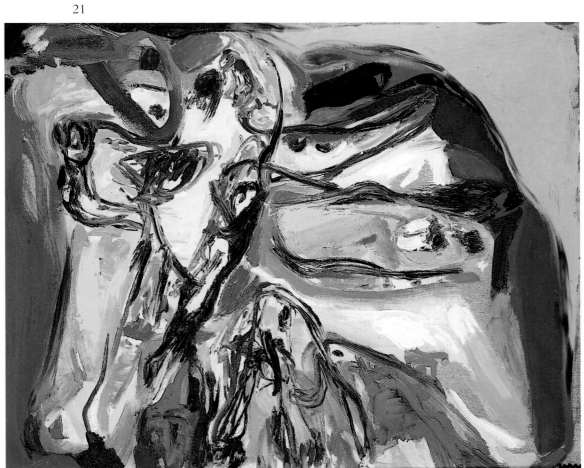

'Welke moeten de hoofdkenmerken zijn van de nieuwe cultuur en dat in de eerste plaats in vergelijking met de oude kunst? Tegenover het schouwspel stelt de situationistische cultuur... de totale participatie. Tegenover de geconserveerde kunst stelt zij een organisatie van het direct beleefde moment. In plaats van een in hokjes onderverdeelde kunst zal zij een allesomvattende werkwijze zijn die zich zal uitstrekken tot alles wat maar bruikbaar is. Vanzelfsprekend is zij geneigd tot een collectieve en zonder twijfel anonieme productie' (Asger Jorn in: *Internationale Situationiste*, no. 4 1960)

18

23

What should be the hallmarks of the new culture, and that above all in contrast with the old? Instead of being a mere audience, the situationist culture proposes ... audience participation. Instead of the preservation of old forms, it proposes the organization of the immediate experienced moment. Instead of art that is partitioned up in little boxes there will be a comprehensive approach which will embrace everything that can be used. Naturally, the tendency will be towards collective and presumably anonymous production (Asger Jorn, in: *Internationale Situationiste,* no. 4, 1960)

ZOLTAN EN MADELEINE KEMENY

ZOLTAN KEMENY:

1. Festonie 1947
geschilderd reliëf op board
64,5x61

2. Roi de bois 1948
Woudkoning/King of the woods
houten beeld
wood en statue
43x32

3. Torso 1949
sculptuur
39x17x8

4. Vie dans l'herbe 1950
Leven op het gras/ Life on grass
reliëf collage
77x62

5. Ombres et lumières montantes
1954
Stijgende schaduw en licht/
Rising shadow and lights
reliëf in metaal
129x82x11,4

6. 'Sept.' 1959
assemblage, koper en zink op hout
163x156

In de catalogus van de tentoonstelling in het Stedelijk wordt onder het land Zwitserland het echtpaar Kemeny vermeld. Hoewel op dat moment inderdaad woonachtig in Zwitserland, waren zowel Zoltan Kemeny (Transilvania 1907- 1965) als zijn vrouw Madeleine Szemere Kemeny (Boedapest 1906) van Hongaarse nationaliteit. In 1930 waren beiden in Parijs gaan wonen waar zij drie jaar later trouwden. In 1942 was het echtpaar naar Zürich verhuisd waar Zoltan als redacteur van een modetijdschrift zijn brood verdiende. Door Corneille was het werk van Zoltan na de oorlog in een Parijse galerie ontdekt en zo kreeg hij een uitnodiging om aan de expositie in Amsterdam deel te nemen. Verdere sporen van het echtpaar Kemeny zijn er binnen de Cobra-beweging nauwelijks te vinden. In *Cobra* no. 4 staat van beiden een werk gereproduceerd. Van Zoltan - abusievelijk Kenedy genoemd - werd het geschilderd reliëf afgebeeld dat nu in de Van Stuijvenberg collectie opgenomen is (zie Zoltan Kemeny no. 1).

In the catalogue produced for the Stedelijk exhibition, we find the Kemenys listed under the heading Switzerland. Although then resident in Switzerland, neither had Swiss nationality. Zolton Kemeny (Transylvania 1906-1965) and his wife Madeleine Szemere Kemeny (Budapest 1906) were Hungarians by nationality. In 1930 both of them had gone to live in Paris where they married three years later. In 1942 the two moved to Zurich, where Zoltan earned his living as an editor for a fashion magazine. After the war Corneille discovered Zoltan's work in a Parisian gallery and that is how he came to be invited to exhibit in Amsterdam. Further traces of the Kemenys are not to be found in the Cobra movement. In *Cobra* no. 4 there are reproductions of both their paintings. Zoltan's contribution — wrongly called Kenedy — was a painted relief which is now part of the Van Stuijvenberg collection (Zoltan Kemeny no. 1)

6

3

154

1

MADELEINE KEMENY:

1. Lavandière 1950
Wasvrouw/ washerwoman
verschillende technieken
op gekleurd papier
63x55

2. Pêcheur 1950
Visser/Fisherman
verschillende technieken
op gekleurd papier
70x50

Madeleine Kemeny in Zürich,
in front of the relief by her
husband 'The Void' (1959)

Madeleine Kemeny in Zürich
vóór het reliëf 'Le vide' van
haar man (1959)

2

1

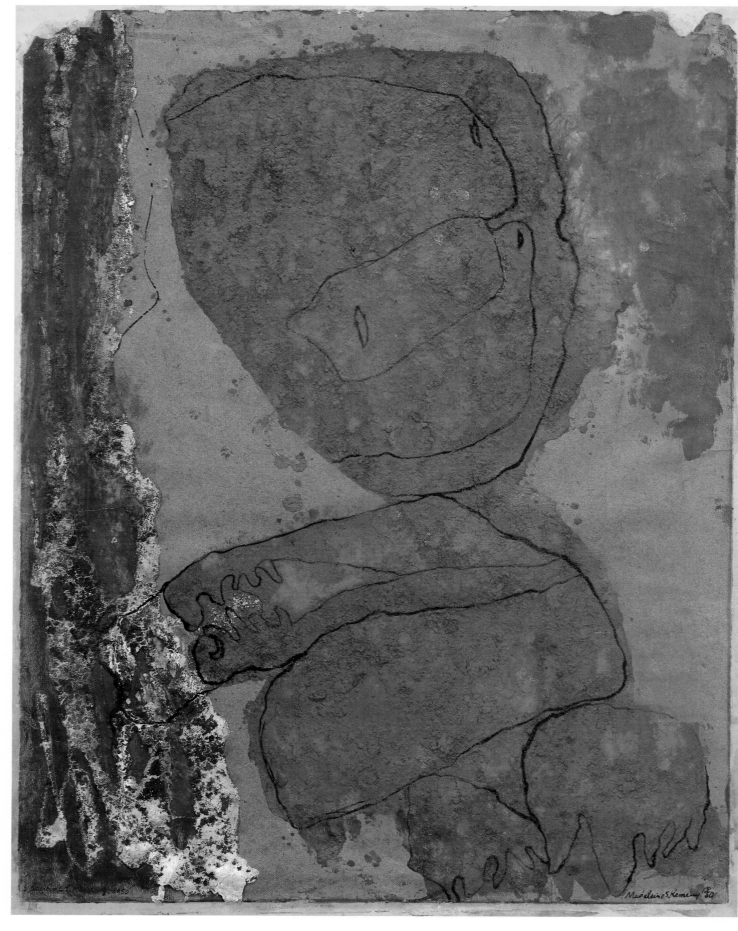

LUCEBERT

Hoewel Lucebert, Lubertus J. Swaanswijk (Amsterdam, 1924) als beeldend kunstenaar bij geen enkele Cobramanifestatie betrokken was, is zijn betekenis ervoor groot geweest. Lucebert was via Gerrit Kouwenaar met de dichters in contact gekomen die zich in de winter van 1948-1949 bij de Nederlandse Experimentele Groep aansloten en speelde bij de tentoonstelling in het Stedelijk een sleutelrol. Niet alleen hield hij tijdens de opening een uiterst poëtische voordracht maar bovendien was hij ceremoniemeester en opvallend aanwezig in de zogenaamde 'dichterskooi'. Daar werd hij samen met Elburg, Kouwenaar, Schierbeek en Götz getoond op een foto met de tekst 'er is een lyriek die wij afschaffen'. Meer dan welke bij Cobra betrokken kunstenaar ook combineerde Lucebert poëzie en tekenkunst zoals blijkt uit een achttal unieke boekjes die hij in de jaren 1949-1951 maakte. Lucebert was ook opvallend vertegenwoordigd in alle publicaties die op een of andere manier met Cobra of de Nederlandse experimentele kunst te maken hadden, met name door een aantal nu klassieke gedichten die het klimaat van de tijd goed weergeven, zoals *Verdediging van de 50'ers* (*Cobra* no. 4) en *Minnebrief aan onze gemartelde bruid Indonesia* (*Reflex* no. 1). Cobra zou voor Lucebert bij nader inzien van groot belang zijn, wat blijkt als hij zich vanaf het midden van de jaren '50 meer en meer op de schilderkunst gaat toeleggen.

Although Lucebert, Lubertus J. Swaanswijk (Amsterdam 1924) did not participate in a single Cobra exhibition as an artist, he did have an important role to play in the group. Lucebert got to know the poets through Gerrit Kouwenaar who joined the Dutch Experimental Group in the winter of 1948-49 and played a key role at the exhibition in the Stedelijk. Not only did he give an extremely poetic recital, he was also master of ceremonies and his presence was extremely noticeable in the so-called 'poet's cage'. It was there that he was to be seen in a photo with Elburg, Kouwenaar, Schierbeer and Götz with the text 'there is a lyric that we are doing away with'. Lucebert combined poetry and painting more than any of the other Cobra artists, as is illustrated in eight unique books which he made between 1949-1951. Lucebert was also conspicuously represented in all the publications which had to do with Cobra or Dutch experimental art, in particular by a number of poems which have now become classics and which represent the climate of opinion at the time, like *Defense of the 50'ers* (*Cobra* no. 4) and *Love-letter to our tortured bride Indonesia* (*Reflex* no.1.). Cobra was to be of great importance to Lucebert as well, as becomes apparent in the mid-Fifties when he begins to apply himself more and more to painting.

1. Vrouw 1950
Woman
Inkt, aquarel en potlood
17,5x20

2. Z.T. 1950
Oostindische inkt
27x24

158

3. Z.T. 1951
Oostindische inkt
26x21

4. Z.T. 1952 (april)
tekening gemengde technieken
21,5x33,7

5. Z.T. 1952
tekening Oostindische inkt
33,7x21,5

6. Z.T. 1953
gouache
31,2x46,8
(ill. pag. 12)

7. 'The bird' 1963
olie op doek
100x80

3

5

4

ik draai een kleine revolutie af
ik draai een kleine mooie revolutie af
ik ben niet langer van land
ik ben weer water
ik draag schuimende koppen op mijn
hoofd
ik draag schietende schimmen in mijn
hoofd
op mijn rug rust een zeemeermin
op mijn rug rust de wind
de wind en de zeemeermin zingen
de schuimende koppen ruisen
de schietende schimmen vallen

ik draai een kleine mooie ritselende revolutie af
en ik val en ik ruis en ik zing

lucebert

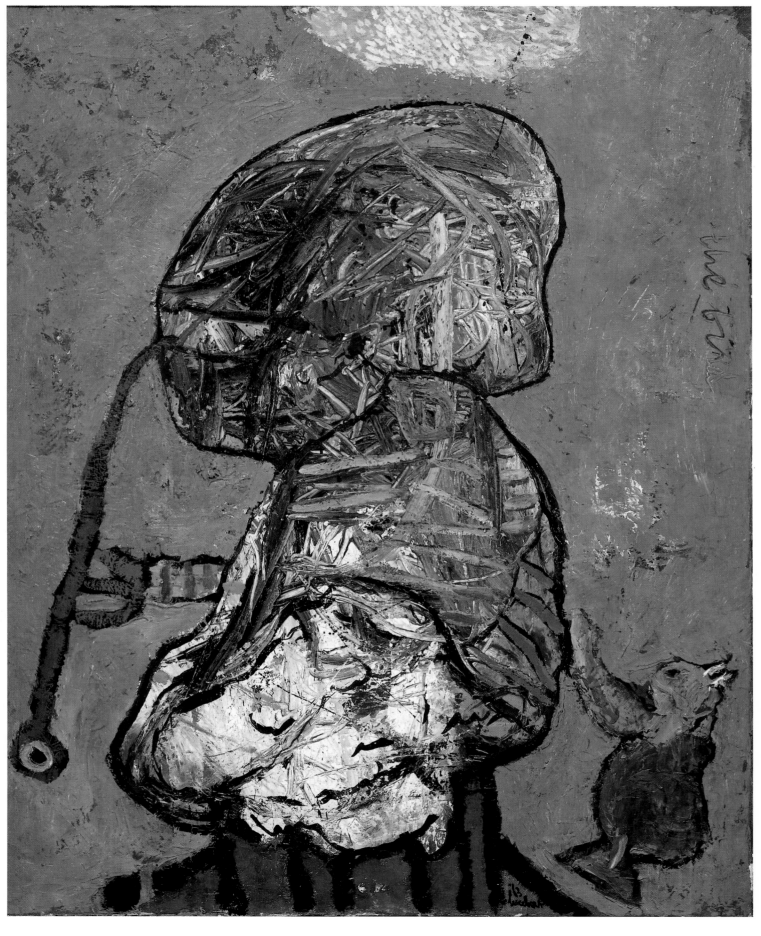

Lucebert in Bergen, 1974

8. Hoffmann's vertellingen 1967
Hoffmann's tales
olie op doek
200x150

9. Artistas del circo 1972
Circusartiesten/ Circus artists
olie op doek
70x90

10

10. Personaje 1974
Personage
olie op doek
80x50

11. De occultist als occupant 1987
The occultist as an occupant
acryl op papier
75x100

8

ERNST MANCOBA

Ernest Mancoba (Johannesburg, 1910) kwam door zijn huwelijk met Sonja Ferlov die hij in Parijs had leren kennen en met wie hij na de oorlog naar Denemarken terugkeerde, in de tentoonstellingsgroep Höst terecht. Blijkens correspondentie zou hij voor de tentoonstelling in Amsterdam wel een uitnodiging ontvangen hebben maar hij was er niet vertegenwoordigd.

Ernest Mancoba (Johannesburg 1910) got involved with Cobra through marriage to Sonja Ferlov whom he met in Paris and returned to Denmark with. The correspondence shows that he did receive an invitation to the exhibition in Amsterdam but he was not represented.

1. Composition 1951
olie op doek
61,5x51,5

1

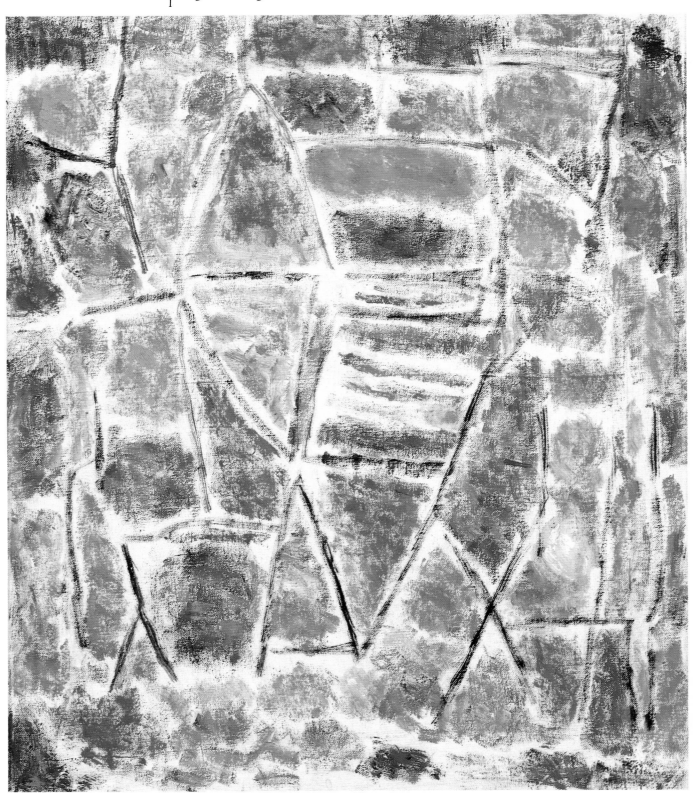

JAN NIEUWENHUYS

Jan Nieuwenhuys (Amsterdam, 1922-1986) trad in hetzelfde jaar dat Cobra ontstond uit de Nederlandse Experimentele Groep. Daardoor komt het dat er nog wel werk van hem in het eerste nummer van *Reflex* te zien is dat in september 1948 verscheen maar dat hij noch op de Cobratentoonstellingen noch in Cobrapublicaties vertegenwoordigd was. Wel zou de stijl van de Experimentelen en Cobra hem beïnvloeden.

Jan Nieuwenhuys (Amsterdam 1922-1986) left the Dutch Experimental Group in the same year that Cobra was founded. This is why work of his can still be seen in the first number of *Reflex* which came out in September 1948 but it also explains why he dit not participate in the Cobra exhibitions nor in their publications. The style of the Experimentalists and Cobra did have an influence on him.

1. Le genet 1948
Het Spaanse paardje/ The little
Spanish horse
gouache
49x61

2. Robot 1948
olie op board
65x49

2

ERIK ORTVAD

Erik Ortvad (Kopenhagen, 1917) was een aantal jaren jonger dan de meeste andere kunstenaars rond *Helhesten* en Höst en voelde zich daarom naar eigen zeggen altijd enigszins een 'leerling'. Zijn werk werd vertoond in Amsterdam '49, Luik '51 en al eerder in de Amsterdamse kunstzaal Van Lier waar de Nederlandse Experimentele Groep het in maart 1949 onder de titel *Tekeningen en gouaches van enkele buitenlandse kameraden* naast dat van Doucet, Alfelt, Pedersen, Jorn en Gear liet zien.

Erik Ortvad (Copenhagen 1917) was a number of years younger than most other artists around *Helhesten* and Höst and therefore stated that he always felt a bit like a 'pupil'. His work was shown in Amsterdam '49, Luik '51 and earlier in the Amsterdam art gallery Van Lier where in 1949 the Dutch Experimental Group showed 'Drawings and gouaches of a number of foreign comrades'- in this case with Doucet, Alfelt, Pedersen, Jorn and Gear.

1. Landscape 1947
Landschap
aquarel
29x42

2. Z.T. 1947
kleurpotlood
30x42

3. Kinesisk landskab 1948
Chinees landschap/Chinese
landscape
olie op doek
81x70
(ill. pag. 75)

2

ANDERS ØSTERLIN

1. Landskap med tecken 1946
Landschap met teken/
Landscape with sign
aquarel 75x50

2. Djur framför tröd med frukt 1951
Dieren voor bomen met vrucht/
Animals before trees with fruit
olie op doek
63x95,5

3. Blått landskap 1952
Blauw landschap/
Blue landscape
olie op doek
82x96

Van de drie Zweden in de van Stuijvenbergcollectie was Anders Österlin (Malmö 1926) het meest intensief bij Cobra betrokken. Hij had samen met de twee andere uit de collectie (Svanberg en Hultén) aan het eind van de oorlog de Zweedse avantgarde groep *Imaginisterna* (De imaginisten) opgericht en was zo met Jorn in contact gekomen. Via deze raakte hij op de hoogte van de gebeurtenissen in Nederland en België en kwam hij in aanraking met de Experimentelen in deze landen. Appel, Corneille en Constant trokken na een verblijf in Denemarken in het najaar van '49 ook nog kort naar Zweden. Een litho tussen dit en het Zweedse drietal was hiervan het resultaat (zie collectieve werken no. 4). Österlin exposeerde als enige Zweed in Amsterdam en Luik, bezocht meerdere keren de ateliers du Marais in Brussel en was aanwezig in Bregneröd waar in de zomer van 1949 een groot aantal van de Cobrakunstenaars bijeenkwamen om te praten en te werken. Het lag in de bedoeling om van het tijdschrift *Cobra* ook een Zweeds nummer te laten verschijnen maar daarvan is het nooit gekomen. Österlin kon goed met Dotremont opschieten en heeft zich dan ook (tevergeefs) ingezet voor de verspreiding van het tijdschrift *Cobra* in zijn land.

Of the three Swedes in the Stuijvenberg collection Anders Österlin (Malmö 1926) was most intensely involved in Cobra. He and two more to be found in the collection (Svanberg and Hultén) founded the Swedish avant-garde group Imaginisterna (The Imaginists) after the war and that is how he got to know Jorn. Through him he kept in touch with what was going on in the Netherlands and Belgium and he got to know the experimentalists in these countries. Appel, Corneille and Constant, after staying in Denmark in the autumn of '49, went for a short stay in Sweden. The result was a joint lithograph with the Swedish threesome (see collective works no. 4). Österlin exhibited as the only Swede in Amsterdam and Luik, visited the 'Ateliers du Marais' in Brussels and was at Bregneröd in the summer of 1949 where a great number of artists got together to talk and work. The idea was to make a Swedish number of *Cobra* magazine but it never got that far. Osterlin got on well with Dotremont and did his best to promote the magazine *Cobra* in his own country but to no avail.

2

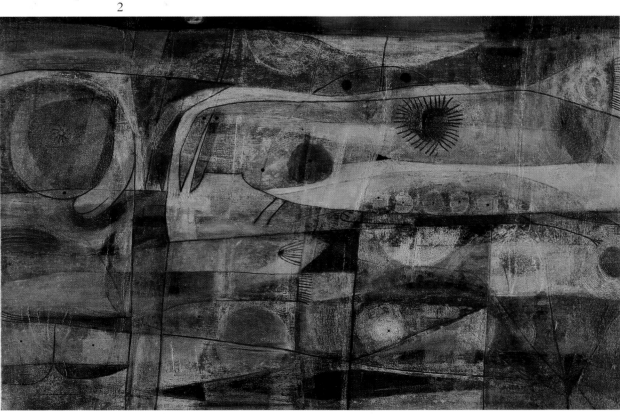

Henny Riemens en Anders
Østerlin in Malmø, zomer 1951

Henny Riemens and Anders
Østerlin in Malmø, summer
1951

3

CARL-HENNING PEDERSEN

Hoewel Carl-Henning Pedersen (Kopenhagen, 1913) zich zelf nauwelijks bezighield met de Cobrabeweging en eigenlijk alleen aanwezig was bij beschilderen van het huis in Bregneröd en de opening van de tentoonstelling in Amsterdam, bestond er onder de Cobraleden grote belangstelling voor zijn werk. Dat is niet zo verwonderlijk want al tijdens de oorlog bereikte Pedersen - betrokken bij Höst en *Helhesten* - een vorm die men typisch Cobra zou kunnen noemen. Cobra met een zwaar Deens mythologisch accent wel te verstaan. Werk van Pedersen was dan ook zowel in Amsterdam als Luik te zien en werd regelmatig in *Cobra* gereproduceerd. In dat tijdschrift verscheen slechts één tekst van zijn hand en wel in het eerste nummer, een gedichtje met de titel *L'étrange nuit*.

Although Carl-Henning Pedersen (Copenhagen 1913) was hardly involved with the Cobra movement and in fact was only present for the painting of the Bregneröd house and the opening of the exhibition in Amsterdam, there was a great deal of interest among Cobra members in his work. This is not surprising if you consider that Pedersen had already reached a style which might be called typical Cobra during the war. He was also involved in Höst and *Helhesten*. However, it was Cobra with a thick layer of Danish mythology. Pedersen's work could be seen in both Amsterdam and Luik and was regularly presented in *Cobra*. Only one of his texts ever appeared in the magazine, that was in the first number, a poem entitled *L'étrange nuit*.

1. Maske 1941
Masker/Mask
olie op doek
65x46

2. Orange figur og fabeldyr 1941
Oranje figuur met fabeldieren/
Orange figure and fable animals
aquarel
38x44

2

1

3. 'To figurer' og 'figur med
rød fugl' 1942
'Twee figuren' en 'figuur met rode
vogel'/ Two figures and figure
with red bird
tweezijdig/ two sides
verschillende technieken, tempera
op board
89x59

4. Kaos i universet I og II 1944
Chaos in het universum I en II/ Chaos
in the universe I and II
tweezijdig/ two sides
olie op hout
126x75

5. Figurer i havet 1945
Figuren in de Oceaan/Figures
in the Ocean
olie op hout
125x76

4

4

3

3

170

6. Drømmen mod sommer 1947
Dromen over zomer/Dream
towards summer
olie op doek
99x116

7. Fantasiens slot 1947
Fantasiekasteel/Imaginary castle
pastel
32x43

8. Skøjeren 1947
Schaatsen/ Skating
krijt
32x43

9. Hjerter og hoved 1947
Harten en hoofd/Hearts and head
olie op doek
115x86

10. Løvemanden 1950
Leeuweman/The lion-man
olie op doek
122x102

11. Gul fugl i dyk 1955
Gele vogel in duikvlucht/Yellow
bird diving
verschillende technieken op papier
75x56,5
(ill. pag. 44)

12. Den lykkelige røde fugl 1974
De gelukkige rode vogel/
The lucky red bird
verschillende technieken op papier
75x56,5

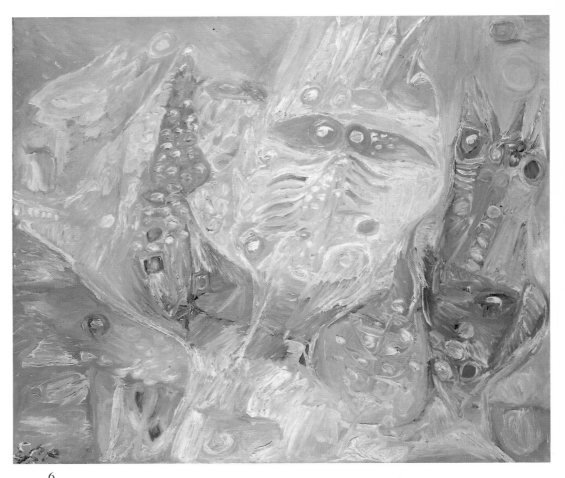

6

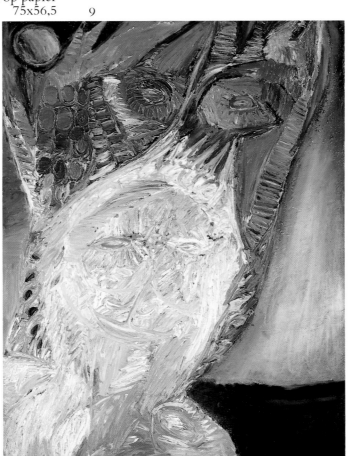

9

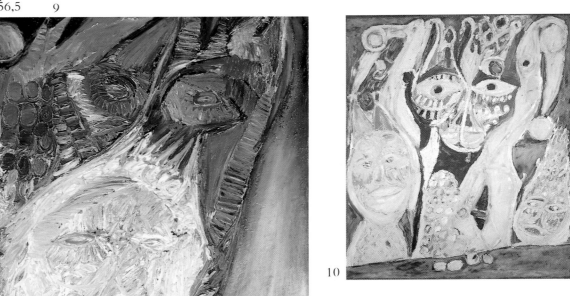

10

13

12

13. Midsummer–
nightsdream 1982
Midzomernachtsdroom
olie op doek
206x320

JEAN RAINE

De cineast Jean Raine (Brussel, 1927-1986), vriend van Alechinsky, droeg regelmatig bij aan het tijdschrift *Cobra*. Met name op nr. 3, gewijd aan de film, heeft hij zijn stempel gedrukt. In nr. 7 verscheen van zijn hand een tekst over de enige film die in Cobrakringen gemaakt werd (*La Mère terrible*). Reproducties van werk van Raine zijn er in *Cobra* echter niet te vinden. Dat komt omdat hij zich pas later op de beeldende kunst ging toeleggen.

The cineaste Jean Raine (Brussels 1927), Alechinsky's friend, regularly contributed to *Cobra* magazine. His influence is best seen in no. 3 which was dedicated to film. In no. 7 there was a text he had written about the only film ever made in Cobra circles (*La Mère terrible*). There are no reproductions of Raine's work to be found in *Cobra*. This is because he only turned to the fine arts later on.

1. Boulimascopie 1975
acryl op doek
57,5x76,5

1

REINHOUD

Reinhoud d'Haese (Grammont, 1928) was een van de eerste bewoners van de ateliers du Marais in Brussel waar hij door zijn vriendschap met Olivier Strebelle en Pierre Alechinsky terecht gekomen was. Reinhoud, zoals hij kortweg genoemd wordt, was met een viertal werken aanwezig op de tentoonstelling in Luik, waaronder waarschijnlijk 'Le coq' dat tegen een prachtig decor in *Cobra* no. 10 afgebeeld staat.

Reinhoud d'Haese (Grammont 1928) was one of the first to live at the 'Ateliers du Marais' in Brussels. This was due to his friendship with Olivier Strebelle and Pierre Alechinsky. Reinhoud, as he was called for short, participated in the Luik exhibition with four works, including 'Le Coq' which is shown against a beautiful decor in *Cobra* no. 10.

1. Fagot 1959
koper
50x40x50

2. Plein le dos 1962
Spuugzat/Fed up
koper
hoogte: 39

3. Big bird 1975
Grote vogel
koper
45x51,5x19

ANTON ROOSKENS

Anton Rooskens (Griendsveen, 1906-1976) was de oudste van de Nederlandse Experimentelen en de enige die vóór Cobra al een eigen stijl ontwikkeld had, 'echt Brabants' zoals in een kritiek gezegd werd. De oorlogservaring en het zien van de tentoonstelling *Kunst in Vrijheid* in 1945 in het Rijksmuseum waar ondermeer voorouderbeelden uit Nieuw Guinea getoond werden, overtuigde hem er echter van dat een totale vernieuwing noodzakelijk was. In 1946 kreeg hij contact met Appel en Corneille en ook met Eugène Brands. Mede hierdoor ging hij steeds vrijer schilderen. Rooskens was vanaf het begin bij de Nederlandse Experimentele Groep betrokken en werd na de oprichting hiervan tot penningmeester benoemd. De samenwerking zou echter niet lang duren: volgens een rondschrijven zou Rooskens al vóór de rel in het Stedelijk als lid geroyeerd zijn vanwege zijn aansluiting bij de 'réalités nouvelles', een opmerking die men met een korrel zout kan nemen. In ieder geval zou Rooskens hierna niet langer bij Cobramanifestaties betrokken zijn maar zijn eigen weg gaan. Daarbij bleef hij echter wel geïnspireerd door zulke 'typische Cobraverschijnselen' als primitieve kunst en kindertekeningen. Opvallend is dat er in het tijdschrift *Cobra* geen reproducties van werk van Rooskens afgebeeld staan.

Anton Rooskens (Griendsveen 1906-1976) was the oldest of the Dutch Experimentalists and the only one who had developed his own style before the advent of Cobra. This style was summed up by one critic as 'truly Brabants' (Brabant is a picturesque rural area).

His war experiences and the impact of seeing ancestral effigies from New Guinea at an exhibition called 'Kunst in Vrijheid' (Art in Freedom) in 1945, convinced him that a completely new approach was called for. In 1946 he met Appel, Corneille and Eugene Brands. It was partly due to them that he started to paint more freely. Rooskens was involved in the Dutch Experimental Group from the very beginning and was their first treasurer. The collaboration was short lived: a circular letter was sent round stating that Rooskens was to be deprived of his membership at the Stedelijk due to his allegiance to the 'réalités nouvelles', and this was still before the big row. Whether the statement was true is doubtful. In any case Rooskens ceased to be involved in Cobra events after this and went his own way. At the same time he was in fact inspired by things which were considered to be 'typical Cobra phenomena' like primitive art and children's drawings. He is conspicuous by his absence from *Cobra* magazines. There is not a single reproduction of his work to be found in them.

1. Dreigingen 1949
The menace
olie op doek
73,5x83,5

2. Compositie van Afrikaanse vormen
1950-1951
Composition of African forms
olie op doek
99,5x77,5

3. Compositie in groen 1951
Composition in green
olie op doek
73x92

2
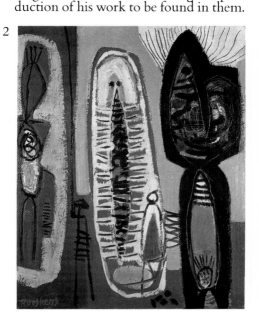

1

antoon rooskens

blijven zal voor onze ogen
de warme haard van dat gezicht
met het nerveuze vuur van zijn verhalen
over pensenkermis en de vulkanische vis

duurzaam ook in onze ogen
zijn gele raven in het zwarte graan
en als mest over heel het gezichtsveld
de verf van zijn altijd jonge zon

lucebert

3

4. Visage d'Afrique 1954
Beeld van Afrika/
Face of Africa
olie op board
61x81

4

5

5. Masker met vogel
Mask with a bird 1974
olie op doek
97x130

SVANBERG

Max Walter Svanberg (Malmö, 1912) kreeg door zijn landgenoot Anders Österlin contact met enkele Cobraleden. Afgezien echter van een reproductie in *Cobra* no. 5, verwant aan het doek in de Van Stuijvenberg collectie, en de gemeenschappelijke litho (zie collectieve werken nr. 4) heeft hij niet aan de activiteiten van de groep deelgenomen.

Max Walter Svanberg (Malmø 1912) got in touch with a number of Cobra members through his fellow countryman Anders Österlin. Apart from a reproduction in *Cobra* no. 5, related to the canvas in the Van Stuijvenberg collection, and the collective lithograph (collective works no. 4) he did not take part in the group's activities.

1. Upplevelser i imaginistens hjärta
1948-1949
Ervaringen in het hart van de fantast/
Experiences in the heart of
the imaginist
aquarel en gouache
50x65

1

SHINKICHI TAJIRI

Shinkichi Tajiri (Los Angeles, 1923) was de enige Amerikaan die in zowel Amsterdam als Luik met werk aanwezig was. Tajiri, uit Japanse ouders geboren, reisde in 1948 met een studiebeurs naar Parijs waar hij het jaar daarop met Corneille in contact kwam. Via deze kreeg hij een uitnodiging mee te werken aan de tentoonstelling in het Stedelijk Museum. Zo kwam zijn werk ook in Luik en op andere Cobraexposities terecht. Voor Tajiri heeft het contact met Cobra en de Nederlandse experimentelen zoveel betekend dat hij zich in 1956 voor langere tijd in Nederland vestigde.

Shinkichi Tajiri (Los Angeles 1923) was the only American to be at Amsterdam and Luik. Tajiri, of Japanese ancestry, travelled to Paris in 1948 on a study grant where he met Corneille a year later. Through him he was asked to work on the exhibition in the Stedelijk Museum. This was how his work came to be in Luik and at other Cobra exhibitions. The contact with Cobra and the Dutch Experimentalists meant so much to Tajiri that he settled in the Netherlands in 1956 and stayed for quite a while.

4

1. Guerrier 1949
Krijger/Warrior
brons
135x33x39

2. David et Madame Goliath 1949
brons
55x25x25

3. Guerrier 1952
Krijger/Warrior
ijzer
hoogte: 60

4. Figure 1957
brons
hoogte: 72,5

5. Krijger 1962
Warrier
ijzer
60x36x24

3

tajiri

het licht is de liefde is spits
twee vliegende pieken pakken een val-
lende piek
twee addertongen slaan naar een grijn-
zende gong
maar ergens een ster een gouden of
blauwe bron onzichtbaar opent uw ware
mond
het licht is de liefde is niets
een gat grijpt naar een ander gat
het beeld bijt een beeld
de spiegel is bleek en bont

lucebert

1

ERIK THOMMESEN

Zoals voor de meeste Denen, afgezien van Jorn, was ook voor Erik Thommesen (Kopenhagen, 1916) Cobra een gebeuren dat grotendeels aan hem voorbij ging. Hij was ruim vertegenwoordigd in Amsterdam en Luik, reproduceerde werk in het tijdschrift *Cobra* en opende het tiende en laatste nummer daarvan zelfs met een programmatische verklaring waarin hij de scheiding van vorm en inhoud of techniek en afbeelding voor onzinnig verklaarde.

For Erik Thommesen (Copenhagen 1916) just like for so many Danes, apart from Jorn, Cobra was a happening which mostly escaped his notice. He participated in the Amsterdam and Luik exhibitions, work of his was reproduced in *Cobra* magazine and the 10th and last number included a programmed statement in which he declared that the division of form and content, or technique and image, was absurd.

1. Figure 1945
graniet
94x50x65

2. Hoved 1945
Hoofd/Head
graniet
hoogte: 95

1

2

3. Figuur 1948
hout
hoogte 35

4. Hoved 1951
Hoofd/Head
hout
27x30x20

5. Figure 1954
hout
20x16x20

'De uitdrukkingsvorm kan
nooit het voorwerp worden van
een bewuste bedoeling maar
moet altijd het natuurlijke resultaat van een inhoud zijn'
(Erik Thommesen in de catalogus van een Høst-tentoonstelling in 1948)

'The form of expression can
never become the subject of a
conscious intention, but should
always arise as the natural
result of the content' (Erik
Thommesen in the catalogue
for a Høst exhibition in 1948)

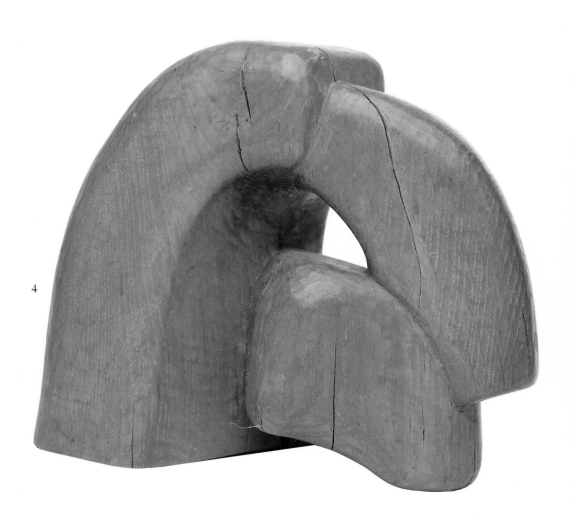

4

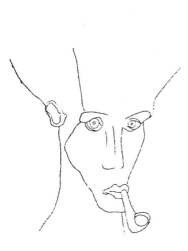

RAOUL UBAC

De Belg Raoul Ubac (Malmedy, 1910) had in 1950-1951 slechts terloops contact met de Cobragroep. Hij was toen al jaren actief in de Franse en Belgische surrealistische beweging en had als zodanig aan het begin van de oorlog Christian Dotremont leren kennen. Het is zonder twijfel deze geweest die Ubac ertoe aanzette op leisteen het omslag van *Cobra* no. 7 te ontwerpen. Via Ubac (en Bazaine) was de Parijse galerie Maeght de Cobraleden op het spoor gekomen, hetgeen in 1950 tot een beperkte tentoonstelling van enkele vertegenwoordigers ervan leidde. Ubac heeft ook enkele malen in de ateliers du Marais in Brussel gewerkt en onder de Franse vlag aan de tentoonstelling in Luik deelgenomen.

The Belgian Raoul Ubac (Malmedy 1910) had only a passing alliance with the Cobra group. He had already been active in the French and Belgian surrealist movement for many years and as such had got to know Christian Dotremont at the beginning of the war. It was, without doubt, Dotremont who encouraged Ubac to design the cover of *Cobra* no. 7 on slate. The Parisian gallery Maeght discovered the Cobra members through Ubac (and Bazaine), which led to a small exhibition of a number of the group in 1950. Ubac worked in the 'Ateliers du Marais' a couple of times too and exhibited in Luik with the French contingent.

1. Z.T. 1950
leisteen schist
61x40

2. Composition 1956
gouache
48x65

3. Formes pleines II 1959
Volle vormen II/
Full forms II
gouache
65x51

2

SERGE VANDERCAM

3. L' oiseau 1948
De vogel/ The bird
foto zwart–wit
27x38,9

2. Hommage à Giacometti 1948
foto zwart–wit
31,3x29

3. Le trou 1950
Het gat/The hole
foto zwart–wit
60x50

Serge Vandercam is, hoewel in Kopenhagen geboren (1924), Belg van nationaliteit. Tijdens de Cobraperiode was hij als beeldend kunstenaar nog nauwelijks werkzaam en vooral actief als fotograaf. Als zodanig werkte hij in de 'Ateliers du Marais' en exposeerde hij in Cobrakringen. Pas ná Cobra is hij zich als beeldend kunstenaar gaan ontwikkelen. Regelmatig werkte hij met Dotremont samen (zie collectieve werken no. 15)

Serge Vandercam, although born in Copenhagen (1924), has Belgian nationality. During the Cobra period he was not really active as sculptor, but mainly, as a photographer. As such he worked for 'Ateliers du Marais' and held exhibitions in Cobra circles. Only after the Cobra movement ended did he begin working as a sculptor. He cooperated regularly with Dotremont (see collective works, no. 15)

2

1

THEO WOLVECAMP

Theo Wolvecamp (Hengelo, 1925) kreeg na zijn vestiging in Amsterdam in 1947 contact met Appel, Constant en Corneille en was daardoor vanaf het begin betrokken bij de Experimentele Groep. Na de rel in het Stedelijk nam hij tijdelijk afstand maar keerde bijna direct weer terug om vanaf dat moment samen met genoemd drietal de Nederlandse Experimentele Groep te vormen. Werk van hem was, hoewel niet vermeld in de catalogus, ook in Luik te zien evenals op de tentoonstelling die in februari 1951 naar aanleiding van het verschijnen van Expression et Non-Figuration van Michel Ragon op de Boulevard. St. Michel in Parijs geopend werd. In de tijdschriften *Reflex* en *Cobra* verschenen een aantal reproducties van werk van Wolvecamp, evenals in het speciale nummer van *Meta* dat Karl Otto Götz in juli 1951 over de Nederlandse avantgarde in Frankfurt publiceerde.

Theo Wolvecamp (Hengelo, 1925) met up with Appel, Constant and Corneille in Amsterdam in 1947 when he moved there himself and was therefore in at the start of the Experimental Group. After the row in the Stedelijk he refused to have anything to do with them for a while but this soon changed, and from that moment on he joined up with the three of them to form the Dutch Experimental Group. Although not mentioned in the catalogue, work of his was to be seen at Luik and at the exhibition which opened in February 1951 on the Boulevard St. Michel in Paris which was instigated by the publication of *Expression et Non-Figuration* by Michael Ragon. A number of Wolvecamp's works were reproduced in the magazines *Reflex* and *Cobra,* as well as in the special number of *Meta* on the Dutch avantgarde that Carl Otto Götz published in July 1951 in Frankfurt.

1

1. Compositie 0,5 1949
olie op doek
60x80

2. Compositie 1949
olie op doek
40x65

3. Compositie 0,8 1957
olie op doek
94x100

4. Compositie 0,10 1971
olie op doek
110x150

4

3

2

5

5. Compositie 1973
tempera op doek
50x60

V.l.n.r. Wolvecamp, Corneille
en Hansma in de zomer van
1950 in Bretagne. Hansma was
een vriend van beide schilders,
barkeeper aan de Zeedijk en
kort verbonden aan de Nederlandse experimentelen

L. to r.: Wolvecamp, Corneille
and Hansma in Brittany, summer 1950. Hansma was a friend
of both painters, bartender in
Amsterdam's Zeedijk district
and was for a time attached to
the group of Dutch experimentalists

COLLECTIEVE WERKEN

Foto van een feestje in het huis van Constant na de opening van de tentoonstelling in het Stedelijk, november 1949. Te zien zijn ondermeer Appel, Corneille, Constant (op de rug), Doucet en Alfelt

Photograph showing a party in Constant's house after the opening of the exhibition in the Stedelijk Museum, November 1949. Among others present were Appel, Corneille, Constant (back view), Doucet and Alfelt

APPEL EN ALECHINSKY

1. A deux pinceaux 1978
Met twee penselen/
Using two brushes
ets
55x72,5

APPEL EN ANDREUS

2. De ronde kant van de aarde 1952
The round edge of the earth
Geïllustreerde dichtbundel 73/100
(ill. pag. 62)

1

APPEL EN CLAUS

3. De blijde en onvoorziene week 1951
The happy and unforeseen week
Geïllustreerde dichtbundel, lichtdruk
handingekleurd 141/200
(ill. pag. 62)

5

APPEL, CONSTANT, CORNEILLE, HULTÉN, ØSTERLIN, SVANBERG

4. Some of these days 1949
(25 november)
Een dezer dagen
lithografie
49x38
(ill. pag. 39)

CONSTANT EN KOUWENAAR

5. Goede morgen haan 1949
Good morning cock
Geïllustreerde dichtbundel,
lichtdruk,handingekleurd 14/30
(ill. pag. 60 en 61)

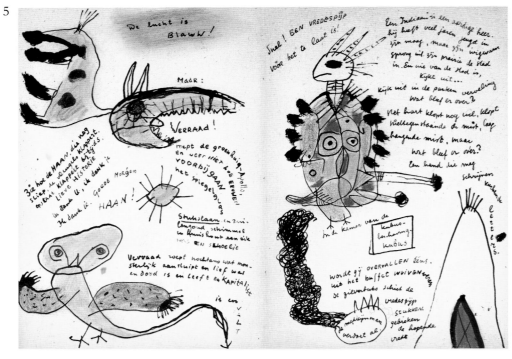

CONSTANT EN ELBURG

6. Het uitzicht van de duif 1952
The view of the pigeon
Geïllustreerde dichtbundel,
houtsnede 39/125
(ill. pag. 13)

CONSTANT EN VINKENOOG

7. Nieuw Babylon 1963
New Babylon
serie van 10 lithografiën met een tekst
van Simon Vinkenoog
blad: 40x37,5

CONSTANT EN GASPARIE

8. Labyrismen 1968
serie van 11 lithografiën met tekst van
C. Gaspari
blad: 38x47,6

CORNEILLE EN CLAUS

9. Lustful figures 1951
Wellustige figuren
olie op doek
47x44
(ill. pag. 68)

10. 'April in Paris' 1951
met de hand geschreven gedicht van
Hugo Claus op 8 bladzijden met
onderaan elke bladzijde een gouache
van Corneille
(ill. pag. 64)

CORNEILLE EN VINKENOOG

11. Driehoogballade 1950
Three cheers ballad
Geïllustreerd vouwblad, lichtdruk
handingekleurd 30/60
(ill. pag. 69)

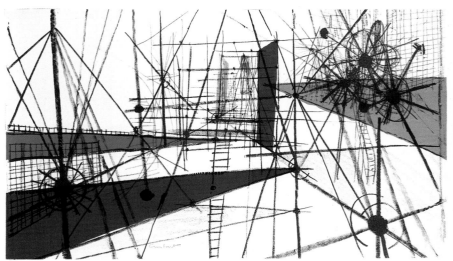

Constant met gitaar, Jorn met
viool

Constant with guitar, Jorn with
violin

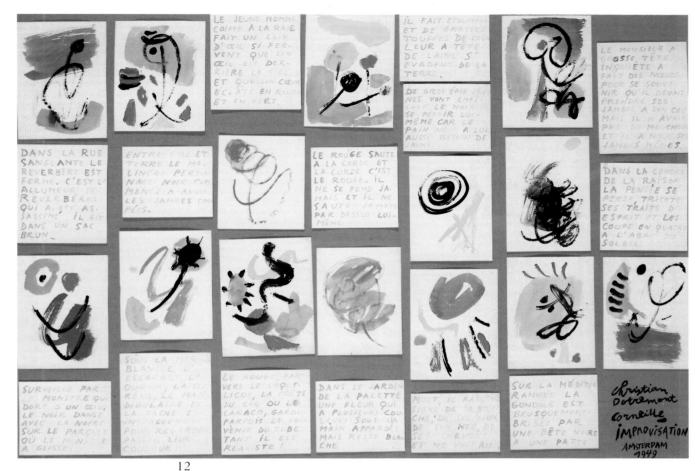

12

**DOTREMONT (TEKST)
SAMEN MET:
CORNEILLE**

12. Improvisation 1949
14 gouaches op karton
totale maat/overall size 70x115

13. Les jambages aux cou 1966
Met de voetstukken op de loop
Break-neck
facsimile van de originele uitgave
(oplage 12, 1949)
oplage 300

13

14

**DOTREMONT (TEKST)
SAMEN MET:
ATLAN**

14. Les transformés 1972
De veranderden/
The transformed ones
facsimile van het origineel uit 1950
Vouwblad, 433/600

**DOTREMONT (TEKST)
SAMEN MET:
SERGE VANDERCAM**

15. J'aime mieux mes vues que vos
visions, un haillon de réel vaut plus
que vos étoles de vison 1958
Ik verkies mijn inzicht boven jouw
visies, een snipper werkelijkheid is
meer waard dan jouw minkstola's
I prefer my sights to your visions, a
rag of reality is worth more than
your mink stole
olie op doek
28x28

**DOTREMONT (TEKST)
SAMEN MET:
MOGENS BALLE**

16. A force de nouer et dénouer nos
noeuds, nous finirons bien par
être libres 1962
Door knopen te leggen en los te
peuteren, zullen we uiteindelijk wel
eens vrij worden/ By tying and
untying our knots we'll probably end
up being free
inkt
47x63

17. Tu as vu Quoi? La question. 1962
Je hebt gezien? Wat? De vraag.
You've seen? What? The question.
inkt
23x29

18. Il arrive que les fourrures 1962
Het gebeurt dat de pelzen/It happens
that the furs
inkt
23x29

**DOTREMONT (TEKST)
SAMEN MET:
HUGO CLAUS**

19. Jette les lunettes 1962
Gooi je bril weg/Throw away
your glasses
gouache
60x48

**DOTREMONT (TEKST)
SAMEN MET:
C.O. HULTEN**

20. Grenu 1962
Korrelig/ Granular
gouache
75x63

15

16

19

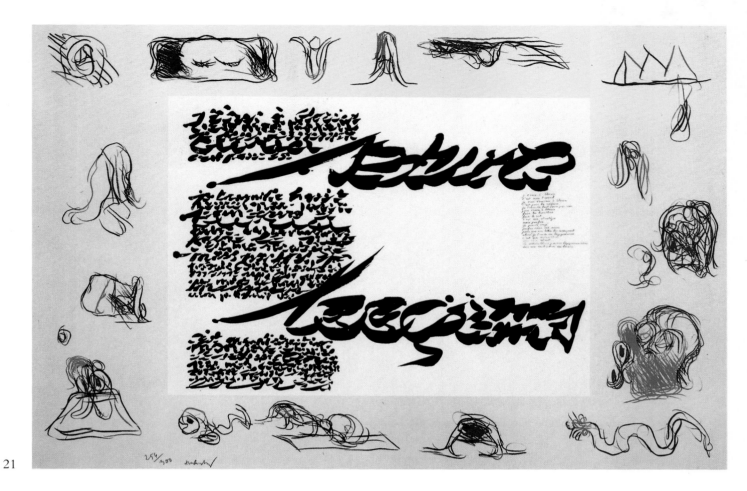

21

DOTREMONT (TEKST)
SAMEN MET:
ALECHINSKY

21. J'écris à Gloria 1971
Ik schrijf naar Gloria/
I write to Gloria
lithografie
63x94

22. Brassée seismographique 1972
Seismografische omhelzing/
Sismographic embrace
fototypo- en lithografie
72x52
(ill. pag. 57)

HULTEN EN ØSTERLIN

23. Composition 1948
gouache
33x31,5

JORN - JACOBSEN -
PEDERSEN

24. *Cobra,* nr. 1, 1949
omslag litho, met aquarel ingekleurd
cover litho

24

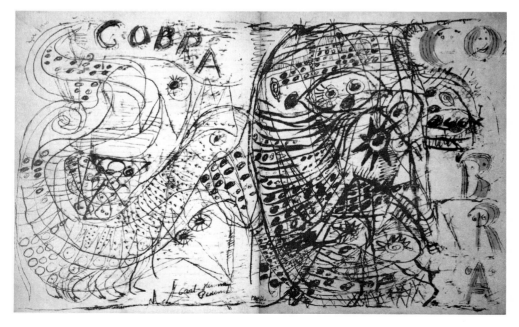

Colofon:

Tentoonstellingsbouw:
Van Doesburg Standbouw b.v.

Transport:
Gerlach & Co. b.v.

Uitgever:
Sdu uitgeverij, 's-Gravenhage

Vormgeving en coördinatie:
Art Promotion Amsterdam b.v.

Fotoverantwoording:
Coll. J. Karel P. van Stuijvenberg
Coll. Nico Koster
Coll. Willemijn Stokvis
Coll. Henny Riemens
Coll. Serge Vandercam
Jan Vrijman

Zetwerk:
IGS, Rotterdam

Lithografie:
Boan, Utrecht

Drukkerij:
Sdu drukkerij, 's-Gravenhage